GRUNDFRAGEN
DER CHRISTOLOGIE HEUTE

QUAESTIONES DISPUTATAE

Herausgegeben von
KARL RAHNER UND HEINRICH SCHLIER

Theologische Redaktion
HERBERT VORGRIMLER

Internationale Verlagsschriftleitung
ROBERT SCHERER

72

GRUNDFRAGEN
DER CHRISTOLOGIE
HEUTE

GRUNDFRAGEN DER CHRISTOLOGIE HEUTE

HEINRICH FRIES
ALOIS HALDER
PETER HÜNERMANN
WALTER KASPER
FRANZ MUSSNER

HERAUSGEGEBEN VON LEO SCHEFFCZYK

HERDER
FREIBURG · BASEL · WIEN

Alle Rechte vorbehalten – Printed in Germany
© Verlag Herder KG Freiburg im Breisgau 1975
Freiburger Graphische Betriebe 1975
ISBN 3-451-02072-6

Inhalt

Einführung

Der dogmatische Weg zum Christusgeheimnis

Es ist ein bemerkenswertes Phänomen, daß zu einer Zeit, da die „Gottesfrage" zusehends problematisch wird, die „Christusfrage" mit um so stärkerem Elan aufgenommen und mit großer Entschiedenheit beantwortet wird. Dieser nicht zufällige Zusammenhang weist aber auch schon auf die starke Ambivalenz des neu erwachten Interesses an Christus hin oder, wie es der tieferen Intention entsprechend, genauer heißen müßte: an Jesus von Nazareth. Wo nämlich Jesus nur als „Stellvertreter" des entschwundenen Gottes „die Rolle Gottes in der Welt übernimmt"[1], dort deutet sich bereits die große Fragwürdigkeit vieler moderner Entwürfe an, die Jesus ins Ungemessene erheben möchten, aber am Ende doch der Gefahr nahekommen, ihn zu degradieren.

So ist die Christusfrage heute wiederum in ein Stadium der Entscheidung getreten, wie sich dies schon öfter in der Geschichte des christlichen Glaubens und des Dogmas begab, am eindrucksvollsten wohl in den christologischen Auseinandersetzungen der Alten Kirche, die uns in ihrer Härte, in ihrer die Gemeinden aufwühlenden Vehemenz (Alexandrien) und in ihrer viele Einzelschicksale verschlingenden Dramatik (Athanasius) merkwürdig fremd anmuten. Aber eine geschichtlich denkende Zeit wird aus der fremdartigen Szenerie den Sinn und Gehalt des Dramas erschließen, der wesentlich der gleiche geblieben ist: das Ringen um den menschgewordenen Gott angesichts seiner Entwirklichung in einer höheren Gnosis oder in einer an den elementaren Urwahrheiten anknüpfenden Philosophie (Arius und sein so vernünftiges Abstiegsschema, das aus Christus einen Halbgott machte[2]); der bis zur Selbstaufgabe gehende geistige Kampf um die Vergewisse-

---

[1] So *D. Sölle*, Stellvertretung. Ein Kapitel Theologie nach dem „Tode Gottes" (Stuttgart ³1966) 190.
[2] Vgl. *B. Lohse*, Epochen der Dogmengeschichte (Stuttgart 1963) 56.

rung der biblischen Wahrheit, daß Gott in die Menschheit eingegangen und in ihr anwesend ist, ein Streit, der nicht zur Befriedigung spekulativer Bedürfnisse geführt wurde, sondern aus Sorge um das Heil des Menschen, das nicht gewährleistet ist, wenn die Kreatur nicht als *solche* und als *ganze* vom Ewigen Wort angenommen wurde.

Die heutige Theologie vermag auf die Infragestellung dieses Kernpunktes des Christlichen, der gegenwärtig wiederum zu einem Gefahrenpunkt geworden ist, nicht mit einer ähnlich spontanen und leidenschaftlichen Abwehrreaktion zu antworten. Sie soll und will aber aus diesem Streit und aus der weitergehenden Geschichte des Dogmas gelernt haben, was nur unter Zurückdrängung der Emotionen und unter Einsatz eines nüchternen Denkens möglich ist, das auch die durch die *Frucht* wie durch die *Fracht* der Geschichte ungemein schwieriger gewordene Problematik in Rechnung stellt. Trotzdem dürfte ihr angesichts der Schicksalsträchtigkeit dieser Frage die leidenschaftliche Anteilnahme nicht fehlen, die sich dann freilich zu einer Leidenschaft des Denkens sublimieren muß, das auf den letzten Sinn und auf die (trotz aller Unabgeschlossenheit) bleibende Wahrheit des Christusmysteriums dringt. In den Bereich dieser zu suchenden Wahrheit gehört vor allem auch die Frage nach dem „Wie" der Einheit zwischen Göttlichem und Menschlichem in Jesus Christus, die in der Geschichte in den verschiedensten Gestalten und Abwandlungen auftretend (in der Schrift als Frage nach der Einheit zwischen dem irdischen und dem erhöhten Herrn, in der Tradition als Problem der Union der beiden Naturen, in der Neuzeit als Frage nach der Zusammengehörigkeit von historischem Jesus und Christus des Glaubens, heute als Suche nach der Synthese zwischen einer „Christologie von unten" und einer solchen „von oben"), das theologische Bemühen immer in Atem gehalten und es zu erstaunlichen Leistungen des spekulativen wie des hermeneutisch-geschichtlichen Denkens geführt hat. Die Frage nach dem fleischgewordenen Wort kann nur in dieser Eindringlichkeit gestellt werden, oder sie sollte gänzlich unterbleiben.

Freilich mag daran zugleich deutlich werden, daß die Beantwortung auf diese *so* gestellte Frage zuletzt nur von der Dogmatik als systematischer theologischer Disziplin gegeben werden kann. Das hat nichts mit einem angemaßten Ausschließlichkeitsanspruch zu tun, den eine sich recht verstehende Dogmatik eigentlich niemals erhoben hat und zumal heute nicht erhebt (wie auch das Ensemble der folgenden Beiträge zeigen kann). Trotzdem vermag die Dogmatik auf den Anspruch nicht zu verzichten, in einer anstehenden Glaubensfrage das einheitliche Ganze aus den differenzierten geschichtlichen Zusammenhängen zu erheben, den Grundgedanken zu erfassen, den Wahrheitskern hervortreten zu lassen und im ganzen eine abschließende Konzentrierungsaufgabe zu erfüllen. Man darf sich freilich darüber nicht täuschen, daß diesem Anspruch heute sowohl in bezug auf das „dogmatische" wie auf das „systematische" Moment nicht geringe Widerstände erwachsen. Das „Dogmatische" als Inbegriff des Starren, des nicht mehr Hinterfragbaren und zeitlos Gültigen ist genauso dem Argwohn ausgesetzt wie das „Systematische" als Inbegriff des Konstruierten, des zwanghaft Geschlossenen und des künstlich Erdachten. Mag auch dieser Argwohn im Blick auf manche Ausformungen dieser Disziplin in der Vergangenheit berechtigt sein, so richtet er sich doch, soweit er grundsätzlich gemeint ist, auf ein Zerrbild des Dogmatischen und des Systematischen. Dem unvoreingenommenen Blick wird das Dogma der Kirche als der notwendige Richtpunkt erscheinen, den ein an das Geheimnis rührendes Denken braucht, wenn es nicht ortlos zwischen dem Rationalismus und dem Pietismus hin- und hergetrieben werden will; das „Systematische" aber wird sich für eine wissenschaftliche Reflexion des Glaubens als unaufgebbar erweisen, die sich nicht mit unverbundenen Impressionen begnügen oder sich in dauernden dialektischen Umschwüngen bewegen, sondern die Sache selbst treffen und den Sachbezug verifizieren will, soweit das einer Glaubenswissenschaft möglich ist. Auch diese ist zur Konzentration auf die entscheidende Wahrheitsfrage verpflichtet, der das theologische Denken ohne Einsatz einer strengen Begriffsarbeit gar nicht ansichtig wird.

Eine so verstandene „Systematik", die nicht mit den klassischen philosophischen Systembildungen (vor allem etwa des Deutschen Idealismus) gleichzusetzen ist, muß auf das Ganze bedacht nehmen, wie es *geschichtlich* gewachsen ist. Schon J. Döllinger († 1890) hatte von den „zwei Augen" der theoretischen Theologie gesprochen[3], mit denen sie die Glaubenswahrheit betrachten müsse, nämlich mit dem „philosophischen" und dem „geschichtlichen" Auge. Im Grunde hat das die dogmatische Theologie faktisch immer so gehalten, weil sie die theolo-

---

3 *I. Döllinger,* Die Vergangenheit und Gegenwart der Theologie: *J. Finsterhölzl,* Ignaz v. Döllinger (Graz 1969) 251.

gische Durchdringung nur auf der Basis von Schrift, Tradition und Kirche leisten konnte. In der neueren Zeit ist ihr diese Verpflichtung aufgrund des Einflusses des geschichtlichen Denkens noch bewußter geworden. Sie hat so noch deutlicher erkannt, daß heute die Erarbeitung des Glaubensverständnisses gerade auch bezüglich des Christusgeheimnisses nicht aus einer vorgegebenen Idee oder aus einer intellektuellen Anschauung abgeleitet werden kann, sondern daß sie auf einem von der ganzen Glaubenswirklichkeit bestimmten Weg geschehen muß, der nur gemeinsam mit der exegetischen, geschichtlichen und philosophischen Forschung zu gehen ist, der aber auch unter Berücksichtigung der Zeitsituation, ihrer Ansprüche, Erwartungen und ihres Verstehenshorizontes gebahnt werden muß. Hier ist ihr dann auch noch die Aufgabe der rechten Applikation und Aneignung der Glaubenswahrheit zugewachsen, die tief in die Grundlagen der Hermeneutik hinabreicht.

Der Aufweis eines solchen gemeinsamen Weges zum heute wieder besonders gefragten Christusgeheimnis lag in der Absicht und im Plan der Tagung der deutschen „Arbeitsgemeinschaft Katholischer Dogmatiker und Fundamentaltheologen", die vom 1. 1. 1975 bis zum 4. 1. 1975 in Luzern unter Beteiligung einer großen Zahl von Fachvertretern aus dem In- und Ausland abgehalten wurde. Die in dem vorliegenden Sammelband zusammengefaßten Referate können zwar in ihrer relativ geringen Zahl nicht die ganze Weite und Erstreckung dieses Weges ausmessen, sie können wohl aber gewisse Marksteine erkennen lassen, die die Linienführung bestimmten, und an einigen Beispielen den Verlauf des heutigen dogmatischen Bemühens um das Christusgeheimnis aufzeigen.

Der Duktus, dem diese Beiträge (die hier inhaltlich nicht referiert und vorweggenommen werden sollen) folgten, war von der gegenwärtigen Problematik bestimmt, die ihrerseits aus einem neuen Seins- und Wirklichkeitsverständnis kommt, das auch auf die Entscheidung in der Christusfrage seine Wirkungen ausübt. Einem rein positiven Denken wird es angemessen erscheinen, den dogmatischen Weg in das Zentrum der Christuswahrheit (unter Voranleuchten der Lehraussagen der Kirche) mit einer biblischen Grundlegung zu beginnen, weil hier der tiefste und der letzte normative Grund für den Christusglauben gelegt ist. Obgleich das in der Sache nicht bestritten werden kann, wird das systematische Denken methodisch anders ansetzen, weil die Auslegung der Schrift in der modernen Exegese geschichtlich (mit Hilfe der historisch-kritischen Methode) erfolgt, d. h. unter dem heute alles umfassenden Horizont des Geschichtlichen steht, der auch die Auslegung der Schrift beeinflußt und dies (wie die divergierenden Ergebnisse zeigen) in einem dem Glauben nicht immer zuträglichen Sinne[4]. Deshalb muß ein Ansetzen beim Phänomen des Geschichtlichen, das dem modernen Wirklichkeits- und Wissenschaftsverständnis seine Signatur aufdrückt, methodisch angemessener und gründlicher erscheinen, weil bereits in diesem Bereich das Vorverständnis für die Glaubenswahrheit eröffnet (oder verschlossen) wird und die (manchmal unbewußten) Grundentscheidungen fallen. So wird unter den „Philosophischen Vorfragen zur Bedeutung und Vermittlung des Christusereignisses"[5] (A. Halder) der Horizont des *geschichtlichen Wirklichkeitsverständnisses* eröffnet, unter dem heute auch die Christusfrage steht und entschieden wird. Freilich könnte man in Erinnerung an das markante Wort des weitblickenden G. Krüger „Die Geschichte ist heute unser größtes Problem"[6] von einer solchen Eröffnung nur eine Relativierung des Christusglaubens befürchten, wie sie dort tatsächlich eintritt, wo Geschichtlichkeit auf das Moment des gerade herrschenden Gemeinbewußtseins reduziert wird, das heute von der Naturwissenschaft besetzt ist[7]. Wer etwa mit H. Braun unter Wirklichkeit nur das versteht, „was zu einem Teil erforscht ist und in seiner Gesamtheit grundsätzlich erforschbar ist, weil es den uns bekannten oder in Zukunft erkennbaren Gesetzen unterliegt"[8], der kann unter diesen Regeln das Besondere des Christusereignisses nicht fassen. Die Ausarbeitung eines umfassenden geschichtlichen Wirklichkeitsbegriffes, die sich auch an dem

---

[4] Zu den Grundlagenfragen der modernen Exegese vgl. neuerdings das (freilich nicht alle Tiefen auslotende) Buch von *G. Maier,* Das Ende der historisch-kritischen Methode (Wuppertal 1974).

[5] Der Begriff des „Christusereignisses" ist neuerdings von R. Schnackenburg mit einer gewissen Kritik bedacht worden, weil in ihm die Spannung zwischen Geschichte und Kerygma nicht zum Ausdruck käme. Vgl. *R. Schnackenburg,* Der geschichtliche Jesus in seiner ständigen Bedeutung für Theologie und Kirche: Rückfrage nach Jesus (hrsg. von K. Kertelge, Quaest. disp. 63) (Freiburg i.Br. 1974) 211.

[6] Vgl. dazu *W. Kasper,* Kirche und Theologie unter dem Gesetz der Geschichte: Alte Fragen – neue Antworten (Würzburg 1967) 11.

[7] Zur Problematik dieser Reduktion vgl. u.a. *W. Heisenberg,* Schritte über Grenzen (München [2]1973) 339ff.

[8] *H. Braun,* Die Heilstatsachen im Neuen Testament: Gesammelte Studien zum Neuen Testament und seiner Umwelt (Tübingen [3]1971) 303.

konzentrierten Geschichtsverständnis des Neuen Testamentes und seinem „es begab sich" orientiert, vermag dagegen zu zeigen, daß das Geschichtliche gerade auch das Unableitbare, das Überraschende und Einmalige (in Kierkegaardscher Zuspitzung geradezu „das Unmögliche") ist, das sehr wohl den Rahmen oder den Hintergrund für das Christusereignis abgeben *kann*. Damit ist freilich zugleich auch festgestellt, daß ein solches Ereignis aus der Geschichte und von ihren immanenten Kräften nicht abgeleitet oder erzwungen werden kann und hier Kontinuität und *Diskontinuität* zugleich gesetzt sind.

Daß die „Diskontinuität" aber nicht alleingültig und beherrschend ist, vermag die Theologie auch an der Wirkungsgeschichte des Christusereignisses in der Gegenwart zu zeigen, näherhin an der Frage nach den „Zeitgenössischen Grundtypen nichtkirchlicher Jesusdeutungen" (H. Fries), einer Frage, deren Beantwortung für die Aufgabe der Dogmatik zur rechten Aneignung und Vermittlung des Christusgeheimnisses bedeutsam ist. Was hier aus den verschiedensten Bereichen des modernen Denkens an Hinweisen, Spuren und Ahnungen selbst in verfremdeten Gestalten und Formen erhoben wird, kann zwar nicht immer im Sinne positiver Ansatzpunkte für die Vermittlung des Christusglaubens verstanden werden. Es handelt sich manchmal nur um leise Klopfzeichen aus verschütteten Stollen, die aber dennoch von einem verborgenen Weiterleben der Jesusbotschaft zeugen, und die die Theologie bei der Ausrichtung und Formulierung ihrer Antwort beachten muß.

Der Inhalt der Antwort freilich kann nicht nach Maßgabe eines einseitig angewandten Korrelationsprinzips[9] nur von der Frage und den Bedürfnissen des heutigen Menschen abhängig gemacht werden. An dieser Stelle muß die Dogmatik die Verbindlichkeit und den Normcharakter der Heiligen Schrift zur Geltung bringen und der Exegese das Wort erteilen. Freilich kann sich an diesem Punkt bei der wohl nie gänzlich aufhebbaren Spannung zwischen Dogmatik und Exegese, die wegen der anders gearteten Methodik und Blickrichtung nicht illegitim ist, die Gefahr eines Dissenses ergeben, der die Gemeinsamkeit zwischen Exegese und Dogmatik auf dem Weg zum Christusmysterium aufheben müßte. Konkret und aktuell tritt die Möglichkeit dieses Auseinandergehens heute vor allem dort zutage, wo der Gedanke von

---

[9] Vgl. dazu besonders *P. Tillich*, Systematische Theologie I (Stuttgart [3]1956) 15 ff.

der Pluralität der neutestamentlichen Christologien dem einheitlichen Christusbekenntnis der Kirche, das die Dogmatik auslegen soll, entgegengehalten wird, wenn sich nicht gar die Dogmatik selbst das Pluralismusargument zu eigen macht. Aber ein unreflektiertes und denkerisch nicht an ein Einheitsprinzip zurückgebundenes Pluralismusargument (woraufhin erst der legitime Pluralismus vom illegitimen unterschieden werden kann) richtet sich nicht nur gegen das auf die Wesens- und Einheitserfassung gehende Streben einer systematischen Disziplin, es wendet sich auch gegen die wesentliche Einheit des Neuen Testamentes, die sich schon am Anfang in der Kanonbildung durchsetzte. Deshalb ist ein exegetischer Beitrag über die „Ursprünge und Entfaltung der neutestamentlichen Sohneschristologie" (Fr. Mußner), der in der Sohneschristologie so etwas wie den Konvergenzpunkt aller neutestamentlichen Christologien erblickt, sowohl exegetisch als auch dogmatisch durchaus belangvoll und ein starker Impuls für den gemeinsamen Weg der beiden Disziplinen.

Da das katholische Glaubensverständnis trotz der neuerlichen Betonung einer gewissen Suffizienz der Schrift doch ein reines sola-scriptura-Prinzip nicht festhalten kann[10], führt der dogmatische Weg weiter zur Aufnahme der Tradition, deren gewichtigste christologische Aussagen in den altkirchlichen Konzilien vorliegen. Im Horizont eines geschichtlichen Denkens können diese Aussagen einerseits ihren Geltungsanspruch niemals verlieren, andererseits aber auch nicht einfach wiederholt werden, zumal sie, wie der Beitrag „Gottes Sohn in der Zeit" (P. Hünermann) ausweist, schon bald nach ihrer Fixierung eine innere Dynamik entfalteten, welche heute mit den Kategorien der Zeitlichkeit und des Werdens, die an die Christusgestalt angelegt werden, noch einmal anders und gemäßer eingefangen werden kann.

Die kritische Beurteilung all der auf dem Felde der Gegenwart unternommenen Interpretations- und Aneignungsversuche des Christusgeheimnisses ist aber schließlich Aufgabe des Systematikers, dem es obliegt, gleichsam den Einstich des Zirkels vorzunehmen und den Kreis zu schlagen, der das legitime Ganze umschreibt und es vom Unzureichenden abgrenzt. Da viele der modernen Übersetzungs- und Aneignungsversuche des Christusgeheimnisses ihre Impulse einer

---

[10] Vgl. eine Kritik aus protestantischem Raume selbst: *P. Schütz*, Freiheit, Hoffnung, Prophetie (Hamburg 1963) 14 ff.

„Christologie von unten" verdanken, erschien es angemessen, die kritische Sichtung dieser Bemühungen, ihre Tragfähigkeit und Problematik gerade unter dieser Themenstellung zu behandeln, mit der der hier eingeschlagene dogmatische Weg endet.

Es bleibt der Beurteilung des Lesers überlassen, ob dieser Weg in seinen einzelnen Etappen richtig angelegt ist und im ganzen das angestrebte Ziel einer neuen Vermittlung des Christusgeheimnisses erreicht, die die konkurrenzlose Einzigartigkeit der Gestalt des Gottmenschen nicht verfehlt, die aber auch ihre tiefreichende Verwurzelung im Menschlichen und in der Geschichte aufs neue zur Geltung bringt. Freilich werden dem Leser beim Nachgehen dieses Weges gelegentlich manche gedankliche Anforderungen und die „Anstrengung des Begriffes" zugemutet, was aber von den Referaten einer fachwissenschaftlichen Tagung nicht anders zu erwarten ist. Um so mehr ist dem Verlag Herder und den Herausgebern der „Quaestiones disputatae" für die Bereitschaft zur Veröffentlichung dieser Beiträge zu danken.

Leo Scheffczyk

I
Wirklichkeit als Geschichte

Philosophische Vorfragen zu Bedeutung und
Vermittlung des Christusereignisses

Alois Halder, Augsburg

1. Philosophische Vorfragen

Die folgenden Überlegungen möchten, auch wenn sie nicht ausdrücklich in Frageform vorgetragen werden, als Fragen verstanden sein, gar als Vorfragen. Sie zielen also nicht schon auf jenes Wirkliche, das Glaube und Theologie „das Christusereignis" nennen, sondern in das Vorfeld und Umfeld der Wirklichkeit, innerhalb dessen jenes wirkliche Ereignis geglaubt und reflektiert wird. Und sie tun das in einer Dimension und einem Frageverständnis von Wirklichkeit, wie es von der Theologie, ihrem überlieferten Wissenschaftsbewußtsein nach, mit vorausgesetzt wird, obwohl dieses so vorausgesetzte Verstehen und Fragen nicht selbst ein theologisches, sondern ein philosophisches ist. Wie dieses Verhältnis von Theologie zu Philosophie heute genauer zu denken ist und wie umgekehrt Philosophie die Wirklichkeit so zu erhellen suchen kann, daß sie darin die Mitbedingung der Möglichkeit theologischer Reflexion und ihres geglaubten Wirklichen selber zu eröffnen vermag, das muß hier freilich dahingestellt sein. Dagegen soll als Eingangsthese gesagt sein, daß die Wirklichkeitsdimension, die das philosophisch sich verstehende Fragen (auch im Blick auf die Möglichkeit von Theologie und insbesondere von theologischer Reflexion des Glaubens der Menschwerdung Gottes) heute herausfordert, die Geschichte ist, Wirklichkeit als Geschichte.

Nun hat allerdings die Philosophie in der nach-idealistischen Epoche zunehmend den Grundcharakter philosophischer Anthropologie angenommen: Anthropologie „wird zum Synonym für echte Philosophie ‚überhaupt'" [1]; nimmt im allgemeinen Bewußtsein den Platz ein,

---

[1] O. *Marquard*, Zur Geschichte des philosophischen Begriffs „Anthropologie" seit dem Ende des 18. Jahrhunderts. Schwierigkeiten mit der Geschichtsphilosophie (1973) 122.

„den in früheren Jahrhunderten die Metaphysik innehatte"[2]; denn „Anthropologie sucht nicht nur die Wahrheit über den Menschen, sondern beansprucht jetzt die Entscheidung darüber, was Wahrheit überhaupt bedeuten kann"[3]. Würde jedoch Wirklichkeit in ihrer Wahrheit als Geschichte zu verstehen gesucht, dann müßte sich Anthropologie zunächst mindestens als „historische Anthropologie" auslegen und durchführen[4], Philosophie aber „überhaupt" aus der anthropologischen Reduktion sich zur Weite der Mensch- und Welt- und Gott-Thematik entschränken – freilich in Verwandlung dieses traditionell-metaphysischen zentralen Themengefüges. In dem Verständnis der Wirklichkeit als Geschichte könnte darüber hinaus – aber das ist inkompetenzhalber nur eine Vermutung – die christliche Theologie vielleicht auch einen christologischen Ansatz finden, welcher der aktuellen Unterscheidung in eine Christologie „von oben" und in eine „von unten" vorausläge und Recht und Grenzen einer solchen Unterscheidung aufdeckte; einen Ansatz auch, der zudem oder vor allem die langwährende Trennung der Christologie im engeren Sinn einerseits und der Soteriologie anderseits überwinden und in ihrer historischen Genese durchsichtiger werden lassen könnte.

2. Die Daten der theologischen Überlieferung: Nikaia – Chalkedon

Daß die christologischen Formeln von Nikaia und Chalkedon nicht primär aus einer Erfahrung und einem Verständnis der Wirklichkeit als Geschichte sprechen, darf wohl ohne Widerspruch oder größeres Ärgernis zu erregen gesagt werden. Das sie tragende Wirklichkeitsverständnis ist vielmehr eher das Verständnis der Wirklichkeit als „Natur". Die Rede vom ganzen Gott und vom ganzen Menschen und von der Einigung von Gottheit und Menschheit in diese Welt hinein setzt eine prinzipielle Offenheit und Selbstverständlichkeit der göttli-

---

[2] W. Pannenberg, Was ist der Mensch? Die Anthropologie der Gegenwart im Lichte der Theologie (Göttingen 1962, [4]1972) 5.
[3] So bereits M. Heidegger, Kant und das Problem der Metaphysik (Bonn 1929, [2]1951) 189.
[4] Dazu nun grundsätzlich O. Köhler, Versuch einer „Historischen Anthropologie": Saeculum. Jahrbuch für Universalgeschichte, Bd. 25 (1974) 129–246.

chen Natur, der menschlichen Natur und der Natur der Welt schon
voraus. Wenn diese prinzipielle Offenheit und Selbstverständlichkeit
– zu Recht – im Rückblick als „metaphysisch" bestimmt gesehen werden, so besagt dies: Sein ist hier Wirklichkeitsvollzug, und Wirklichkeitsvollzug ist das Bestehen eines bestimmten Besitzstandes eines
Wirklichen, ist das Stehen eines Wirklichen in diesem seinem Besitzstand. Wie immer dieser Besitzstand eines Wirklichen genannt wurde
(eidos und idea, essentia und, in bestimmter Hinsicht: natura) und wie
immer das Stehen eines Wirklichen in diesem seinem eigenen Besitzstand bezeichnet wurde (energeia und ousia und subsistentia), jedenfalls ist die Wirklichkeit im Ganzen eine gestufte Ordnung von je mehr
oder weniger umfassenden Seinsvollkommenheiten, Seinseigentüm-
lichkeiten, Essenzen und damit „Naturen", die dem vielfältig-geord-
neten Wirklichen gewissermaßen „von Geburt" an bis zum Tod hin
zu eigen sind und so jeweils den Ort anweisen, an dem ein Wirkliches
jederzeit und verläßlich, solange es überhaupt ist, antreffbar ist: denn
hier ist es zu Hause und so in aller Tätigkeit aus sich heraus dennoch
bei sich, besitzt nach Maßgabe dieses wesentlichen Natur-Ortes „Sein"
und damit sich selbst[5]. Nur jeweils an solchem wesentlichen Natur-
Ort und nach Maßgabe des durch ihn eingeräumten Seinsbereichs gibt
es deshalb auch „Werden": Geburt und Leben und Tod; Entstehen und Veränderung und Vergehen eines Wirklichen; seine ihm, d. h.
seiner Natur, gemäße Bewegung: seine „Geschichte", die anfängt
und geht und endigt, während der Natur-Ort, der heimatliche Seinsbe-
reich selber, unveränderlich ruht und alles Werden, alle Tätigkeit, alle
„Geschichte" des einzelnen Seienden umfängt und trägt[6]. Metaphysik
ist die Rückbindung alles Werdens, aller Geschichte des vielfältig Seienden an je seine bleibende Natur als bestimmter Grundbesitz von
Sein[7] und ist damit Überstieg über das einzelne Seiende zu seiner und

---

[5] Zur metaphysischen Auslegung von Sein als Bei-sich-Sein (d. h. Selbstbesitz als voll-
kommenster Besitzstand) vgl. *K. Rahner*, Geist in Welt (Innsbruck – Leipzig 1939, München ²1957).

[6] Vgl. *H. Eibl*, Metaphysik und Geschichte. Eine Untersuchung zur Entwicklung der
Geschichtsphilosophie (Leipzig 1913) bes. 170 ff. Welche Vertiefung, ja überhaupt erst
angemessene Fassung diese Problematik seitdem gefunden hat, zeigt *M. Müller*, Erfahrung und Geschichte (Freiburg i. Br. – München 1971) 61–80 („Metaphysik und
Geschichte") und 201–222 („Zeit und Ewigkeit in der abendländischen Metaphysik").

[7] Vgl. *R. Schaeffler*, Die Struktur der Geschichtszeit (Frankfurt a. M. 1963) 134 (zu
Aristoteles).

seinesgleichen gemeinsamen Natur in der gestuften Ordnung der Naturen, welche die „Welt" ist; Rückstieg auch zu jenem Seienden, zu dessen „Natur" es gehört, nicht in einem bestimmten Bereich nur geborgen zu sein, sondern zugleich alle Bereiche aufsuchen und in Besitz nehmen zu können, zum Menschen (zur menschlichen Seele, zum menschlichen Geist); Aufstieg schließlich zu jenem Seienden, dessen „Natur" es ist, nicht nur alle Seinsbereiche sich aneignen zu können, sondern deren Fülle ursprünglich schon zu besitzen, als topos ton eidon, logos: zu Gott[8].

3. Die „Wirklichkeitskrise" der Gegenwart zugleich als „Krise der Metaphysik"

Es dürfte ebenfalls unwidersprochen sein, daß dieses traditionelle Wirklichkeitsverständnis, wie es sich in und als Metaphysik artikuliert hat, in der Neuzeit und zunehmend in der Gegenwart in die Krise geraten ist. Vermutlich aber nicht nur dieses Wirklichkeits*verständnis* und seine Metaphysik, sondern unablösbar davon die *Wirklichkeit* selber. Weit verbreitet ist die Rede – und sie sollte sich nicht nur nostalgisch, sondern zunächst diagnostisch verstehen – vom „Verlust der Natur", der Welt als Natur. Die Dinge und Vorkommnisse der Welt haben ihre langgewährte grundsätzliche Eindeutigkeit, ihre eindeutige Zugehörigkeit und qualitativ bestimmte Hingehörigkeit an je ihren Wesens- und Natur-Ort im Ganzen eingebüßt[9]. Die Welt ist – Descartes reflektierte das erstmals entschieden – ihrer eigenständigen, „natürlichen" Qualitäten entledigt, reduziert auf das materiale Quantum des Raum-Zeit-Bewegungs-Zusammenhangs[10]; aber was ihr so blieb, ist gerade nur die äußerste berechenbare Beweglichkeit und damit Beherrschbarkeit und Angleichbarkeit an die beweglichen menschli-

---

[8] So konnte *C. v. Linné*, der neuzeitliche biologische Transformator des metaphysischen „Systems der Naturen", noch sein Iter Laponicum mit der Anrufung Gottes eröffnen: „O ens entium miserere mei" (Lappländische Reise [Frankfurt a. M. 1964] 7).

[9] *H. Friedrich*, Die Struktur der modernen Lyrik (Reinbek 1956 u. ö.), hat in der Poesie diesen Vorgang aufgezeigt und benannt als „Vertauschbarkeit" der Dinge, „Deformation", „Entrealisierung", „Entgrenzung" u. ä.

[10] Nicht mehr verbindliche „Vernahme" der Bedeutungen ist der Zugang zur Wirklichkeit, sondern die modellhaft experimentierende und sich fortgehend überholende und auseinander differenzierende „Produktion von Bedeutung": vgl. *A. Baruzzi*, Mensch und Maschine. Das Denken sub specie machinae (München 1973) 134f.

chen Bedürfnisse, an den Menschen als Bedürfniswesen. Die naturwissenschaftlich-technisch-industrielle Welt ist keine eigenständig „natürliche" Welt mehr. Naturschutzforderungen und Umweltproblematik widerlegen dies nicht, sondern dokumentieren es. Verlust der Welt als verläßlicher ständiger Natur.

Aber auch Verlust der Menschlichkeit des Menschen. Sie erscheint zerrieben im gesellschaftlich-organisierten Prozeß der Weltbeherrschung zum Zweck der Befriedigung der menschlichen Bedürfnisse, die sich umgekehrt nur durch diese Beherrschung der Welt, der Natur definieren zu lassen scheinen. Im Maße der rigorosen technischen Angleichung der Natur an den Menschen [11] hat sich nicht nur die alte Natürlichkeit der Natur weitgehend aufgelöst, sondern umgekehrt ist auch der Mensch zunehmend von dieser neuen, denaturierten technischen Natur aufgesogen und sein gesellschaftliches Leben zu einem quantitativ-berechenbaren, steuerbaren und gesteuerten technischen Prozeß geworden [12]. „Humanisierung" des menschlichen Lebens, „menschliche Lebensqualität" usw. sind deshalb Parolen, die sich dem Verlangen nach einem neuen „Verhältnis zur Natur" und nach Respektierung der „natürlichen Umwelt" zur Seite stellen. Verlust der Menschlichkeit, der ständigen „Natur" des Menschen.

Und schließlich oder vielleicht dem zuvor: Verlust der Göttlichkeit, der alten selbstverständlichen und alle Orte bergenden Anwesenheit, der „Natur" Gottes. Der wissenschaftlich-technisch-industrielle Regelkreislauf von Welt und Mensch scheint sich von dieser Anwesenheit ab- und sie vielmehr auszuschließen, ins Abseits, ins Nichts. Wenn es hoch kommt, kommt es, wie bei Nietzsche, zum Bedenken dieses „Nichts", daß „Gott tot" ist; oder zur Glaubensbeteuerung, die Züge der Selbstermutigung nicht verleugnen kann, daß „Gott doch lebt"; oder angesichts von beidem zur „Ratlosigkeit". Wenn Gott noch ist, so könnte aus der Einsicht in die neuzeitliche und gegenwärtige Wirk-

---

[11] Vgl. W. *Heisenberg*, Das Naturbild der heutigen Physik (Hamburg 1955 u. ö.) 17f: „In unserer Zeit... leben wir in einer vom Menschen so völlig verwandelten Welt, daß wir überall... immer wieder auf die vom Menschen hervorgerufenen Strukturen stoßen, daß wir gewissermaßen immer nur uns selbst begegnen."

[12] H. *Freyer*, Theorie des gegenwärtigen Zeitalters (Stuttgart 1955 u. ö.) prägte für diesen Sachverhalt den Begriff der „sekundären Systeme" (vgl. bes. 88). Zur gegenwärtigen Problemdiskussion vgl. N. *Luhmann*, Zweckbegriff und Systemrationalität (Tübingen 1968) sowie J. *Habermas* / N. *Luhmann*, Theorie der Gesellschaft oder Sozialtechnologie (Frankfurt a. M. 1971).

lichkeit heraus gesagt werden, so ist er jedenfalls nicht mehr das und als das da, wie er es einmal war – sowenig wie der Mensch, sowenig wie die Welt.

Mit dem Verlust der Natur (der Welt als Natur, der Menschlichkeit des Menschen, der offenbaren und ständigen Anwesenheit Gottes) geht einher der „Verlust von Geschichte"[13]: im rastlosen Zutrieb auf die Zukunft, der in keiner Gegenwart verweilen läßt, gerät die Vergangenheit samt ihrem Orientierungs- und Stabilisierungsgehalt aus dem Blick. Traditionsschwund und Desinteresse an historischer Vermittlung sind die Korrespondenzphänomene der Fortschrittswut des gesellschaftlichen Lebens in der wissenschaftlich-technisch-industriellen Welt[14]. Zu meinen freilich, durch bloße kosmologische, anthropologische, theologische Restauration ließe sich Geschichte „wiedergewinnen", wäre eine Harmlosigkeit die nicht einmal die Rache des Fortschritts herausforderte[15].

Dies alles ist um so bemerkenswerter, als die Defizienzerfahrung an dem sich ausbreitenden neuen geschichtslosen aber hochtechnisierten Fellachentum gerade nur möglich wurde auf dem Hintergrund einer reflektierten Erfahrung von Geschichte, eines geschichtlichen Denkens, dessen Durchbruch im 19. Jahrhundert erfolgte[16] und das sich

---

[13] Vgl. *A. Heuß*, Verlust der Geschichte (Göttingen 1959) bes. 57.
[14] Zum Vorgang der Nivellierung lokal und kulturell differenzierter geschichtlicher Traditionen in der sich etablierenden industriellen Weltgesellschaft vgl. *J. Habermas* Über das Subjekt in der Geschichte, in: Geschichte – Ereignis und Erzählung (Poetik und Hermeneutik V; hrsg. v. *R. Koselleck* u. *W.-D. Stempel*) (München 1973) 471. Diesem Vorgang entspricht zugleich das „Fragwürdigwerden" der Geschichtswissenschaft als Folge eines „Begründungsdefizits" gegenüber dem herrschenden Grundtyp „rationalen" Denkens in Naturwissenschaft und Technik: *D. Groh*, Kritische Geschichtswissenschaft in emanzipatorischer Absicht (Stuttgart 1973) 14f. – Prinzipielle Erörterung des Problems bei *W. J. Mommsen*, Die Geschichtswissenschaft in der modernen Industriegesellschaft, in: *B. Faulenbach* (Hrsg.), Geschichtswissenschaft in Deutschland. Traditionelle Positionen und gegenwärtige Aufgaben (München 1974) 147–168.
[15] Vermutlich ist die radikale Wendung französischer Strukturalisten gegen die Geschichte als Programm der Befreiung von ihr nur der späte theoretische Reflex eines schon bestehenden Zustandes, daß wir uns nämlich, nach *C. Lévi-Strauss*, Traurige Tropen (dt. Köln – Berlin 1970) 766, vorfinden in einer „einzigen dauerhaften Gegenwart": jener, bei der sich der Unterschied auflöst zwischen dem Sinn und dem Fehlen von Sinn". Dazu *W. Lepenies / H. Ritter*, Orte des wilden Denkens (Frankfurt a. M. 1970) 113–159; *A. Schmidt*, Der strukturalistische Angriff auf die Geschichte: *ders.* (Hrsg.), Beiträge zur marxistischen Erkenntnistheorie (Frankfurt a.M. 1971).
[16] *P. Hünermann*, Der Durchbruch des geschichtlichen Denkens im 19. Jahrhundert (Freiburg i. Br. 1967).

im Historismusproblem zu seiner Fraglichkeit und Fragwürdigkeit zuspitzte. Freilich war dieser Durchbruch zugleich auch belastet mit einer „Verengung" des Geschichts-Verhältnisses auf *wissenschaftliche* Erkenntnis", die den vor- und außerwissenschaftlichen „Umgang mit der Vergangenheit … ausdrücklich ausklammert", gerade damit aber auch den Erfahrungsbezug des „verpflichtenden… Charakters der Vergangenheit" zur Gegenwart verliert und das Vergangene so doch wieder zu einem – diesmal historischen – Bestand und Gegenstand prinzipiell fixiert [17]. Aber Vergangenheit als geschichtliche Überlieferung ist weder ständig da vor allem und ohne alles Bewußtseinsverhältnis zu ihr, noch ist sie ständig da erst in einem Bewußtseinsverhältnis von der Art der sichernden Wissenschaft. Ihre „Ständigkeit" ist vielmehr nur gesetzt im Leben der Erinnerung, und dies gerade kann aussetzen. „Geschichte als Wissenschaft kann ‚Erinnerung' wohl in ein erkanntes geschichtliches Faktum verwandeln, indem sie sie zerstört, aber sie kann … keine … neuen ‚Erinnerungen' schaffen" [18], weil sie, „indem sie die Erinnerung vernichtet, sich zwar in der Negation an ihre Stelle setzt, aber positiv sie weder ist noch ihre Funktion ausübt" [19].

Durchschaut man die Verengung, worin geschichtliches Geschehen als Tatbestand im Wissen festgestellt – und damit quasi-naturalisiert – wurde, auf ihre ursprüngliche Herkunft aus dem aufgebrochenen geschichtlichen Denken, so hat Martin Heidegger, insbesondere der spätere Heidegger, diesem geschichtlichen Denken die, wie mir scheint, bislang noch immer adäquateste philosophische Fassung zu geben versucht, eine Fassung, die man formelhaft so umreißen könnte: daß „Sein" nicht als ewiger oder zeitloser „Natur"-Bestand und Koordination von unveränderlichen und jederzeit prinzipiell antreffbaren Eigentümlichkeiten vorstellend zu wissen sei, meta-

---

[17] Vgl. *K.-G. Faber*, Theorie der Geschichtswissenschaft (München ²1972) 31, 32, 33. – Wenn *G. Krüger* dem Schwund der Tradition im „ständig wachsenden Tempo des geschichtlichen Geschehens" (Geschichte und Tradition [1948], in: Freiheit und Weltverwaltung [Freiburg i. Br. – München 1958] 74) mit dem Appell begegnen will, die Tradition eben wieder zu bejahen, so setzt er freilich unbesehen voraus, daß dieser Weg „uns auch heute noch offen(steht), denn solange wir überhaupt noch Menschen sind, ist die Tradition im Grunde noch da" (96). Aber gerade das ist eben, beides, die Frage; zumal im Hinblick darauf, was denn der „Grund" der Tradition selbst sei und ob er, der die Tradition „da" sein läßt, selber so ohne weiteres ständig „da" ist.
[18] *A. Heuß*, a. a. O. 53.
[19] Ebd. 56.

physisch; sondern daß Sein an-denkend zu erinnern sei als „Geschichts"-Ereignis[20] und Sukzession von jeweiligen und je eine Zeit eröffnenden Ereignissen, meta-historisch[21].

4. Geschichtliches „Seinsverständnis" und „Seinsgeschichte" im Blick auf Christologie

Auf der Untermarchtaler Tagung dieser Arbeitsgemeinschaft 1969, auf der Friedo Ricken das Homousios von Nikaia auf dem Hintergrund der mittelplatonischen Metaphysik zu erhellen suchte[22], brachte Bernhard Welte zwei Thesen vor[23], und zwar ausgehend von Heideggers Gedanken der Seinsgeschichte, des geschichtlich sich wandelnden Seinsverständnisses, der je epochal-bestimmten und darin unterschiedenen Weisen, wie sich Sein ins Verstehen und Auslegen des Menschen schickt. Seine erste These lautete, daß die biblische Verständnisweise, insbesondere die Person Jesu als des Christus betreffend, von der Verständnisweise der Lehrformel von Nikaia durch einen epochalen seinsgeschichtlichen Umschwung geschieden sei und daß deren Kontinuität in der Diskontinuität nicht darin beruhe, daß das neue Verstehen, die neue Sprache nur Explikation der alten ist, sondern daß dasselbe Ganze des überlieferten Glaubensgutes aus der alten Sprache und dem alten Seinsverständnis über-setzt werde in eine neue Sprache und ein neues Seinsverständnis, auf dessen Boden es sich sogleich umorganisiere, umartikuliere und als neues Bild des alten Glaubens entwickle. Die zweite These besagte, daß in Nikaia das Seinsverständnis der abendländischen Metaphysik in der Theologie zur Herrschaft kam, während das in der Bibel vorherrschende Seinsverständnis ursprünglicheren vor-metaphysischen Charakters war und am ehesten von der

---

[20] Vgl. zuletzt vor allem den Vortrag „Zeit und Sein" aus dem Jahr 1962: Zur Sache des Denkens (Tübingen 1969) bes. 21–23, 27 ff. – Hierzu: O. Pöggeler, Sein als Ereignis, in: Zschr. für Philos. Forschung, Bd. 13 (1959) 597–632; ders., Der Denkweg Martin Heideggers (Pfullingen 1963) bes. 268 ff.

[21] M. Müller spricht in diesem Zusammenhang von „Ontologischer Geschichte" als „Seinsgeschichte" und „Wesenswandel" (damit auch Wandel der „Natur"): Existenzphilosophie im geistigen Leben der Gegenwart (Heidelberg ³1964) 101 f, 34 ff, 87 ff u. ö., und: Erfahrung und Geschichte a. a. O. 152, 264 u. ö.

[22] H. Schlier / F. Mußner / F. Ricken / B. Welte, Zur Frühgeschichte der Christologie, hrsg. von B. Welte (Freiburg i. Br. 1970).

[23] Ebd. 100–117.

Bedeutung des Wortes „Ereignis" her auslegbar scheint. Metaphysisches Denken: es ist das vorstellende Denken, das alles Seiende je an seinem Natur-, seinem Wesens-Bestand im Sein feststellt und sicherstellt, und zwar so, daß es gerade in seinem An-Sich, in seinem eigenen Stehen auf diesem Bestand eingegrenzt und gegründet wird, so daß jederzeit und ständig durch den Menschen auf es zurückgegriffen und es aufgegriffen werden kann. Biblisches Ereignis-Denken: es versteht das, was ist, was nämlich jeweils und jeorts ist, nicht als unveränderlich vorliegenden Seins-, und d. h. Wesens- und Naturbestand, an dem Seiendes festgemacht und gesichert ist, sondern als „Ereignis", als Geschehen, in dem etwas, aus sich selbst hervortretend und sich öffnend, den Menschen angeht und anruft, zumal im Offenbarungsereignis den glaubenden oder zum Glauben bereiten Menschen angeht und anruft, sich so ereignet und ihm frei und unverfügbar sich zueignet. Metaphysisches und metaphysisch geprägtes theologisches Denken läuft, nicht beziehungslos dazu, aber doch in eine andere Richtung, eine andere Dimension. Es frägt nicht mehr: Was ereignete sich, und was ereignet sich von dieser Ereignisgeschichte her heute noch?, sondern: Was ist das ständig Vorhandene und Antreffbare; ja auch theologisch: „Was ist in Jesus das beständig Vorliegende? Und wie läßt es sich als ein solches feststellen?"[24] Aus dem Ereignis wird der Bestand. Aber heute spreche vieles dafür, daß die Zeit der Herrschaft des metaphysischen Verständnisses zu Ende gehe oder schon zu Ende gegangen sei, vielleicht ein neues Verständnis und eine neue Sprache möglich, jedenfalls nötig zu werden beginne, in die das, was geschehen ist und heute noch geschieht, zu über-setzen wäre.

Wenn hier eine kritische Bemerkung anzubringen ist, dann gewiß nicht eine gegen das hier versuchte geschichtliche Denken, zumal in seiner Vorsichtigkeit und Umsichtigkeit im theologischen Zusammenhang. Eher dürfte eingewendet werden, daß hier die Schärfe des Heideggerschen Ansatzes, von dem B. Welte ausging, nicht ganz durchgehalten zu sein scheint; daß die Konzeption der Seinsgeschichte, so kann es jedenfalls den Anschein haben, in manchem reduziert ist auf Seins*verständnis*geschichte – auf Geschichte der zwar sich wandelnden menschlichen Auslegung des gleichwohl gleich-bleibenden Seins. Hebt man aber diesen Anschein der Reduktion auf, d. h., läßt

---

[24] Ebd. 113.

man sich auf die Konsequenzen dieses Ansatzes voll ein, dann sind die Fragen unausweichbar, wenn auch offen und noch antwortlos: ob es dann also nicht nur eine Geschichte des wirklichen einzelnen und des epochalen menschlichen Wirklichkeitsverständnisses gebe, sondern durch dies hindurch eine Geschichte des Allgemeinen, des Wesens und Seins der Wirklichkeit selber[25]; eine Geschichte des Wesens der Welt, des Wesens des Menschen, gar – sit venia verbo – des „Wesens" Gottes. Was dann allerdings „Wesen" heißen könnte und müßte, wenn Ereignis nicht nur das Werden ist, das am Ort des beständigen Wesens, ihm unterworfen, vorkommt, sondern wenn Wesen umgekehrt in die Geschichte des Ereignisses und der Ereignisse gehört, das wäre neu zu bedenken. Die Frage nach dem Wesen, nach Wesensgleichheit auch und Wesenseinigung, erwies sich dann als abhängig und eingeflochten in die Frage nach der Geschichte als Ereignisgeschichte.

5. Was kann „Geschichte" heißen?
Metaphysische Reklamation der Geschichtsthematik

Was kann Geschichte heißen? In eine Antwort darauf will sich freilich sogleich metaphysisch überkommenes Denken vorschieben. Es ist gut, dies herauskommen und deutlich werden zu lassen.

Was also kann Geschichte heißen, zunächst von der öfters so genannten „statischen" Metaphysik der Antike und des Mittelalters her gefragt[26]? Kurz gefaßt und unvermeidlich vereinfacht: Geschichte ist hier die Zeit und zeitliche Bewegung des in Zufälligkeiten verstrickten Einzelwirklichen gegenüber der Ewigkeit und dem Ruhen des unveränderlich-notwendigen Wesens; Geschichte ist Werden, Entstehen – Sich-Verändern – Vergehen, eines Seienden unter dem gleichbleibenden Maß des Seins; diesem Sachverhalt entspricht die fundamentale Differenz von Substanz und deren Akzidentien, die, ohne die Substanz im Innersten zu bestimmen, vielmehr nach ihrer Bestimmung nur an ihr vorkommen und weggehen können, und zu welchen Akzidentien auch die Relation gehört, in die ein Seiendes zu einem andern geraten kann. „Subjekt" der Geschichte, wenn dieser Terminus gebraucht

---

[25] Vgl. Anm. 21.
[26] Zur griechischen Geschichtserfahrung und ihrer metaphysischen Artikulation vgl. M. *Müller*, Erfahrung und Geschichte, a. a. O. 232–241.

werden darf, ist also anscheinend das Einzelwirkliche, das Endlich-Zeitliche. Aber seine Geschichte ist nur, als kontingente insgesamt, eine relative Nichtigkeit, gemessen am Sein, ist eher ein äußerlich zufälliges Widerfahren, Affiziertwerden im Ganzen denn eigene Tat. Und so ist das endlich-zeitliche Einzelwirkliche weder wahrhaft Subjekt, noch ist seine Geschichte etwas Wahrhaftes, selbst kein Sein, kein in sich selber sinnvoller Zusammenhang – und deshalb nicht, sowenig wie das Einzelseiende, „wißbar" und im Wissen aussagbar. Daß das einzelne und die Geschichte nicht dem Begriff, der begreifenden Wissenschaft adäquat sind (da Wissenschaft auf das Zeitlos-„Allgemeine" geht), erweist sich als negatives Seinskriterium – kann unter den Bedingungen dieser *so* gestellten Alternative als negatives Seinskriterium sich freilich eher nur gegen das einzelne und die Geschichte als Minder-Sein, nicht gegen die begreifende Wissenschaft und ihr Allgemeines als wahrhaftes Sein erweisen.

Was aber jenes ausgezeichnete Seiende anlangt, nämlich die menschliche Seele oder den Geist im Menschen (platonisch-aristotelisch), dessen Lebensbewegung in der Welt doch in vorzüglichem Sinn Geschichte sein soll, so zeigt der Tod, was es mit der Geschichte der menschlichen Seele, des Geistes im Menschen auf sich hat: sie ist nur der Durchgang durch die Akzidentalität und Kontingenz, der hinter sich gelassen und abgestreift wird im Ziel, nämlich im Genuß der substanziellen Wahrheit, wo die Seele unverstellt im Reich der Wesen schaut oder der Geist in das Reich, das er sich selber ist, zurückgekehrt ist [27]. Das angezielte endgültige In-der-Wahrheit-Sein der Seele oder

---

[27] Am vorläufigen Ende der Versuche, aus – zumeist unzureichend reflektierter – gegenwärtiger Geschichtserfahrung heraus geschichtliches Denken auch „schon" in der Antike aufzuweisen (vgl. *H. Eibl*, a. a. O.; später bes. *O. Gigon*, Die Geschichtlichkeit der Philosophie bei Aristoteles, in: Arch. di Filosofia [1954] 129–150), sagt z. B. *K. Gaiser*, Platon und die Geschichte (Stuttgart-Bad Cannstatt 1961), was hinsichtlich des „Geschichtsbewußtseins" Platons und seiner „Geschichtsdeutung" auszumachen ist: daß Platon versucht, „die geschichtlichen Erscheinungen und den Gesamtverlauf der Geschichte auf die in ihm wirkenden Ursachen zurückzuführen, und zwar letztlich auf die Gründe alles Seienden und Werdenden überhaupt" (23), und das bedeutet: „Das wesentliche der platonischen Geschichtsbetrachtung besteht also vielmehr darin, daß sie *einbezogen ist in eine umfassende Seinswissenschaft und Prinzipienlehre*" (25). Und wenn O. Gigon hinsichtlich Aristoteles' meint, daß dessen Philosophie „die geschichtlich vorausgegangenen einseitigen und partikulären Doktrinen aufgenommen und an die ihnen zukommende Stelle gerückt" habe (a. a. O. 137), daß von ihm so die Geschichte, jedenfalls und exemplarisch die Geschichte philosophischen Denkens, „als

Bei-sich-selbst-Sein des Geistes trägt, *wenn* es erreicht ist, keine Spuren mehr, keine Brand- und keine Segensmale dessen, was zuvor, in der Zeit, geschah. Göttliches Sein – und die Identifikation mit ihm ist dieses Ziel der so verstandenen Geschichte der Seele oder des menschlichen Geistes – ist Unberührtsein von den Wechselfällen der Zeit- und Geschichtsfremde und vielmehr seliges Ruhen im Eigenen. Mittelalterliche christliche Metaphysik mag die platonisch-aristotelische Lineatur in manchem verschoben und anders gezogen haben, unter dem Impuls der biblischen Glaubenserfahrung. Aber sie hat sie nicht von Grund auf gewandelt.

Freilich steht der Metaphysik des Seins und der Ewigkeit und des göttlichen Ruhens gegenüber die Paradoxalität des biblischen Glaubens: daß Gott, der ewige, selber „am" Menschen und „an" der Welt in Zeit und Geschichte handelt. Prononciert in metaphysischer, metaphysisch-theologischer Transskription: Subjekt der Geschichte ist nicht das einzelne Wirkliche und nicht der Mensch, sondern Subjekt der Geschichte ist im strengen Sinn einzig Gott. Eben deshalb ist Geschichte jetzt auch ein in sich sinnvoller und an sich – wenn auch nicht schlechthin schon für uns – wißbarer Zusammenhang: nämlich (voraus-)gewußt im Welt- und Heilsplan Gottes, dessen Durchführung sie ist. Es ist Geschichte, durch Gott geschehen am Menschen und an der Welt, aber diese so durch Gott geschehene Geschichte ist nicht auch Geschichte Gottes in dem Sinn, daß in ihr etwas an Gott und mit Gott selbst so geschähe, daß er wie auch der Mensch und obwohl in anderer Weise bis ins Innerste betroffen würde. Aber freilich: das letzte Wort der *Metaphysik* von der Unvermischtheit des göttlichen Wesens mit jedem anderen Wesen (im Sinne einer nicht bis ins Innerste reichenden Betreffbarkeit des göttlichen Wesens durch anderes als es selbst) muß nicht auch das letzte Wort des philosophischen Denkens und Sprechens von Gott überhaupt sein. Und das könnte auch schon in dieser Vorläufigkeit Konsequenzen haben für das theologische Denken und Sprechen von Gott und vom Menschen heute.

Doch gehen wir einen Schritt weiter in der metaphysischen Beantwortbarkeit der Frage nach der Geschichte, nun von der neuzeitlichen

---

eine sinnvolle Entwicklung (!) zu einem erkennbaren Telos interpretiert und berücksichtigt wurde" (a. a. O. 140), so bezeugt dies nur, daß (diese hegelnahe Aristotelesdeutung einmal zugestanden) Geschichte hier nur als epidosis eis hauto, als Evolution („Entwicklung"!) in den Blick kam. Dazu vgl. die folgenden Ausführungen.

öfters so genannten „dynamischen" Metaphysik her, wie sie sich etwa in Leibniz oder vor allem Hegel formulierte.

Geschichte ist jetzt nicht nur die zeitliche Bewegung eines Wirklichen in dem durch seinen offenbaren und unveränderlichen Wesensbestand eröffneten Möglichkeitsbereich. Geschichte ist vielmehr jetzt die durch das Wirkliche und seine Bewegung hindurch geschehende Entwicklung des Wesens, Erzeugung des Wesensbestandes selber[28]. Nicht Werden unter dem Maß des Seins, sondern Werden des Maßes, des Seins selbst, in der Bewegung des Bemessenen, des Wirklichen. Dem entspricht die fundamentale (bei Hegel: dialektische) Identität von Substanz und Akzidenz. Sein ist Geschichte im Sinn von Entwicklung. Und so ist Subjekt der Geschichte das Wesen in seiner wirklichen Erscheinung selber, genauer: Subjekt der Geschichte ist einzig das Wesen aller Wesen, das alte eidos eidon, die noesis noeseos, der intellectus divinus als actus purus, Gott selber. Aber nun so, daß Gott in dieser seiner Geschichte „an" sich selbst handelt, aus sich und auf sich und in sich hinein[29]. Geschichte ist das Werden, die Selbstentwicklung, die Selbstherstellung Gottes selber. Und diese Selbstherstellung, Entwicklung Gottes ist er selber durch und durch. Gott ist nicht bloß am Anfang oder nur am Ende, sondern Gott ist der Gang dieser Entwicklung und Erzeugung selbst. Was uns als Weltgeschichte und Menschengeschichte und möglicherweise als zeitlich-geschichtliches Handeln Gottes an Welt und Mensch erscheint, das sind dialektisch-prädikative Bestimmungen des Handelns Gottes an sich selbst, seiner ewigen Geschichte, seines göttlichen Lebens an und für sich selber[30].

---

[28] Zum Problem Geschichte als Entwicklung vgl. *E. Rothacker*, Geschichtsphilosophie (München – Wien 1971) 11 ff.

[29] Vgl. *U. Guzzoni*, Werden zu sich (Freiburg i. Br. – München 1963); M. Theunissen, Hegels Lehre vom absoluten Geist als theologisch-politischer Traktat (1970) 95: „Sofern Gott mit der Weltschöpfung sich selbst entäußert hat, ist es auch er selbst, mit dem er sich versöhnt, wenn er die Welt aus der Entfremdung hereinholt. Als derartige Selbstvermittlung aber reicht die Versöhnung in den Ursprung der ewigen Geschichte, in welcher Gott immer schon, vor aller Welt, die Liebe gewesen ist, die den Unterschied von Vater und Sohn aufhebt."

[30] Der Titel „Geschichtlichkeit", seit Heidegger ein Geschichtsverständnis indizierend, das nicht auf metaphysische Denkkategorien zu rekurrieren versucht, taucht nach *L. von Renthe-Fink*, Geschichtlichkeit. Ihr terminologischer und begrifflicher Ursprung bei Hegel, Haym, Dilthey und York (Göttingen 1964), bei Hegel erstmals auf, kann aber aus Gründen des Systems und seiner metaphysischen Voraussetzungen hier nicht in den Rang einer zentralen Bestimmung von Geschichte einrücken (20 ff, 36 ff).

Dieses monadisch-monologische, singulär-subjektive Denken, das bereits in der alten Metaphysik angelegt war und in der neuzeitlichen Metaphysik durchbrach (mono-logisch durchaus auch noch in der Gestalt der Hegelschen dialektischen Logik und Phänomenologik), blieb in seiner Typik teilweise auch erhalten in den bekannten „Umkehrungen", in denen aus der Seins-Metaphysik, d. h. Wesens- und Gott-Metaphysik vielmehr eine Metaphysik der Natur (Materie) oder des Menschen (der Gesellschaft) wurde, auch wenn sich diese Philosophien und Theorien nicht mehr „Metaphysik" nennen wollten. Subjekt der Geschichte, und d. h. dann der geschichtlichen Entwicklung als Selbstherstellung, ist jetzt die Natur und Menschengeschichte nur „ein Teil der Naturgeschichte", obzwar ein ausgezeichneter, wie es noch beim jungen Marx heißt[31]; oder, nach der entschiedenen Ökonomisierung und Soziologisierung dieser Philosophie und Theorie, Subjekt ist der Mensch, die Gesellschaft[32], in deren Geschichte die Natur nur Basis-Material und jeweiliger Stand der Mittel zur Vermittlung, zur Produktion zukünftigen Menschseins in zukünftiger Welt ist[33].

Wenn diese in der Neuzeit aus der Metaphysik und ihren Umkehrungen selbst konzipierte Geschichtstypik nicht zureicht, die durchgebrochene geschichtliche Erfahrung sich selbst verständlich werden zu lassen, wie kann und soll dann anders und neu nach dem, was Geschichte heißt, Geschichte als Ereignisgeschichte, gefragt werden?

---

[31] Ökonomisch-philosophische Manuskripte, in: K. Marx, Frühe Schriften, Bd. 1, hrsg. v. *H.-J. Lieber* und *P. Furth* (Darmstadt 1962) 604.

[32] Im Sinn der Geschichte als Evolution ist z.B. auch J. Habermas' Begriff der „Gattungsgeschichte" zu nehmen: Über das Subjekt in der Geschichte. Kurze Bemerkungen zu falsch gestellten Alternativen: Geschichte – Ereignis und Erzählung. Poetik und Hermeneutik V a.a.O. 470, und: Technik und Wissenschaft als Ideologie (Frankfurt a.M. ²1969) 65 u. ö. Zur „Gattungsgeschichte" der ‚kritischen Theorie' s. die Kritik von *M. Theunissen*, Gesellschaft und Geschichte. Zur Kritik der kritischen Theorie (Berlin 1969), 23 ff.

[33] Zur Diskussion des Begriffs von Geschichte als Entwicklungs-, Fortschritts-, Produktions-Geschichte des menschlich-gesellschaftlichen Subjekts vgl. auch *H. Lübbe*, Geschichtsphilosophie und politische Praxis: Geschichte – Ereignis und Erzählung, a.a.O. 223–240; *O. Marquard*, Beitrag zur Philosophie der Geschichte des Abschieds von der Philosophie der Geschichte: ebd. 241–251; *K. R. Popper*, Selbstbefreiung durch Wissen, in: Der Sinn der Geschichte (hrsg. v. *L. Reinisch*) (München 1961–³1967) 100–116. Zur Geschichte der Fortschrittsidee vgl. *R. Wittram*, Das Interesse an der Geschichte (Göttingen ²1963) 81–94.

6. Was kann Geschichte heißen?
Versuche, „nicht-metaphysisch" Geschichte zu denken

Und noch einmal, meine ich, wäre es gut, zurückzublicken und vermutlich nicht übergehbare Einsichten insbesondere des neuzeitlich-metaphysischen Geschichtsdenkens festzuhalten. Es ist vor allem die Einsicht und das Bewußtgewordensein, daß Geschichte *kein* Subjekt, das sich auf sie und in sie einläßt, unberührt läßt. Geschichte geschieht „an" einem Subjekt nicht so, daß sie nur die akzidentelle Bewegung um sein ständiges und haltgebendes Wesen wäre. Geschichte ist Erringung des Wesens und seiner Ständigkeit so, daß die Wesensständigkeit, der Wesensbestand, je auch seine Zeit hat und mit dieser Zeit, mit der Reichweite seiner Errungenschaft und dem Eintritt einer entscheidend neuen sich wandelt. Das im Wesen vermittelte Sein des Subjektes ist jemaliges Werden. Das geschichtliche Werden, wenn es einen „Sinn" hat, hat diesen Sinn so nicht als „Ziel", „am Ende", derart, daß in diesem Ende der Weg dorthin zurückgelassen und das Werden als fremde Verhüllung abgestreift wäre. Sondern der Sinn ist dieser Gang selber, und wenn er ein „Ziel" hat, so ist dieses Ziel allenfalls die vollkommene, die vollendete Gegenwart, Annahme und Bejahung dieses Geschichtsganges selbst.

Aber eine geschichtliche Erfahrungsreflexion wird auch in Gegenwendung zum metaphysischen Geschichtsdenken sagen müssen: Geschichte ist nie nur Geschehen *eines* Subjekts, aus ihm heraus auf ein Objekt zu oder aus ihm heraus auf sich zu und in sich hinein[34]. Sondern Geschichte ist immer nur Geschichte primär „zwischen" Subjekten, ist „Miteinander-Geschichte", unerachtet möglicher Unterschiede in der Subjektivität der Subjekte. Und dieses „Zwischen", diese Geschichte, ist nicht gewissermaßen nachträgliche akzidentelle Relation, sondern umgreift die Subjekte, die Partner; das Miteinander dringt ein in den einen wie den andern und prägt sie, und prägt sie um gemäß dem, wie dieses Miteinander geschieht, „passiert"[35]. Deshalb hat Geschichte strenggenommen und als solche

---

[34] Vgl. *H. Lübbe*, Was heißt: „Das kann man nur historisch erklären"?: Geschichte – Ereignis und Erzählung, a. a. O. bes. 545.
[35] Zur Bestimmung des „Zwischen" in der dialogischen Philosophie, näherhin bei *M. Buber*, vgl. *M. Theunissen*, Bubers negative Ontologie des Zwischen: Philosophisches Jahrbuch (1964) 319–330.

überhaupt kein „Subjekt"; Geschichte gehört nicht einem Subjekt an und zu, sondern umgekehrt gehören Subjekte jeweils in eine Geschichte. Wenngleich also Geschichte „durch" die Subjekte hindurch geschieht, aber durch sie und durch ihr Innerstes hindurch geht, wird sie doch nicht von Subjekten „hergestellt". Die sprachliche Grundformel der Geschichte ist nie ein „er machte, d. h. plante und führte aus", sondern „es begab sich" – und allerdings kann es sich auch begeben und begibt sich, daß einer etwas macht, d. h. plant und durchführt – sofern es sich zugleich begibt, daß dies ihm gelingt[36]. Denn Geschichte ist nicht das Notwendigkeitsgeschehen nach feststehenden Wesens- oder Entwicklungs- oder Herstellungsgesetzen, sondern, obwohl nicht willkürlich und bindungslos, doch ein unableitbar-unberechenbares Geschehen von Freiheit. Was bedeutet dies: Geschichte als Freiheitsgeschehen?

Geschichte als Freiheitsgeschehen ist Kontinuität der epochalen Gestalten, der jeweiligen Weisen des Miteinander, des „Zwischen". Dieses „Zwischen" und Miteinander ist nicht die nachträgliche Verbindung und kein summarisch-additives Produkt der Partner, sondern, obwohl durch sie geschehend, dennoch „mehr", qualitativ mehr und zugleich weniger als die bloße Zusammenrechnung dessen, was die Beteiligten einbringen[37]. Dieses mehr wächst und überwächst und durchdringt die, die in dieser Geschichte leben, d. h. in einer Folge jeweiliger Gestaltungen und Weisen des Miteinander, die als jeweilige wachsen und sich wandeln und aus einer vorausgehenden in eine anschließende übergehen. Kontinuität. Aber es ist also Kontinuität des Diskontinuierlichen: d. h., der Wandel ist nicht die lineare oder dialektische Evolution der Folgeweise des Miteinander aus der vorhergehenden Weise des Miteinander. Geschichte als Freiheitsgeschehen, d. h. als Wandel und Wandlung, ist weder der immer wieder unternom-

---

[36] Vgl. *H. Lübbe*, Was heißt: „Das kann man nur historisch erklären"?, a. a. O. 344: „Einer historischen Erklärung ist bedürftig, was weder handlungsrational noch systemfunktional erklärt werden kann und auch aus kausalen oder statistischen Ereignisfolge-Regeln nicht ableitbar ist. Die historische Erklärung in dieser Charakteristik erklärt weder durch Rekurs auf Sinn, noch erklärt sie nomologisch. Sie erklärt, was sie erklärt, durch Erzählen einer Geschichte."

[37] Vgl. *R. Koselleck*, Ereignis und Struktur: Geschichte – Ereignis und Erzählung, a. a. O. 560–571, 566: „Das Vorher und Nachher eines Ereignisses behält seine eigene zeitliche Qualität, die sich nie zur Gänze auf ihre längerfristigen Bedingungen reduzieren läßt. Jedes Ereignis zeitigt mehr und zugleich weniger als in seinen Vorgegebenheiten enthalten ist: daher seine jeweils überraschende Novität."

mene, aber nie ganz gelingende (und so nur nach dem Mehr oder Weniger des Gelingens bzw. Nichtgelingens in sich unterschiedene) Versuch der zeitlichen Aktualisierung derselben ewigen Potenz, bloß Verwirklichung. Noch ist Geschichte die wirkliche Explikation und Produktion von einander sich übersteigernden Möglichkeitsbeständen aus einem Ur-Arsenal von Möglichkeitsgehalt überhaupt, der omnitudo realitatum, die zu sich selbst hin sich herauszubilden hätte. Beide Male wäre Geschichte Verwirklichung, Durchführung oder Herstellung des Vorgenommenen, des im Grunde als Vorgenommenen schon Vorweggenommenen, des uralt Anfänglichen und ebenso immer schon Endgültigen [38]. Geschichtliche Erfahrungsreflexion meint demgegenüber heute gerade darauf verweisen zu müssen, daß eine jeweilige und damit eben „geschichtliche" Form des Miteinander, der Gegenwart von Mensch und Welt und Gott je so „neu" ist, daß sie nicht aus der vorhergehenden allein verstanden werden kann, nicht aus ihr allein hervorgehen kann. Geschichte bedeutet Überraschung gerade für die Beteiligten, durch die Geschichte geschieht. Das überraschend Neue schließt an das Vorhergehende an, aber es ist nicht der nur notwendige – und sei es dialektische – Schluß aus ihm. So ist das, was im Wandel, d. h. in der fortgehenden Einigung von Kontinuität und Diskontinuität, geschieht, auch nicht von vornherein in einem Begriff gefaßt und faßbar: der Begriff ist an der Zumutung, mit der er sich in der Metaphysik und vollendet in Hegel übernommen hat, nämlich Herr der Geschichte zu sein und diese zu konsumieren, gescheitert. Sondern umgekehrt: insofern Geschichte geschieht und geschehen ist, kann es „Begreifen" der Geschichte als Nach-denken und Wieder-holen, als Erinnerung geben [39]. Geschichte ist also nicht prinzipiell apriori aus

---

[38] Insofern ist Evolutionsgeschichte gerade nie Freiheitsgeschichte, sondern Naturgeschichte: Vgl. *H. Dieckmann*, Naturgeschichte von Bacon bis Diderot: Einige Wegweiser, in: Geschichte – Ereignis und Erzählung, a. a. O. 95–114. Zur Differenz Evolution – Geschichte vgl. *M. Müller*, Erfahrung und Geschichte, a. a. O. 261–282.

[39] In diesem Zusammenhang des geschichtlichen Wandels (nicht nur der fortschreitenden Entwicklung) des Charakters des Begreifens, des Sinnes von „Wissen" selber gewinnt neuerdings Interesse die Theorie von *Th. S. Kuhn*, Die Struktur wissenschaftlicher Revolutionen (Frankfurt a. M. dt. 1967, 1973), welche im Bereich der Wissenschaftsgeschichte das Phänomen der Innovation als „Paradigmawechsel" faßt. Ausgehend von der Unterscheidung in „normale Wissenschaft" (58 ff u. ö.) mit der ihr zugeordneten Klasse von bestätigenden Fakten einerseits und in Paradigmatheorie mit der Tatsachenklasse auftretender „Anomalien" andererseits (86) wird der Sachverhalt wissenschaftsgeschichtlichen Wandels gesehen als „Revision", „Veränderung" oder Neuentwurf des Ganzen einer Wissenschaft einschließlich ihres Selbstverständnisses als Wissenschaft.

einem Bestand und Entwurf des „Immer-schon" her „geschlossen" und bloß faktisch-aposteriorisch auf Zukunft hin „offen", sondern Geschichte ist aposteriorische *und* apriorische „Offenheit".

Wenn Geschichte in diesem Sinn als Freiheitsgeschehen, und d. h. Wandlung, bezeichnet werden darf und diese Bezeichnung verständlich wird im Umkreis vor allem des dialogischen und hermeneutischen Philosophierens der letzten Jahrzehnte und der Gegenwart, und wenn gewissermaßen die „Nahtstelle" in diesem Wandel, wo die unableitbare und unvorwegnehmbare Einigung von Kontinuität und Diskontinuität, von Bisherigem/Bekanntem und Neuem/Verheißendem geschieht, „Ereignis" genannt werden darf[40] und von Heideggers Konzeption der Seinsgeschichte her erhellbar wird, dann kann vielleicht noch einen kleinen Schritt weiter gefragt werden, was geschichtliches „Ereignis" bedeutet. Dazu, teilweise in thetischer Form, aber ohne Behauptung abschließender Aufgeklärtheit, einige Hinweise.

1. Im Ereignis wird unableitbar Neues an das überlieferte Alte „angeschlossen", d.h., daß reale gegenwärtige Möglichkeiten nicht aus dem Vergangenen einfach entwickelt und befreit werden, sondern in die Gegenwart so „eingestiftet" werden, daß damit und dadurch erst die Gegenwart wird, aber eben damit und dadurch auch erst *ihre* Vergangenheit jeweils „wird". Hinsichtlich der sogenannten „Vergangenheit" bedeutet dies aber dann, daß das Ereignis als Stiftung nicht einfach „anschließt", daß also auch noch die Redewendung von „Anschluß" unzureichend ist; sondern im Ereignis und seiner Stiftung wird die ganze bisherige Geschichte gewissermaßen in die neue Möglichkeit „zurückgenommen"[41]. Stiftung läßt auch das Alte nicht beim

---

[40] Zur gegenwärtigen Diskussion um den Begriff des „Ereignisses" in den Geschichtswissenschaften sei hingewiesen auf die Beiträge von *H. R. Jauss* und *A. Borst:* Geschichte – Ereignis und Erzählung, a. a. O. Interessant der Hinweis von H. R. Jauss, das dem deutschen „Ereignis" im französischen korrespondierende „événement" habe wie bei Molière so bei Montaigne die Bedeutung einer „Geschehniseinheit" gehabt: „Für *événement* als Geschehniseinheit, durch die ein exemplarischer Sinn vor Augen kommt, ist aber zugleich das Unvorhersehbare des Ausgangs konstitutiv" (555); ebd. auch die Rede von der „bedeutungsbildenden Funktion von Ereignissen".

[41] Damit wird jener Sachverhalt thematisiert, welcher spätestens seit Droysens „Historik" als der Gedanke der „Vermitteltheit" aller historisch erruierten Tatsachen durch den Historiker in der Geschichtswissenschaft gegenwärtig ist. Bei Droysen hatte es geheißen: „Jeder Punkt in dieser Gegenwart ist ein gewordener... Der endliche Geist hat nur das Hier und Jetzt... Er umleuchtet seine Gegenwart mit dem Schauen und Wissen der Vergangenheiten, die kein Sein und keine Dauer haben außer in ihm und

alten, sondern holt es zurück und ist so mit der Eröffnung von Gegenwart zugleich Verwandlung der Vergangenheit. Darin beruht, daß
(bisherige) Geschichte in der Tat je neu geschrieben werden kann und
zu Zeiten werden muß, nicht nur, weil das Wissen sich „vermehrt"
hat, weil man jeweils an einem „höheren" Punkt angelangt wäre, von
dem aus das Zurück- und Tieferliegende besser überschaut werden
kann; sondern vor allem weil in der jetzt ereigneten Gegenwart auch
die Vergangenheit selbst, nach Maßnahme des Ereignisses, sich geändert, gewandelt, erneuert hat[42].

2. Ereignis und Stiftung sind nicht nur verwandelnde „Zurücknahme" vergangener Geschichte in die Gegenwart, als „neue" Vergangenheit *dieser* jeweiligen Gegenwart. Sondern diese Gegenwart und
ihre Vergangenheit ist zugleich dargeboten zukünftig sich ereignender
Verwandlung. Geschichte ist nicht ein Stück Vergangenheit, fix und
fertig, aber vorbei; plus ein Stück Gegenwart, noch in Bewegung, im
Fertigwerden; plus ein Stück Zukunft, noch völlig offen oder jedenfalls verschwommen, unklar und undeutlich erst auftauchend.
Sondern wo hinein die Vergangenheit vergangen ist, das ist eben die
je neue wirkliche Möglichkeit der Gegenwart. Geschichte ist immer

---

durch ihn" (*J. G. Droysen*, Historik, hrsg. v. R. Hübner [Neudr. Darmstadt 1967] 327).
Bei Droysen war dieser Sachverhalt einerseits in transzendental-kantischer, andererseits
in teleologisch-hegelischer Rücksicht gedeutet worden. Seine weiteren wechselnden
Akzentuierungen und Darstellungen verfolgen zu wollen hieße eine Geschichte der
Hermeneutik zu schreiben. Vgl. weiter dazu *H.-G. Gadamer*, Wahrheit und Methode
(Tübingen ²1965), und dessen Begriff der „Wirklichkeitsgeschichte", worin zwar die
Unabtrennbarkeit des Gewesenen vom Heute zur Sprache kommt, nicht jedoch das
Phänomen der Innovation. Zu erwähnen ist schließlich *H. Baumgartner*, Kontinuität
und Geschichte. Zur Kritik und Metakritik der historischen Vernunft (Frankfurt a. M.
1973) als jüngster Versuch, vom Standpunkt transzendentaler Subjektivität (und deren
kryptischer Ungeschichtlichkeit) das Problem jener gegenwartsspezifischen Präsenz des
Vergangenen zu lösen.

[42] So kann auch das Wort von *J. Burckhardt:* „Die Quellen aber, zumal solche, die
von großen Männern herrühren, sind unerschöpflich, so daß jeder die tausendmal ausge-
deuteten Bücher wieder lesen muß, weil sie jedem Leser und jedem Jahrhundert ein
besonderes Antlitz weisen" (Weltgeschichtliche Betrachtungen, hrsg. v. R. Stadelmann
[o. J.] 44) vom Gedanken je neuer Gegenwart her gelesen werden, ebenso *Gadamers* Aus-
führung über das „Klassische" (Wahrheit und Methode, a. a. O. 269 ff). – Sehr illustrativ
für das Problem je neuer Vergangenheit der Gegenwart die Ausführungen von *H.
Lübbe:* Was heißt: „Das kann man nur historisch erklären"?, a. a. O. 551: „Geschichten
sind Prozesse der Systemindividualisierung als Folge funktionsdienlicher Umbildung
von Systemen unter Ereignisbedingungen, die ihrerseits aus dem Funktionssinn des
Systems unableitbar sind."

Gegenwart, gegenwärtige Geschichte, in der die Geschichte der Vergangenheit weiter geschieht. Weil Geschichte so je Gegenwart, gegenwärtige Geschichte der verwandelt ein- und weitergehenden Vergangenheit ist, deshalb beruht oder genauer gesagt „geht" Geschichte in *Geschichten*[43]. Und das nicht nur in dem Sinn bestimmter Ereignisgeschichten, sondern auch in dem Sinn, daß das, was Geschichte überhaupt und im Ganzen ist und als was sie somit verstanden ist, jeweils neu sich in einer Gegenwart konstituiert: es gibt so eine Geschichte der Geschichte selber. Und so ist das wahrhaft „Allgemeine" alles Wirklichen nicht mehr Begriff, sondern die Geschichte, die allerdings seit über 2000 Jahren für uns auch eine Geschichte des begrifflich Allgemeinen, der Metaphysik und Wissenschaft, gewesen ist. Eben deshalb aber ist jede Geschichte, jede Gegenwart schon auch – nicht nur „Rücknahme" und Verwandlung der Vergangenheit sondern – zugleich „Vorgabe" für zukünftige Geschichte, in der sie selbst vergehend weitergehen wird[44]. Vorgabe als Darbietung, in Sorge was mit ihr selbst geschehen wird, aber damit in Hoffnung.

3. Was also jemals geschehen ist, ist damit, daß es geschehen ist, gerade nie abschließend geschehen, sondern geschieht weiter. Als solches Weitergeschehen, und nur als solches, ist es Überlieferung. Vergangenheit ist überliefert und damit zugleich auch ausgeliefert an Gegenwart; Gegenwart ist vorgegeben, aber damit zugleich auch preisgegeben an Zukunft. Und nun käme alles darauf an, solches Sichüberliefern in Zurücknahme und Vorgabe, d. h. Wandel und d. h. Geschichte, zu verstehen gerade nicht nur als *Verstehens*geschichte von Wirklichkeit, als *Auslegungs*geschichte, als je neue *Deutungs*ge-

---

[43] Vgl. hierzu: *W. Schapp*, In Geschichten verstrickt (Hamburg 1953); *ders.*, Philosophie der Geschichten (Leer 1959); siehe dazu *H. Lübbe*, „Sprachspiele" und „Geschichten", in: Bewußtsein in Geschichten (Freiburg 1972) 81–115, bes. 103–114. – Den gerade umgekehrten Vorgang (von den Geschichten zur Geschichte überhaupt) thematisiert *R. Koselleck* – als neuzeitliche Freisetzung der „Geschichtsphilosophie" in quasi ungeschichtlicher Absicht (Geschichte, Geschichten und formale Zeitstrukturen, in: Geschichte – Ereignis und Erzählung, a. a. O. 211–222).

[44] Vgl. *R. Panikkar*, Die Zukunft kommt nicht später: Vom Sinn der Tradition, hrsg. v. L. Reinisch, a. a. O. 53–64, dessen Darlegungen eben jene Auslegung der Zeit, welche die Geschichte als evolutiv und utopisch begreifen will, kritisch beleuchten: „Die Zukunft ist keine reale Wirklichkeit, eben so wenig die Vergangenheit. Die Gegenwart aber ist mit beiden geladen. Sie heißen Tradition und Hoffnung" (a. a. O. 62); und *O. Köhler*, Erinnerung und Erwartung: Die Frage nach dem Menschen, hrsg. v. H. Rombach (Festschrift M. Müller) (Freiburg i. Br. – München 1966) 105–129.

schichte, sprachlich- oder begrifflich-intentional, logisch und hermeneutisch, sondern: solche Geschichte zu verstehen zugleich „real", d. h. als Geschichte der Wirklichkeit in ihrem Wesen[45]. Das mag ungeheuerlich klingen, aber diese Ungeheuerlichkeit ist die Realität der Geschichte, geschichtliche Realität im Unterschied zur Realität der „Natur", verstanden als „Wesen", zur natürlichen Realität also, die, fest umrissen und unveränderlich konzipiert und ständig, Geheuerlichkeit und Zuverläßigkeit und Sicherheit gewähren sollte. Geschichtliche Realität ist Wandel ohne *solche* Sicherheit, in Risiko aber mit Zuversicht. Zuversicht, Hoffnung allein ist die mögliche Sicherheitsweise geschichtlicher Realität. „Was" also Adam „war" – z. B. – ist gerade nicht das Immer-schon-gewesen-sein eines zeitlosen Wesens-, Natur-bestandes in einer vergangenen, darin gestanden habenden „Verwirklichung", sondern „was" er „war", das „wurde" er – zu seinem Heil –, und das „wird" er immer „noch". Geschichtlich gedacht ist alles Wesen gestiftetes Wesen, aber so, daß es sich zugleich in künftiger, d. h. jeweiliger Gegenwartsgeschichte zu-getragen und nach-getragen empfängt. Was ein Wirkliches in seinem Wesen geschichtlich „war", vielmehr „ist", wird ihm in der Geschichte, der Geschichte der Neuerungen, jeweils nachträglich zugeeignet; historisch-reale Konstitution geschieht von Anfang an im Nachhinein. Im Blick auf die Geschichte, die noch nicht abgeschlossene Geschichte, gerade auch im Blick auf unsere Gegenwart, bedeutet das nicht nur die Unruhe des Herzens, sondern seinen Trost.

---

[45] Vgl. hierzu: *H. Rombach*, Strukturontologie. Eine Phänomenologie der Freiheit (Freiburg i. Br. – München 1971).

II
Zeitgenössische Grundtypen
nichtkirchlicher Jesusdeutungen

Heinrich Fries, München

Wenn man an nichtkirchliche Jesusdeutungen denkt und sich darüber theologisch Rechenschaft zu geben sucht, dann kann dies zunächst gegensätzliche Bewegungen und Reaktionen auslösen:

Man kann darüber erfreut sein, welch weite Kreise das Thema Jesus zieht bzw. gezogen hat: über die Grenzen der Kirche und der Kirchen hinaus. Man kann im Nichtkirchlichen die Frucht einer von den Kirchen ausgehenden Wirkung und Wirkungsgeschichte erblicken. Man kann aber auch, ja man muß in der Tatsache und in den Phänomenen von nichtkirchlichen Jesusdeutungen ein Versäumnis, ein Versagen der Kirche und der Kirchen entdecken. Eine Jesusdeutung neben oder gegen die Kirche ist letztlich nur verständlich und erklärbar, wenn und weil im Raum des Kirchlichen nicht alles zur Sprache, zur Gestalt und zur Verwirklichung kam, was von Jesus zu sagen ist, welche Bewandtnis es mit ihm hat, welche Dimensionen, welche Impulse und Wirkungen in seiner Person und in seiner Sache gegeben sind.

Das Thema: Zeitgenössische Grundtypen nichtkirchlicher Jesusdeutungen soll nach folgenden Punkten behandelt werden:

1.) Die Jesusdeutung der Jesus-People-Bewegung, abgekürzt der Jesus Bewegung;

2.) Grundtypen der Jesusdeutung in der zeitgenössischen Literatur;

3.) Grundtypen der Jesusdeutung in der gegenwärtigen Philosophie; die gleiche Thematik soll

4.) in der gegenwärtigen jüdischen Diskussion zur Sprache kommen. Am Schluß wird versucht, aus der Information und dem Überblick über die Grundtypen der vorgestellten Jesusdeutungen einige theologische Reflexionen zu gewinnen.

1. Die Jesusdeutung in der zeitgenössischen Jesus-People-Bewegung

Diese Bewegung[1] ist in den Vereinigten Staaten von Amerika um die Mitte der sechziger Jahre aufgebrochen, genauer im amerikanischen Westen, in Kalifornien, speziell in San Franzisko und Berkeley. Sie hat weite Teile der Jugendlichen in ganz Amerika erfaßt, ist zu Beginn der siebziger Jahre auch nach Europa gelangt und hat durch die Multiplikatoren: Fernsehen, Film, Schallplatten – am bekanntesten ist der Titel: Jesus Christ – Superstar als Schallplatte, Film und Bühnenstück (Auflage der Schallplatte inzwischen 5 Millionen) – Wirkung und Bekanntheit erreicht. Die Bandbreite und Differenzierung der Jesus-People-Bewegung ist schwer genau und im einzelnen zu beschreiben. Inzwischen ist die Bewegung erkennbar im Rückgang begriffen. Wichtiger als viele Einzelheiten ist dabei und für unsere Fragestellung das Grundtypische. Das ist in folgenden Punkten vorzustellen:

Die Entstehung dieser Bewegung hat vor allem folgende Motive[2]. Zunächst sind es die in Amerika geschichtlich wirksam gewordenen und bis heute lebendigen religiösen Bewegungen, als freie Vereinigungen einzelner „the congregationalism", die sich im Willen zur Bekehrung, zur geistlichen Erweckung und Erneuerung zusammenschlossen. Dabei beziehen sie sich auf irgendeine geistliche Erfahrung: auf eine Erleuchtung durch den Heiligen Geist oder auf eine unmittelbare Begegnung mit Jesus. Diese Erfahrungen wurden gegenseitig mitgeteilt und ausgetauscht – mit Vorliebe in Kaffeestuben als Treffpunkten –, sie wirkten gruppendynamisch, am eindrucksvollsten in der Gruppe der „Children of God".

Ein zweites Motiv dieser Bewegung ist das, was man in spezifischer Weise Subkultur oder Gegenkultur nennt. Gemeint ist damit der Gegenbegriff zu „Culture" als zusammenfassender Bezeichnung der gegenwärtigen, alle Bereiche umfassenden Lebens- und Verhaltens-

---

[1] Vgl. *G. Adler,* Die Jesus Bewegung. Aufbruch der enttäuschten Jugend (Düsseldorf 1972); *B. Grom,* Die Jesus Bewegung: Stimmen der Zeit 97 (1972) 181–194; *W. Wieland,* „I like Jesus": Bibel und Kirche (1972) 33–37; *F. G. Friedmann,* Die Jesus People in den Vereinigten Staaten von Amerika: Internationale Katholische Zeitschrift 3 (1973) 193–205; *G. Adler,* Die Jesus People und die Kirchen: Concilium 10 (1974) 219–221; *H. Küng,* Christ sein (München 1974) 125–130.

[2] Vgl. *F. G. Friedmann,* a. a. O. 193–197.

weise der Gesellschaft, vor allem – um beim Beispiel Amerika zu bleiben – des „american way of life". Wenn diese weitgehend durch die Faktoren: Technokratie, Wissenschaftlichkeit, Rationalität, durch nichts eingeschränkte Machbarkeit, Produktions- und Konsummaschinerie, durch Gewinnmaximierung, durch Leistung, Erfolg, Fortschritt, Wachstum, Besitz, Wohlstand bestimmt ist, dann bedeutet Subkultur oder Gegenkultur das ausdrückliche Unbehagen darüber, den bewußten Protest gegen diese Lebens- und Verhaltensform sowie gegen die sie bestimmenden Werte und Ziele. Die Gegenposition wird um so intensiver, als die technokratisch verfaßte Welt und Gesellschaft so elementare Probleme wie das rechte Verhältnis zwischen den Rassen, zwischen den Generationen, zwischen Mann und Frau, zwischen Eltern und Kindern nicht zu lösen vermochten. Die gleiche Welt und Gesellschaft haben den Menschen total beansprucht und dabei überfordert; das Menschliche wurde weithin ausgeblendet oder unterdrückt. Die Frage nach dem Wozu, die Sinnfrage wurde nicht nur nicht gelöst, sie wurde nicht einmal zugelassen. Indes, die Frage meldete sich wieder zu Wort und mit ihr deren viele und vielfältige Konkretisierungen an entscheidenden Ereignissen und Erfahrungen im Leben eines jeden Menschen.

Dazu kam gerade in Amerika das Trauma des Vietnamkriegs und die damit verbundenen Konfrontationen: mit der Grenze und dem Scheitern einer bis zum Höchstmaß entwickelten militärischen Technik, die Konfrontation mit der Frage nach der moralischen Verantwortbarkeit dieses bedrückenden Unternehmens.

Ein Ausdruck des Unbehagens und der Subkultur war der politische Protest mit dem Ziel einer sozialrevolutionären Veränderung. Ein anderer Ausdruck derselben Stimmung war die sog. Hippiebewegung, die durch die Erfolglosigkeit des politischen Kampfes enttäuscht, eine bessere Welt der Zwanglosigkeit und Zweckfreiheit, die „permissive Society" mit Liebe und Gewaltlosigkeit zu errichten suchte. Der Ausbruch der Hippies aus einer lustfeindlichen und sinnlosen Welt war eine Flucht ohne Ziel, die infolge des Widerstandes des Bestehenden, des „Establishment", bald ebenso in Erfolglosigkeit endete wie die sozialrevolutionäre Bewegung. Als Ersatz bot sich die psychodelische Droge an. Diese bewirkte Bewußtseinserweiterung und Befreiung und suggerierte den Traum eines heilen Paradieses.

Als jedoch die Folgen des Rauschgifts als Enttäuschung und Katzenjammer erkennbar wurden, als ein Teil der Hippies in Brutalität und Kriminalität abglitt und damit Not und Ratlosigkeit, verbunden mit dem Bewußtsein der Schuld, noch mehr offenbar wurden, war die Motivation und Empfänglichkeit für einen neuen Weg und Ausweg geschaffen – eben für die Jesus-People-Bewegung. Von diesen Voraussetzungen sind ihre Inhalte weitgehend bestimmt. Die Jesus-People-Bewegung ist nach B. Grom „Religion für eine bestimmte Gruppe, für Jugendliche in extremer psychischer Not, ist Christentum für Ausgeflippte"[3].

Von diesen Zusammenhängen aus versteht man Worte wie: Jesus ist der beste Trip. Nicht die Droge, sondern Jesus schenkt Befreiung von Angst, Einsamkeit, Sinnleere. Jesus gewährt Erfüllung; durch Jesus wird der Mensch „high" und „unhung" d.h. unabhängig von seiner Vergangenheit[4].

So wird auch verständlich, daß die Situation der Hippies auf Jesus projiziert wird, daß Jesus in der Gestalt der Hippies gesehen, beschrieben und besungen wird, so in den bekannten Worten: „Gesucht wird Jesus Christus... berüchtigter Führer einer Untergrund-Befreiungsbewegung. Er hat sich folgender Vergehen schuldig gemacht: Er praktiziert als Arzt ohne Lizenz, Weinhersteller und Essensverteiler; er legt sich mit Geschäftsleuten im Tempel an. Er verkehrt mit bekannten Kriminellen, Radikalen, Subversiven, Prostituierten und Leuten von der Straße. Er behauptet, die Autorität zu haben, Menschen in Kinder Gottes zu verwandeln. Äußere Erscheinung: typischer Hippie, langes Haar, Bart, Robe, Sandalen. Er treibt sich gern in Slums herum, hat einige reiche Freunde, verkriecht sich in der Wüste. Achtung, dieser Mann ist äußerst gefährlich. Für seine heimtückisch-zündende Botschaft sind besonders jene jungen Leute anfällig, denen man noch nicht beigebracht hat, ihn zu ignorieren. Er verändert die Menschen und beansprucht, sie frei zu machen. Warnung: er läuft noch immer frei herum."[5]

Von derselben Situation und Motivation aus wird die Botschaft von Jesus und über Jesus in der Form von – einprägsamen – Kurzformeln vorgestellt: Wenn dein Gott tot ist, nimm meinen! Jesus lebt! Schalt

---

[3] *Grom*, a.a.O. 194.
[4] *Friedmann*, a.a.O. 199.
[5] Text in: *A. Thome*, Moderne Problemliteratur im Religionsunterricht. Themen – Texte – Modelle – Methoden (München 1974) 40.

um auf Jesus! Jesus liebt dich. Jesus gibt deinem Leben einen Sinn. Jesus kommt. Er vergibt dir alle Schuld und macht dein Leben neu. Jesus hat den Schlüssel zur Lösung für jedes menschliche Problem[6]. Das gleiche kommt in den „Jesusrufen" zur Sprache: Jesus, willst du nicht zu uns zurückkommen, zu uns auf die Erde? Jesus komm zu uns zurück! – Komm für die, die Marihuana rauchen, und zu denen, die reden, reden, reden. Komm zu den Menschen, die immer noch meinen, die Welt sei doch o. k.[7]. Diese Worte werden verifiziert durch die Erfahrungen und Erzählungen derer, die dadurch betroffen wurden. Davon sind es nachweislich in Amerika mehrere hunderttausend Jugendlicher, die den Drogen verfallen waren.

Die Worte der Jesusbewegung sind in keinem Betracht neu, sie sind so alt wie die Botschaften der Erweckungsbewegungen aller Art. Aber daß diese Worte nicht nur alt sind, daß sie heute noch wirken können, weil sie faktisch gewirkt haben, ist nicht zu bestreiten. Das gilt und bleibt bestehen trotz der kritisch und theologisch anzumerkenden Tatsache, daß die Bibel zu Worten des „Vorsitzenden Jesus" umfunktioniert und damit schick akkomodiert wird, daß man die Bibelworte in rein suggestiver und provokativer Auswahl zusammenstellt und sie unbekümmert um Exegese und Hermeneutik fundamentalistisch und plakativ proklamiert. Die Nichtberücksichtigung der Theologie wird prinzipiell zur dezidierten Ablehnung durch die Anhänger der Jesus-People-Bewegung, weil sie meinen, daß die theoretische Reflexion das Erlebnis und die unmittelbare Erfahrung, die nicht planbare und reglementierbare Emotionalität gefährde.

Diese Mentalität kommt zum Ausdruck in Worten wie den folgenden: Ich habe Jesus gern, aber aus dem übrigen Zeug in der Bibel mache ich mir nichts. Die Jünger Jesu ärgern mich, alle Leute der Bibel sind mir lieber als die Jünger. „Falls es jemand genau wissen will: der Kerl, der mir nach Jesus am besten gefällt, ist dieser Verrückte, der in den Gräbern wohnte und sich dauernd an Steinen schnitt, dieser arme Hund."[8]

Aus denselben Gründen wird alles abgelehnt, was mit Kirche zusammenhängt. Die für die Kirche konstitutive Form von Orthodoxie, Reglement und Institution, Recht und Gesetz, Tradition, Geschichte,

---

[6] *B. Grom,* a. a. O. 182
[7] *H. Thome,* a. a. O. 40f.
[8] Ebd. 52.

Dogmen, verunmöglicht die Unmittelbarkeit, das persönliche Erlebnis, die direkte Begegnung und spontane Erweckung. Die Kirchen – das ist ein weiterer Vorwurf – haben das wahre Bild Jesu verfälscht und aus dem Freund und Helfer ein übernatürliches, den Menschen entzogenes Wesen gemacht.

In der Kirche ist, so lautet eine andere Version, zuviel Pharisäismus, zuviel Theater, zuviel Kostümierung. – Jesus, die Gestalt des Ehrlichen, Reinen, Unverdorbenen, Ungeheuchelten, wird in den Kirchen verdeckt. Jesus, so heißt es in dem von Heinrich Böll bearbeiteten Roman von J. S. Salinger, „Der Fänger im Roggen", hätte von dem ganzen Orchester, das die Kirchen aufgebaut haben, nur der Paukenschläger gefallen. So ist es konsequent, wenn Holden Caulfield, der Held des eben genannten Romans, erklärt: „Ich gehe nie zur Kirche."[9]

Die Gottesdienste der Jesus-People-Bewegung werden nicht organisiert und ritualisiert, sie sind freie Gestaltungen und Schöpfungen. Dabei werden Wort, Ausrufe, Ekstase, Rhythmik in gleicher Weise beansprucht. Als ethische Weisung wird die Orientierung an Jesus empfohlen.

Bei aller Radikalität der ethischen Forderungen entsteht kein düsterer Rigorismus. Es überwiegt die Stimmung der Freude, die als Zeichen der Befreiung und Sinnerfüllung gilt. Von einer neu erweckten Innerlichkeit, nicht von äußeren Veränderungen, aber auch nicht aus einem politischen oder sozialen Engagement wird nach der Überzeugung der Jesus-People-Bewegung die Erneuerung und Veränderung der Welt kommen.

Man wird – theologisch gesehen – darüber verschiedener Meinung sein, was man von diesem „Jesus der Schwärmer" zu halten hat. Auch ist strittig, ob und welche Zukunft dieser Bewegung noch zukommt, ob und wie eine Form von Integration dieser Gruppen, etwa der Pentecostals in die christlichen Kirchen gelingt oder ob Sektenmentalität und Sektenbildung übrig bleiben.

Erstaunlich bleibt auf jeden Fall – hier ist Hans Küng zuzustimmen[10] –, daß im letzten Drittel unseres Jahrhunderts Jesus aktuell ist und aktuell wird – faszinierend anscheinend wie eh und je. Und zwar

---

[9] Ebd. 51–53.
[10] Christ sein (München 1974) 128.

Jesus nicht als Genosse der Rebellion im Kampf gegen Krieg und Unmenschlichkeit, sondern Jesus, auch gesehen, als das von allen mißbrauchte Opfer, als das beständigste und zugänglichste Symbol für Reinheit, Freude, letzte Hingabe, wahres Leben. Könnte das nicht ein neuer Ausdruck einer uralten Sehnsucht der Menschheit sein?

Auf jeden Fall – damit seien diese fragmentarischen Überlegungen abgeschlossen: Wenn auch die in den Jesusdeutungen gegebenen Antworten, angesiedelt zwischen Kitsch und Glauben, höchst einseitig, ambivalent und vergänglich sein sollten, sie haben es vermocht – und das ist nicht wenig –, die Frage nach Jesus und seinem Evangelium offenzuhalten, und dies in Teilen der jungen Generation, die von vielen als „verlorene" angesehen wurde und immer noch wird, von der man sagt, sie sei religiös oder, christlich gesehen, abzuschreiben. „Die Jesus-Bewegung zeigt so viele genuin christliche Züge, daß es vermessen wäre, sie in ihrer Gesamtheit als Fehlentwicklung zu deklarieren. Man wird sich vielmehr fragen müssen, ob den Jesus freaks ‚offenbar wurde, was den Weisen und Klugen verborgen' ist."[11]

2. Der Jesus der Literaten

Wenn man dieses Thema in zeitgenössischer Perspektive behandeln will, dann ist der Begriff Literatur im weiteren Sinn zu verstehen. Dazu ist heute auch eine gewisse Art von Journalismus zu rechnen, vor allem jener, der sich selbst als gehobenen Journalismus versteht, der nicht für den Tag, sondern für eine Woche oder einen Monat schreibt. Davon sei zunächst kurz die Rede.

Jesus ist Thema einer solchen Literatur geworden. Als Beispiele seien genannt: *Rudolf Augstein* und *Johannes Lehmann*.

Über *Augsteins* Buch: „Jesus Menschensohn"[12] braucht heute nicht mehr viel gesagt zu werden als eben dies: Augstein geht es weniger um Jesus als um die Kirche und die Kirchen, die nach seiner Meinung immer noch zu großen gesellschaftlichen Einfluß haben – gerade in Deutschland. Es geht ihm um die Kirchen, die Wahlen beeinflussen, die Pille verbieten, Schuldkomplexe fördern, Spannungen erzeugen,

---

[11] *G. Adler:* Concilium 10 (1974) 221.
[12] München – Gütersloh – Wien 1972.

Herrschaftsstrukturen stabilisieren. Macht und Einfluß der Kirchen kann und soll vor allem durch den Nachweis gebrochen werden, daß sich die christlichen Kirchen „auf einen Jesus berufen, den es nicht gab, auf Lehren, die er nicht gelehrt, auf eine Vollmacht, die er nicht erteilt, und auf eine Gottessohnschaft, die er selbst nicht für möglich gehalten und nicht beansprucht" hat [13].

Unter diesem hermeneutischen Prinzip steht Augsteins Buch; damit trifft er seine Wahl und seine Auswahl. Wahr ist demzufolge, was diese Tendenz unterstützt und ihrer Stärkung dient. Darüber hinaus ist Augstein überzeugt, daß ihm die Ergebnisse der modernen kritischen Exegese zu Hilfe kommen. Allerdings geht es in Augsteins Buch auch den kritischsten Theologen schlecht, wenn sie nicht im Sinn seiner Tendenz reden. Solches nicht zu tun, kann nach ihm seinen Grund nur in Angst, Heuchelei oder Lüge haben; dies mag vielleicht sympathische Lüge sein, wie sie Karl Rahner bescheinigt wird, der auf „sympathische Weise weiß, daß er das Falsche sagt" [14]. Die christlichen Kirchen leben im Grund davon – das ist eine weitere These Augsteins –, daß die Mehrzahl der Gläubigen noch nicht zur Kenntnis genommen hat, was die moderne Theologie, zumal die wissenschaftliche Leben-Jesu-Forschung von sämtlichen Dächern pfeift. Eben diesen Nachholbedarf will Augstein befriedigen. Die geradezu pathologische Polemik Augsteins und seiner Spiegel-Mitarbeiter gegen Küngs neues Buch: „Christ sein" hat wohl auch darin ihren Grund, daß Küngs Rezeption der Methoden und Ergebnisse gegenwärtiger Theologie zum Gegenteil dessen führt, was Augstein als einzig logische und redliche Konsequenz gelten läßt: Abschied von Christentum und Kirche zu nehmen. Wer Augstein dabei nicht folgt, kann entweder nur ein Dummkopf oder Heuchler oder Opportunist sein: am wahrscheinlichsten alles zusammen in einer Person.

Das zweite Motiv dieses Jesusbuchs ist ein Versuch persönlicher Vergangenheitsbewältigung nach dem Motto: „Verdrängen ist gut, Bewußtmachen ist besser." [15] Augstein bekämpft einen Katholizismus, von dem er glaubt, er bestehe nach wie vor: ein „vulgärer, vorkonziliarer, anti-ökumenischer Katholizismus, ein gespenstisches Gebilde

---

[13] Ebd. 7.
[14] Ebd. 126.
[15] Ebd. 427.

aus Machtwillen, Sexualfeindschaft und arroganter Dummheit, ein Schauergebilde, dem man alles zutraut, nur nicht Gestalten wie Johannes XXIII."[16]

Die Methode dieses Buches charakterisiert D. Sölle folgendermaßen: „Man nehme 100 Exegeten der letzten 50 Jahre, zerschnippele ihre Ergebnisse möglichst kleinteilig (auf Halbverse, keinesfalls auf Ideen bezogen), siebe alle positiven, auf Echtheit oder Bedeutung zielenden Ergebnisse als irrelevant heraus und rühre das Ganze mit einer für meinen Geschmack etwas abgestandenen Spiegel-Mayonnaise zusammen.

Der Salat dieses Buches ist langweilig... Kein Mensch kann verstehen, warum dieser blasse und unbedeutende Jesus, dieses Kunstprodukt aus Traditionen vor ihm und Legenden nach ihm für so viele Menschen eine absolute Bedeutung gehabt hat. Es muß wohl an der ungeheuren Borniertheit der Menschen liegen, daß sie eine Projektionsfigur ihrer Wünsche und Sehnsüchte erschaffen – und nicht durchschauen!"[17]

Augstein macht – das bleibt noch hinzuzufügen – fast als einziger im Bereich der Literatur insofern eine Ausnahme, als er in einer Sprache der Beschimpfung, Diffamierung und Beleidigung von Jesus spricht als „Spinner" und „Querkopf", obwohl er andererseits behauptet, man könne historisch so gut wie nichts über ihn wissen. Jahwe wird als „zorniger und unbedachter Herr, rücksichtslos bis zum Exzeß, besessen von einer schier krankhaften Eifersucht" geschildert. Eduard Schweizer sagt, er könne von einem afrikanischen Ahnengott nicht so reden, wie es Augstein von Jesus tut und von dem, den er seinen Vater nennt. Hier liegt nicht eine Frage des Glaubens vor, sondern eine Frage des Geschmacks[18].

Fast alle Kritiker Augsteins sind bewegt von den Schlußüberlegungen seines Buches, in denen Sehnsucht und Ratlosigkeit sich verschwistern. Augstein ist nicht bereit, auf Pascals berühmtes Argument der Wette einzugehen. Es bleibt, so sagt er, „nichts anderes zu tun als uns selbst anzunehmen; aus unserem Leben können wir das relativ Beste machen. Verbessern wir nichts und scheitern wir, so sind wir zumindest nicht schlechter dran als vorher. Wir setzen nichts ein, als was

---

[16] *D. Sölle:* Die Zeit Nr. 45 v. 10. 11. 1972.
[17] Ebd.
[18] Neue Zürcher Zeitung v. 15. 11. 1972; zum Ganzen: Augsteins Jesus. Hrsg. v. *R. Pesch* und *G. Stachel* (Zürich – Einsiedeln – Köln 1972).

uns ohnehin entgeht, wenn wir uns auf den Versuch gar nicht erst einlassen ... Rationale Aufarbeitung hat mir gut getan und tut der Gesellschaft not ... ‚Du sollst dir von Gott kein Bild machen' heißt in unserer Sprache: Du sollst nicht wissen können, wer du bist und was aus dir wird." [19]

Als zweites Beispiel dieser Art sei *Johannes Lehmanns* „Jesus Report" vorgestellt. Es trägt den bezeichnenden Untertitel: „Protokoll einer Verfälschung" [20]. Lehmann nimmt auf das ebenfalls in dieses literarische Genus gehörende, gewandt geschriebene Buch von *Joel Carmichael* Bezug: „Leben und Tod des Jesus von Nazareth" [21] teils rezipierend, teils kritisch distanzierend. Lehmanns These lautet: Jesus ist der, den die Kirche verschweigt. Lehmann will den Rabbi „J" finden, den seine Zeitgenossen kannten, verehrten und verachteten. Der wahre Jesus ist auf jeden Fall außerhalb der Kirchen und außerhalb des Christentums zu suchen. Der Jesus der Christen ist der verfälschte, stilisierte, ideologisierte, verfremdete Jesus, der Jesus als der Christus. An der Verfälschung und Verfremdung der wahren Gestalt Jesu haben die ersten Christen gearbeitet, allen voran Paulus, aber nicht weniger kräftig die Evangelisten.

Jesus – oder in der Chiffre-Sprache von Lehmann Rabbi „J" – war Essener. Er konzentrierte und radikalisierte im Grund deren Lehre, die später als seine eigene unvergleichliche Botschaft ausgegeben wurde. Jesus bezog die im Essenertum lebendigen messianischen Verheißungen und die Aussagen vom Reich Gottes auf sich selbst und kämpfte für die politische Befreiung seines Landes aus römischer Herrschaft. Jesus scheiterte und starb als Rebell.

In dieser Auffassung stimmt Lehmann mit Carmichael überein, aber nicht mit dessen These, daß Jesus einfachhin als politischer Zelot und religiöser Patriot einzustufen sei, der eine bewaffnete Streitmacht hatte, eine Zeitlang den Tempel in Besitz nahm, der verraten, verhaftet, verurteilt und auf Grund der Anschuldigung, ein Aufrührer zu sein, hingerichtet wurde. Dieses Bild von Leben und Tod des Jesus von Nazareth ist nach Carmichael vor allem durch Paulus total verändert worden: Aus Jesus wurde der Gottmensch, der seinen Sohn als Sühne für die Menschheit verstand, der von den Toten auferstand und erhöht

---

[19] A. a. O. 427f.
[20] Düsseldorf 1970.
[21] München 1965.

45

wurde. „Der Triumph des Paulus bedeutete die endgültige Auslöschung des historischen Jesus; der historische Jesus ist auf uns gekommen eingeschlossen im Christentum wie eine Mücke im Bernstein"[22].

In der Formung und Überlieferung der Jesusgestalt waren, um mit Lehmann zu sprechen, zwei christliche Filter am Werk. Der eine tilgte alle politischen Züge im Wollen und Werk Jesu. Der zweite Filter machte aus dem gescheiterten Messias den Sieger Christus, aus dem Getöteten den Lebenden, aus dem Menschensohn den Gottessohn. Daraus folgt: zwischen dem historischen Jesus und dem gepredigten Christus besteht ein unüberbrückbarer Gegensatz. Der Christus, den die Kirche verkündet, hat bis auf den Namen nichts mehr mit dem historischen Rabbi „J" gemeinsam. Rabbi J wäre heute nicht Mitglied einer christlichen Kirche.

Lehmanns Report hat beträchtliches Aufsehen erregt und wahrscheinlich keine geringe Wirkung erzielt. Ein Grund dieser Wirkung liegt zum Teil in Lehmanns populär gewordenem Angriff auf die Kirchen. Hier trifft sich Lehmann mit Augstein und umgekehrt. Dem ist allerdings hinzuzufügen, daß Lehmann unterläßt, was zu Augstein gehört: die schmähende Diffamierung Jesu. Ein weiterer Grund für die Wirkung des Jesus Reports ist die Lehmann gelungene imponierende Vereinfachung und Konzentration dessen, was es mit der Gestalt und der Sache Jesu eigentlich auf sich habe. Diese Vereinfachung steht im – so sagt man – wohltuenden Gegensatz zur komplizierten Theologie, die in ungezählten Theorien zu ertrinken oder zu ersticken droht. Und wenn zur Vereinfachung die Entlarvung tritt: das „Protokoll einer Fälschung" und damit die Anklage gegen das etablierte Christentum und seine Geschichte von 2000 Jahren, dann sind die Voraussetzungen für eine entsprechende Resonanz gegeben[23].

Das Thema: Der Jesus der Literatur soll nun im spezifischen Sinn der *Literatur als Dichtung* behandelt werden. Dabei soll grundtypisch vor allem der zeitgenössische Roman zur Sprache kommen[24].

---

[22] A.a.O. 282.

[23] Zur Auseinandersetzung mit Lehmann: *R. Schnackenburg, K. Müller, G. Dautzenberg,* Rabbi J. Eine Auseinandersetzung mit J. Lehmanns Jesus Report (Würzburg 1970); *E. Lohse:* Evangelische Kommentare 3 (1970) 652–655; *P. K. Kurz:* Jesus von Nazareth, hrsg. v. F. J. Schierse (Mainz 1972) 113–116; *W. Dantine,* Jesus von Nazareth in der gegenwärtigen Diskussion (Gütersloh 1974) 19–22.

[24] Vgl. dazu *P. K. Kurz,* Der zeitgenössische Jesus-Roman: *F. J. Schierse,* Jesus von Nazareth, 110–134; *H. Küng,* Christ sein, 130–136.

Dieser hebt sich von früheren Formen und Versuchen insofern ab, als frühere Jesusromane zu ergänzen suchten, was den biblischen Schriften über Jesus mangelt: an historischem Material, an Kolorit, an Psychologie, an dichterischer Phantasie, an Poesie und Unmittelbarkeit. Die Jesusromane waren gleichsam poetisches Duplikat zu der ehemals in Blüte stehenden Leben-Jesu-Theologie.

Kein Leben Jesu, so meint *Giovanni Papini*, der Verfasser eines einst weltberühmten „Leben Jesu", könnte schöner und vollendeter sein als die Evangelien. „Aber wer liest denn heute die Evangelien? Und wer verstünde sie denn wirklich zu lesen, auch wenn er sie läse? Für den Bedarf der Verlorenen muß man heute das alte Evangelium neu übersetzen. Damit Christus immer lebe im Leben des Menschen, ewig gegenwärtig sei in ihnen, muß er unbedingt von Zeit zu Zeit von den Toten auferweckt werden. Es handelt sich nicht darum, ihn in einer Modefarbe neu aufzuputzen; aber es handelt sich darum, seine ewige Wahrheit und seine unsterbliche Lebensgeschichte mit dem Wort der Gegenwart hinzustellen in ihrem Bezug auf das, was jetzt ist."[25]

In diesen Horizont: in die historisierenden und psychologisierenden Darstellungsformen sind Papinis Leben Jesu und *Max Brods* Roman „Der Meister" einzuordnen. Bei Max Brod, dem Nachlaßverwalter von Franz Kafka, wird Jesus in der Tradition der jüdischen Propheten gesehen; aber Jesus überschreitet die jüdischen Grenzen und wird in seiner Güte und Freiheit zum Wunder des Menschen.

Eine besondere Wirkung ging von jenen dichterischen Werken aus, die unter Zugrundelegung eines aus den Evangelien gewonnenen wörtlich und historisch verstandenen Lebens Jesu in großer dichterischer Einfühlungsgabe zu schildern suchen, welche Wirkung von der Gestalt, vom Wort und vom Geschick Jesu auf die Zeitgenossen Jesu ausgingen. Dies geschieht z. B. in dem Roman von *Jan Dobraczyński*: „Gib mir deine Sorgen". Als Ich-Erzähler schreibt der Schriftgelehrte Nikodemus seinem Lehrer Justus 24 Briefe über seine Begegnung mit Jesus. Nikodemus droht an der Todeskrankheit seiner Frau zu zerbrechen, weil er völlig darauf fixiert ist, bis Jesus zu ihm spricht: Gib mir deine Sorgen. Dadurch gewinnt er Befreiung und Freiheit und mit ihnen den Anfang eines neuen Menschseins.

---

[25] Bei *Kurz*, 111.

Das gleiche Prinzip: die Spiegelung der Gestalt und der Wirkung Jesu in Leben und Bewußtsein eines Zeitgenossen findet sich im Roman des Nobelpreisträgers *Pär Lagerkvist:* „Barrabas". Der von Pilatus freigegebene Barrabas kommt von dem an seiner Statt hingerichteten Jesus nicht los. Er wird von dem unsichtbaren, aber vom Tod her noch wirkmächtigen Jesus verwandelt. Sterbend empfiehlt Barrabas Jesus seine Seele[26].

Die großartigste dichterische indirekte transfigurale Jesus-Darstellung – sie ist zwar keine zeitgenössische – findet sich bei *Dostojewski,* in vielen seiner Romane, am eindringlichsten vielleicht in „Die Brüder Karamasoff" und „Der Idiot". Von diesem Werk sagt Heinrich Böll, daß er immer noch keine bessere literarische Jesus-Darstellung kenne als diese. Dostojewski schildert die von Jesus ausgehende Wirkung, gleichsam als alles bestimmende und prägende Wirklichkeit, nicht im Blick auf Jesu Zeitgenossen, sondern hinsichtlich der Menschen überhaupt, vor allem der russischen Menschen, hinsichtlich einer Existenz, die sich in allen Situationen, besonders in denen des Leides und des Leidens zu bewähren vermag. Dostojewski hat, so könnte man sagen, nicht nur die Probleme der Theodizee, sondern vor allem die theologia crucis in den gewaltigen Schöpfungen seiner Dichtung zur biographischen und existentiellen Darstellung gebracht[27]. Dostojewskis Werk wirkt, auch in diesem Betracht, bis zur Stunde als Zeugnis eines Dichters über Jesus.

Ausgesprochene zeitgenössische Jesusromane sind die Werke von Frank Andermann, „Das große Gesicht", und Günter Herburger, „Jesus in Osaka". Sie unterscheiden sich von den früheren Modellen dadurch, daß sie nicht poetische Nacherzählungen eines bekannten Tatbestandes sind, sie sind eigenständig und kritisch.

Frank Andermann „Das große Gesicht"[28] beruht auf autobiographischen Erfahrungen und Erlebnissen. Alfred Rubin, der Ich-Erzähler, versucht über sein Leben Bilanz zu ziehen, nicht zuletzt in der ihn bewegenden Frage, was es mit Jesus und seiner Sache auf sich habe. Rubin berichtet, daß ihm die Nazis den Buchstaben J (Jude) in seine

---

[26] Nach *Kurz,* 112.
[27] Vgl. dazu *R. Guardini,* Religiöse Gestalten in Dostojewskijs Werk (Leipzig 1939); *Th. Steinbüchel,* Dostojewski. Sein Bild vom Menschen und vom Christen (Düsseldorf 1947); *H. Fries,* Abschied von Gott? Herderbücherei 413, 39–47; 83–90.
[28] München 1970.

Kennkarte eingestempelt haben, daß er damit gleichsam in die Nachfolge dieses Jesus eingetreten sei, ja auf ihn getauft wurde. Jesus ist, so sagt der Erzähler, von Juden und Christen im Stich gelassen worden. Von den Christen, die ihn immer noch am Kreuz, dem Holz der Schande, hängen lassen und ihn in der Gestalt als Gekreuzigten verehren oder auch verunehrend ihn zu tausend Dingen mißbrauchen, wobei die Gedankenlosigkeit, das Kreuz als Schmuck zu verwenden, der größte Mißbrauch ist; die Juden aber lassen Jesus als einen ihrer treusten Söhne im Stich. Das Wort des zwölfjährigen Rubin wird zum Lebensprogramm: „Ich hole dich eines Tages herunter. Ich helfe dir vom Schandkreuz herab." Denn das Kreuz war als Schmach und Verhöhnung dessen gedacht, der daran gehängt wurde.

Jesus war nach Andermann ein Widerstandskämpfer, ein Rebell gegen die bestehende Macht; diesem Einsatz galt sein Leben, das war die Ursache seines Todes; im Kampf um die Befreiung Israels ist Jesus gefallen. Das Kreuz ist das Zeichen dieses Sterbens. Aber Jesus am Kreuz zu belassen, ihn nicht herabzuholen bedeutet die Verewigung der Verhöhnung und Beschimpfung Jesu. Diesen Jesus, wie er nach Andermann wirklich war, haben die Evangelien und Paulus, die im Grund ein Dysangelium schrieben, die Christusmaske aufgesetzt. Das Christentum erhöhte Jesus zum Gott und nahm ihm damit alles, wofür er gelebt hatte und wofür er gestorben war. Sein Aufstand und sein Tod wurden in den mystischen Nebel der Auferstehung und der Vergottung gehüllt. Aber eben dadurch ist dem eigentlichen Jesus Unrecht geschehen.

Rubins-Andermanns eigenes Leben als ruhelos umgetriebener Widerstandskämpfer gegen die Naziherrschaft hat ihn nach seinem eigenen Geständnis die Wahrheit über Jesus als Widerstandskämpfer finden lassen. Daraus folgt aber auch, daß es eine Wiederkehr dieses Jesus gibt: in all den Menschen, die ihr Leben dahingeben, um das Leben anderer zu retten. Deshalb sollte man über dem Kreuz, an dem der eine hing, nicht die Kreuze der vielen vergessen, die vor ihm und nach ihm dasselbe Ende fanden.

Andermann versteht die von ihm vollzogene „Kreuzesabnahme" als Heimführung, als Akt der Gerechtigkeit und der Liebe, als Rückgewinnung dieses Jesus aus der Verfremdung, die durch die Christen an ihm geschah. Damit glaubt er erreicht zu haben, was er sich als Ziel vorstellte: „Ich habe meiner Phantasie den Auftrag gegeben, nach dem Ursprung des Unternehmens zu forschen, das am Kreuze endete."[29]

Von ganz anderer Art ist der Roman von *Günter Herburger* mit dem Titel „Jesus in Osaka"[30]. Der Jesus dieses Romans kommt aus der Zukunft, er steht im eindeutigen Gegensatz zu dem „Jesus aus Nazareth" und dem „Jesus aus Rom". Der Jesus von Osaka tritt an gegen die „größte Klischee- und Alibifigur unserer abendländischen Geschichte". Jesus geht fort von den Christbürgern und kommt wieder zu Beat- und Popleuten und in den Untergrund. Er dient als Figur des neuen Menschen, der arbeitet, lernt, redet, singt, spielt, siegt, kritisch, fröhlich, ironisch, schelmisch, ein wenig ratlos ist, der nichts sein will als Mensch unter Menschen, der besser und freier leben will.

Die Einzelheiten im Leben des – utopischen – Jesus von Osaka werden in exemplarischen Berufen und Situationen von heute und morgen vorgestellt. Paul Konrad Kurz gibt dazu folgende Charakterisierung: Herburgers Jesus in Osaka ist ein Pop-Jesus. Er versammelt die Religionskritik einer Generation – negativ: die alte Papst-Kreuz- und Kapitalistenreligion muß sterben. Positiv: Jesus will zu Liebe und Leben befreien, er will Glück und Wohlstand versöhnen, „schwäbisch japanischen Fleiß" – Herburger stammt aus Schwaben, aus Isny im Allgäu – und „bewußte Spontaneität": ein großes, rundes, dickes Stück heile Welt, nicht als christliche Literatur, sondern als religiöser Poproman.

„Exemplarisch in diesem Roman ist das Lebensgefühl einer jungen Generation, der Wille, besser und freier zu leben, das Unverständnis und der Unwille gegenüber dem kirchlich-gesellschaftlich formierten Bild des Jesus von Nazareth, die Absage an eine immer noch amtierende Autorität in Sachen Religion, dazu ein vitales und diffuses Prinzip Hoffnung."[31]

Zum Abschluß dieser Überlegungen sei noch ein literarisches Thema genannt, das in den Dienst der Jesusdeutung gestellt wird bzw. gestellt werden kann: es ist das literarische Mittel der *Verfremdung*. Es ist geeignet, aufmerksam zu machen, aufhorchen zu lassen, immer und überall – und wo träfe dies mehr zu als bei unserem Thema? – das

---

[29] Die Darstellung des Buches Andermanns geschah im Anschluß an *P. K. Kurz*, a. a. O. 117–122.
[30] Neuwied – Berlin 1970.
[31] *P. K. Kurz*, a. a. O. 122–129.

Gewohnte, das Eingefahrene und deshalb nicht mehr Wahrgenommene neu zu entdecken. Dies geschieht nach der Regel: Das Bekannte soll fremd, das Fremde soll bekannt werden. Dadurch soll ein Lebensverhältnis mit der Sache des Textes hergestellt werden. Zu diesem Zweck ist es manchmal ausreichend, nur irgendeinen Zug der Erzählung ins Auge zu fassen. Als Meister dieser Kunst ist bis heute *Bert Brecht* anzusehen. Hans Urs v. Balthasar hat dazu einen zwar nicht sehr bekannten, aber eindringlichen Beitrag geleistet. Er sagt: „Einen schöneren Dialog hat kein Dichter der Neuzeit mit dem Christentum geführt als Bert Brecht. Freilich auch keinen härteren."[32] Es geht ihm darum, das Christliche als Möglichkeit provozierend zu überbieten.

Modelle von Verfremdung als Stilmittel hat A. Grabner-Haider vorgelegt: „Jesus N. – Biblische Verfremdungen – Experimente junger Schriftsteller". Als Beispiel sei ein Text zu Mt 8,20 zitiert: Und Jesus sagte zu ihm: Die Füchse haben Gruben, und die Vögel des Himmels (haben) Nester; der Sohn des Menschen dagegen hat nichts, wo er sein Haupt hinlegen kann. „Jesus stellt sich an die Straße und versucht, ein Auto anzuhalten. Er steht und winkt. Der Wind zerzaust seine Haare, er kaut an ein paar Barthaaren. Es kommt einer, der macht das Zeichen des Haarschneidens. Und fährt vorbei. Ein anderer kommt, bleibt stehen, um Jesus zu sagen, solche Elemente, die auf Kosten anderer leben möchten, gehörten ins Gefängnis. Oder gleich in die Gaskammer. Jesus, den schon ekelt vor dem Wort ,Kosten‘, schleudert die Autotür zu.

Es wird Abend. Viele kommen vorbei. Die einen machen ein Zeichen, sie führen nicht weit, was er für eine Ausrede hält. Die anderen haben sich ein Weib an ihre Seite genommen und wagen nicht, ihn zu sehen. Endlich bleibt einer stehen. ,Wohin?‘ ,Hinauf nach Jerusalem, zum Osterfest!‘ ,Steig ein! Ein Stückchen kann ich dich mitnehmen ... Du bist also Jude?‘, Jude – ja und nein. Ich bin der Sohn meines Vaters. Ist das so wichtig?‘ ,Patriot scheinst du keiner zu sein. Dabei seid ihr im allgemeinen solche Fanatiker!‘ ,Fanatiker bin ich vielleicht auch ...‘

Im Weiterfahren, später, meint der Mann: ,Wieso hast du kein Geld für den Zug? Arbeitest du nichts?‘ ,Der Mensch lebt nicht von Brot

---

[32] *H. U. v. Balthasar*, Bertolt Brecht: *H. U. von Balthasar, M. Züfle*, Der Christ auf der Bühne (Einsiedeln 1967) 180.

allein', entgegnet Jesus. Sie sehen Jerusalem, der Fahrer schwärmt: ,Ist das nicht herrlich? Diese Mauern, dieser Tempel! Was muß das alles wert sein!' ,Wollen Sie es denn kaufen?' Der Mann läßt ihn wütend aussteigen. Er bemerkt noch, es sei ohnehin ein Risiko, einen Fremden mitzunehmen, schon wegen der Schwierigkeiten im Falle eines Unfalls, und überhaupt, auch sonst, höre man so viel über verschiedene Vorfälle – wirklich, ein bißchen mehr Dankbarkeit und Freundlichkeit wäre da schon am Platz! ,Gott selbst könnte in dieser Rechenstube nicht freundlich und dankbar sein!' erwidert Jesus. Er ist entschlossen, den Rest zu Fuß zu wandern.''[33]

Wenn zu dem Thema: Der Jesus der Literaten ein Wort der *Würdigung* gesagt sein soll, dann vielleicht dieses: Es ist erstaunlich, daß Jesus auch und gerade heute in einer so sehr säkularisierten Welt, in einer Welt ohne Gott Thema der Literatur ist. Dieses begegnet gewiß in den verschiedensten Formen. Aber auch diese Vielfalt kann den Reichtum und die Unzerstörbarkeit der Gestalt Jesu, wenn auch nicht selten gebrochen, offenbaren.

Es ist auch nicht zu leugnen, daß in nicht wenigen dieser literarischen Zeugnisse eine neue Sensibilität für Jesus, für seine Person, sein Wort, seine Tat, für die von ihm gelebte Existenz geweckt werden kann. Dies geschieht vielleicht durch das Stilmittel der Verfremdung und das Mittel des ,,Shocking'', es geschieht vor allem durch den Versuch, die Gestalt und die Sache Jesu in den Zusammenhang mit der Gegenwart, mit menschlichen Erfahrungen und Problemen unserer Welt und Zeit zu bringen und in Jesus immer noch den Anwalt einer unverzichtbaren Frage oder einer neu gehörten Antwort zu sehen.

Das Jesusbild der zeitgenössischen Literatur ist unkonventionell und kritisch. Es ist nicht das poetische Pendant einer zeitgenössischen Theologie oder kirchlichen Praxis, sondern dessen Kontrapunkt der Mensch Jesus – Jesus der Mensch ist. Zweifellos liegen in nicht wenigen Aussagen der Literatur, die hier nur kurz und in begrenzter Auswahl zu Wort kommen konnten, theologisch gesehen, erhebliche Verkürzungen und Einseitigkeiten vor. Dabei ergibt sich die Frage: Ist dies deshalb so, weil die Literaten das Modische lieben und auf die Gestalten ihrer Werke, also auch auf Jesus übertragen oder weil im Raum

---

[33] *A. Grabner – Haider*, Jesus N. (Einsiedeln – Zürich – Köln 1972) 81 f.

von christlicher Theologie und Kirche die heute überbetonten Seiten zu kurz oder nicht zu Wort kamen und zu keiner Geltung gelangten?

Daß so viele Menschen außerhalb der Kirchen immer noch und immer wieder an Jesus geraten in ihrem Bestreben nach Menschlichkeit und Befreiung, sich an ihm orientieren, ist eine Tatsache, die zugleich ein theologisches Problem ist. Sollten die Christen, die Kirchen, die Theologen über dieses Phänomen betrübt sein, weil es außerhalb ihres Bereiches sich entwickelt hat und sich verselbständigte – oft genug in heftiger Kritik dessen, was im Namen des Christentums vorgestellt wird? Oder gibt es einen Grund, sich auch ein wenig darüber zu freuen, daß der Name Jesu und die mit diesem Namen verbundene Sache auch dort noch wirksam werden, wohin Theologen und Kirchen nicht mehr gelangen, weil deren Wort nicht mehr gehört, vielfach auch nicht mehr verstanden werden? Könnte nicht das Thema Jesus zu einer Möglichkeit der Begegnung von Kirche und Welt werden?

3. Der Jesus der Philosophen

Hier soll nicht untersucht werden, wann Jesus zum letzten Mal großes Thema philosophischen Nachdenkens wurde. Sicher war es der Fall bei *Hegel*[34], der in seinem (geschichts-)philosophischem System Christus eine überragende, ja zentrale Bedeutung einräumte und in dem bekannten Wort zum Ausdruck brachte: „Alle Geschichte geht zu Christus hin und kommt von ihm her. Die Erscheinung des Gottessohnes ist die Achse der Weltgeschichte."[35] In ganz anderer, höchst paradoxer Weise begegnet das Thema Jesus bei *Nietzsche*[36], der als Bild des ihm vorschwebenden Menschentypus, des Übermenschen, „Cäsar mit der Seele Christi" nannte. *Kierkegaard* nimmt eine Ausnahmestellung ein, die nicht nur philosophisch zu charakterisieren und zu würdigen ist. In der Philosophie, die man die zeitgenössische nennt und bei ihren unmittelbaren Vorläufern begegnet das Thema Jesus kaum – abgesehen von *Max Scheler* in seiner „katholischen Phase", da er das Werk: „Vom Ewigen im Menschen" schrieb; später wandte

---

[34] Vgl. dazu *H. Küng*, Menschwerdung Gottes (Freiburg i. Br. 1970).
[35] Bei *K. Jaspers*, Vom Ursprung und Ziel der Geschichte (München 1949) 19.
[36] Vgl. dazu *K. Jaspers*, Nietzsche und das Christentum (Hameln 1938); *B. Welte*, Nietzsches Atheismus und das Christentum (Darmstadt 1958).

er sich unter soziologischem Aspekt dem Thema Jesus zu und untersuchte die verschiedenen Bedingungen des an ihm vollzogenen Vergottungsvorgangs[37]. Eine Ausnahme macht im Rahmen der Philosophie der Existenz, die heute als die Philosophie von gestern oder vorgestern gilt, *Karl Jaspers*. Immer wieder kommt er auf Jesus zu sprechen, abschließend in dem letzten großen Werk: „Der philosophische Glaube angesichts der Offenbarung", in das die Gedanken früherer Werke eingegangen sind[38]. Jaspers wendet sich auf Grund der Voraussetzungen seiner Philosophie gegen die an Christus orientierte „Achsenzeit", gegen das „vor und nach Christus" als einer durch Christus bewirkten Hervorhebung der Zeit, das mit der Absolutsetzung der Person, des Wortes und der Forderung Jesu zu tun hat. Jaspers sieht darin eine unzulässige Verobjektivierung des Einzelnen; er spricht von geronnener, gewaltsamer, fremder und feindlicher Geschichte, die im Namen der Geschichtlichkeit der Existenz abzulehnen ist.

Im Rahmen seiner Beschreibung von Offenbarung spricht Jaspers von deren Tendenz zur Verobjektivierung, zur Realität und zur Leibhaftigkeit. Diese gipfelt im Bekenntnis zum Gottmenschen Jesus Christus und in den christologischen Dogmen. Hier wird nach Jaspers das Absolute real spürbar und tastbar; die Transzendenz wird mit einem Menschen identifiziert. Gottes Wirklichkeit ist dem Glaubenden durch die Leibhaftigkeit einer Person garantiert. Dieser Vorgang geschieht – so meint Jaspers – innerhalb des Christentums nach dem Schema der antiken und orientalischen Gottkönige und nach den mythischen Anschauungen vom sterbenden und auferstehenden Gott. Das Spezifische der christlichen Offenbarung liegt indes darin, daß dieses Ereignis der Menschwerdung Gottes in Jesus Christus in exklusiver, einzigartiger und unvergleichlicher Weise geglaubt und beansprucht wird. Ein solcher Glaube steht jedoch im ausdrücklichen Gegensatz zu Jesus selbst, der bekennt: „Was nennst du mich gut? Niemand ist gut als der eine Gott" (Mk 10, 18).

Die Erhebung Jesu Christi zum Gottmenschen und zum Gottessohn wird für Jaspers zu Inbegriff des Unannehmbaren. Für die Philosophie

---

[37] Vgl. *H. Fries*, Die katholische Religionsphilosophie der Gegenwart. Der Einfluß Max Schelers auf ihre Formen und Gestalten (Heidelberg 1948).
[38] München 1962; Vgl. dazu *H. Fries*, Ärgernis und Widerspruch (Würzburg ²1968) 41–99; Die folgenden Ausführungen zu Jaspers sind diesem Buch entnommen: 59–64.

ist der Gottmensch eine in die Irre führende Absurdität, die Mythisierung des Gottmenschen ist die Vernichtung der offenbar gewordenen Wahrheit. Durch Christus ist die Transzendenz nicht mehr verborgen in der Vielfalt von Chiffren Gottes, sondern als realer Gott selber offenbar. Jesus als Chiffre oder Jesus Christus als leibhaftiger Gott, das ist nach Jaspers die entscheidende Frage.

Jesus ist nach der Meinung von Jaspers neben Sokrates, Buddha und Konfuzius einer der maßgebenden Menschen, als solcher geht Jesus allen Philosophen und allem Philosophieren voran und hat das Menschsein geschichtlich bestimmt[39]. In seinem Wort, in der Radikalität seines Entscheidungsrufes für Gott und in der Konsequenz seines Lebens bis ins Scheitern spricht Jesus als einzigartige Chiffre. Sie besteht darin, daß Jesus bis zu jenem Ort durchgebrochen ist, der „selber nichts als Liebe und Gott" ist. Deshalb hat Jaspers keine Bedenken, Jesus als den Maßgebendsten unter den Maßgebenden zu bezeichnen und von der Unermeßlichkeit seiner Wirkung zu sprechen – diese kann kein Zufallsprodukt sein –, ja zu sagen, daß Jesus das Menschsein an eine Grenze geführt hat, die die vielleicht revolutionärste aller Geschichte ist.

Seine Reflexion faßt Jaspers so zusammen: „Durch Jesus kommt zur Geltung, was die Kirchen verschleiern, während sie sich auf ihn gründen: die Frage an Schicksal und Möglichkeit des Menschen. Durch die Existenz des Menschen Jesus wurde die Frage in einer nie erreichten Tiefe gestellt aus der Bindung an Gott. Frage zugleich und Antwort lagen in der Verwirklichung eines Menschen, der zu sagen vermochte, was er sah, glaubte, forderte, was er lebte und erlitt.

Die Aufrichtigkeit des Menschen Jesus mißt alle Realitäten an dem eigentlichen Menschsein im Reiche Gottes. Unmittelbar vor dem Weltende sich wissend, ist Jesus selbst schon Zeichen der Wirklichkeit dieses Reiches.

Für Jesus, den letzten der jüdischen Propheten, ihnen verbunden, schwanden dahin der nationale Gedanke, der Gesetzesgedanke, die Organisation von Priestern und Riten, Theologien wurden gleichgültig.

Juden, die an Ungerechtigkeit und Lieblosigkeit unendlich Leidenden, die immer wieder Verfolgten, Gequälten, Gemarterten und

---

[39] *K. Jaspers*, Die großen Philosophen, Bd. I (München 1957) 186–228.

Erschlagenen, die, im Bunde mit Gott, in Resten doch immer sich behaupteten, allein kraft ihres Glaubens, ein Wunder der Geschichte, haben in Jesus ihre große, menschliche, sie gleichsam vertretende Gestalt hervorgebracht. Sie vertritt das Menschenschicksal und das jüdische Schicksal in einem.

Jesus als Mensch ist eine Chiffre des Menschseins, die sagt: wer wie er lebt und denkt und wahr ist ohne Einschränkung, muß durch Menschen sterben, weil die Realität des unwahrhaftigen Menschsein ihn nicht erträgt."[40]

Jesus wird thematisiert in jener zeitgenössischen Philosophie, die *marxistisch* geprägt ist und sich ausdrücklich dazu bekennt zugleich, aber auch ausdrücklich zu dem Programm: über Marx hinaus, vor allem, was dessen offen gebliebene, ausgelassene und unterdrückte Fragen betrifft. Genannt seien Roger Garaudy, Ernst Bloch, Milan Machovec, Leszek Kolakowski. *Roger Garaudy* braucht hier nicht vorgestellt zu werden, auch nicht sein gegenwärtiges einsames Schicksal. Garaudy war mit einer der bedeutsamsten und fairsten Partner im – so muß man fast sagen – ehemaligen Gespräch des Marxismus mit dem Christentum. Zusammen mit Yves Congar, Karl Rahner und Johann Baptist Metz hat sich Garaudy um die Revision des Verhältnisses von Christentum und Marxismus bemüht. Er sah die Wandlung „von der Polemik zum Dialog" auf beiden Seiten gegeben: auf der Seite des Marxismus und auf der Seite des Christentums, vor allem beim Katholizismus und in der ihn prägenden gegenwärtigen Theologie, nicht zuletzt in der Gestalt von Papst Johannes XXIII. und im Ereignis des Zweiten Vatikanischen Konzils[41]. Unvergeßlich ist mir die Begegnung mit ihm beim Kongreß der Paulusgesellschaft in Marienbad, dem Beginn des tschechischen Frühlings 1968, dem ein kalter und immer kälter werdender Winter gefolgt ist.

Ich kann es mir nicht versagen, die Worte zu wiederholen, die Garaudy damals – das Thema des Kongresses war „Schöpfertum und Freiheit" – im Blick auf unser Thema sprach: „Mit der Geburt des

---

[40] Der philosophische Glaube angesichts der Offenbarung, 501.
[41] *Garaudy – Metz – Rahner*, Der Dialog oder Ändert sich das Verhältnis zwischen Katholizismus und Marxismus? (Reinbek 1966) (rororo aktuell, Bd. 944); Marxismus im 20. Jahrhundert (Reinbek 1969) (rororo aktuell, Bd. 1148); Die ganze Wahrheit oder Für einen Kommunismus ohne Dogma (Reinbek 1970) (rororo aktuell, Bd. 1403/1404); *E. Keller* (Hrsg.), Schöpfertum und Freiheit in einer humanen Gesellschaft (Marienbader Protokolle) (Wien 1969).

Christentums ertönt erstmals in der Geschichte der Menschen der Ruf nach einer menschlichen Gemeinschaft, die keine Grenzen kennt, nach einer Totalität, die alle Totalitäten in sich schließt." Von Jesus Christus sagte Garaudy: „Dieses Leben, dieser Tod, ist uns Menschen über die zeitbedingte Form des Bildes hinaus das höchste Modell der Freiheit und der Liebe, der Offenheit für eine unendliche Bestimmung. Die wunderbare Konzeption der christlichen Liebe, nach der ich mich selbst nur durch den andern und in ihm verwirklichen kann, ist für mich das höchste Bild, das der Mensch über sich selbst wie über den Sinn seines Lebens entwerfen kann. Die Größe der Religion besteht in der Frage nach dem Menschen und in der Erweckung der die Menschen bestimmenden Fragen über den Sinn ihres Lebens und ihres Todes, über das Problem ihres Ursprungs und ihres Zieles, über die Forderungen ihres Denkens und ihres Herzens. Die marxistische Kritik verwirft die illusorischen Antworten, aber nicht das wirkliche Sehnen, die sie hervorgerufen haben."

Man könnte *Milan Machovec* den tschechischen Garaudy nennen, was Mentalität, Fragestellung, Dialogbereitschaft betrifft, ebenso was Sensibilität für spezifisch anthropologische Fragen angeht, Fragen nach dem Sinn und dem Ganzen des Daseins, Fragen nach Leiden und Sterben, nach Schuld, Schicksal und Scheitern. Noch mehr als bei Garaudy ist bei Machovec eine intensive Beschäftigung mit Theologie, besonders mit der Exegese und mit der Jesusthematik erkennbar. Sein Schicksal ist indes ungleich tragischer als das von Garaudy. Machovec war wie Garaudy wiederholt Gesprächspartner bei den Veranstaltungen der Paulusgesellschaft und einer der bekanntesten und am meisten gehörten Referenten auf dem Deutschen Evangelischen Kirchentag in Stuttgart 1969.

Zu unserer Frage hat sich Machovec ausdrücklich geäußert in seinem Buch: „Jesus für Atheisten?"[42] Vermutlich hat gerade dieses Buch sein Schicksal der endgültigen Verstoßung aus der Partei und aus seinem Beruf als Professor der Philosophie an der Universität Prag bewirkt.

Machovec spricht ausführlich von den Wegen und Wandlungen, die ihn, der Marxist ist und bleiben will, zu der Beschäftigung mit Jesus geführt haben. Dies geschah nach dem Motto: nicht je weniger, son-

---

[42] Mit einem Geleitwort von *H. Gollwitzer* (Stuttgart – Berlin ²1973); Marxisten und die Sache Jesu, hrsg. von *I. Fetscher* und *M. Machovec* (München – Mainz 1974).

dern je mehr einer Marxist ist, wird er sich mit der Tradition und Erfahrung des Christentums beschäftigen. Dazu gehört wesentlich die Besinnung auf dessen Ursprung in Jesus von Nazareth.

Ausdrücklich spricht Machovec von der tief verwurzelten, überkommenen, dogmatisch erstarrten und durch viele Institutionen bewußt aufrechterhaltenen Vorbelastung der Marxisten im Blick auf die Sache Jesu. Für viele Marxisten ist es Glaubenssache, daß alles Christliche negativ zu bewerten, radikal zu verwerfen und zu bekämpfen ist. Für Machovec sind jedoch diese vulgären Positionen nicht mehr aufrechtzuerhalten, wenn es Vertreter des Christlichen gibt wie Johannes XXIII., vor dem der Opiumverdacht von Religion und Glaube nicht mehr bestehen kann, aber auch angesichts der Entwicklung der modernen Theologie mit ihrer das bisherige Getto sprengenden Offenheit und Dialogbereitschaft. Dazu tritt die heute mehr denn je erkennbare Notwendigkeit, daß alle Menschen im Dienst an den Menschen in Gegenwart und Zukunft zusammenarbeiten müssen. Darüber hinaus ist festzustellen, daß es heute Tatsachen und Erkenntnisse gibt, die für Marx noch unzugänglich waren, daß man Marxist nur sein kann, wenn man nicht buchstabengläubig das Alte wiederholt, sondern sich den neuen Möglichkeiten und Herausforderungen stellt. Machovec hält es auch für unmöglich, alle Fragen, vor allem die in ihrer Bedeutung immer wichtiger werdenden ethischen Fragen auf der Grundlage und nach dem Schema der ökonomischen Basis zu lösen.

Die von Machovec genannten Wandlungen, die sowohl auf seiten des Christentums wie des Marxismus gezeigt haben, daß nichts fertig, daß alles in Bewegung ist, haben auch zu einer neuen Besinnung auf die zentrale Gestalt des Christentums, auf Jesus von Nazareth geführt.

Für Machovec – das ist ein weiteres Moment – ist der Dialog der Weg zur Wahrheitsfindung. Er fragt, ob vielleicht die Wahrheit selbst dialogisch sei, weil der Mensch nur im Dialog bestehen und menschlich leben kann. Dann kann, so Machovec, der begonnene Dialog zwischen Christen und Marxisten nicht nur Episode, nicht nur Sache einiger Außenseiter sein, sondern Anfang einer „radikal dialogischen Zukunft"[43].

Wenn Machovec sein Buch „Jesus für Atheisten" nennt und mit einem Fragezeichen versieht, dann kommt darin zum Ausdruck, daß

---

[43] Ebd. 30.

die bei Jesus begegnende und auch von Machovec nicht geleugnete „Sache mit Gott", daß Jesu Verhältnis zu seinem Vater, Jesu Verkündigung von Gottes Herrschaft und Reich von allen Formen einer religiös verstandenen Transzendenz gelöst und auf den Menschen allein ausgelegt werden muß – allerdings auf den Menschen in all seinen Dimensionen, vor allem hinsichtlich der Menschheit sowie hinsichtlich der Zukunft als dem eigentlichen Namen für Transzendenz. Andererseits verlangt Machovec von jedem, der Jesus verstehen will, eine Sensibilisierung in allem Menschenlichen und in den Erfahrungen des Lebens, in Freude und Leid, in Scheitern und Schuld, im Vorverständnis dessen, was Heil, Erlösung, Befreiung bedeuten kann. Zum Abschluß seiner methodischen Überlegungen erinnert er an das Wort der Emmausjünger: „Brannte nicht unser Herz, als er mit uns auf dem Wege sprach?"[44]

Machovec erweist sich als guter Kenner heutiger Theologie und Exegese. Er stellt dieses Wissen in den Dienst seines Unternehmens: die Wahrheit über Jesus zu vermitteln, diese in der Weise eines Restaurators aus den mannigfachen Überdeckungen freizulegen und so den Jesus für Atheisten zugänglich zu machen. Mittelpunkt seines Buches sind die Kapitel: Jesu Botschaft – Christus – Der Sinn der Sache Jesu. Exegetisch interessant ist, daß Machovec der Gestalt des Petrus eine überragende Stellung, Bedeutung und Funktion in der Geschichte des frühen Christentums zuweist und daß er den Kreuzesruf Jesu auf Elias deutet: Jesus ist von der jüdischen Tradition her zu verstehen.

In welcher Weise die Worte Jesu infolge der von Machovec auf seine Weise vorgenommene Horizontverschmelzung übersetzt werden, kann folgendes Beispiel zeigen: die Botschaft: „Kehret um, das Reich der Himmel ist nahe herbeigekommen" (Mt 4, 17), lautet für Machovec nach Ablegung des zeitgebundenen mythischen Gewandes und in einer von ihm ausdrücklich so genannten interpretierenden Übersetzung bzw. übersetzenden Interpretation: „Lebt anspruchsvoll; denn vollkommene Menschheit ist möglich. Sie ist nahe, das heißt, man kann sie greifen, man kann mehr Mensch sein, und zwar durch eigenes Zutun. Anders gesagt: Niemand zwingt dich, niedrig, gemein, feig, egoistisch, verdinglicht zu leben. Immer hat man die Möglichkeit, sei es auch in Ketten, sein Bewußtsein und seine Haltung nicht auf die

---

[44] Ebd. 47.

eigene Not zu reduzieren, hat man die Möglichkeit, sich emporzuheben, anders zu sein, sich innerlich zu wandeln, sich strebend um das Königreich Gottes zu bemühen und damit zu ihm zu gehören."[45] Die hinreißende Wirkung der Reich-Gottes-Verkündigung durch Jesus liegt darin, daß er sich mit dieser Botschaft identifizierte: er verkörperte diese gelebte Zukunft mit seinem ganzen Wesen.

Ähnlich interpretiert und übersetzt Machovec das „Vater Unser", „der du im zukünftigen Zeitalter bist".

Machovec beansprucht, ein authentisches Bild Jesu vermittelt zu haben, das nichts versteckt und nichts verschweigt, das gerade durch das Auslassen der Hypothese des Wunderbaren und Übernatürlichen Jesus und seine Sache ins Licht gerückt hat. Das Verständnis oder das Mißverständnis Jesu ist nicht durch die Konfessionen oder Weltanschauungen gegeben. Um sie geht es Machovec auch in seinem Buch nicht. „Es geht jedoch um den Menschen selbst, um seine Zukunft und seine Gegenwart, um sein Siegen und Versagen, seine Liebe und seinen Schmerz, um seine Verzweiflung und unauslöschliche Hoffnung."[46]

Im folgenden seien noch zwei Namen und ihr Beitrag zu unserer Frage vorgestellt: Leszek Kolakowski und Ernst Bloch. *Leszek Kolakowski,* der aus Polen emigrierte Philosoph und anerkannte Hegelforscher, hat in seinen Schriften: „Geist und Ungeist christlicher Traditionen" und „Jesus Christus – Prophet und Reformator"[47] sich zunächst dazu bekannt, daß Welt, Geschichte und Menschheit von heute „Erben" sind. Ohne das kulturelle Erbe der Tradition sind sie nicht in der Lage, den Tatsachen und Realitäten Wertgebung und Sinn einzustiften. Zu dieser Tradition gehören Jesus und die von ihm stammenden vielfältigen geschichtlichen und gesellschaftlichen Wirkungen, die – das ist ein Anliegen Kolakowskis – nicht durch den Kreis der dogmatisch christlichen Gemeinden monopolisiert werden dürfen. Diese Einschränkung hätte das Verschwinden dieser Tradition in den anderen Räumen der geistigen Welt zur Folge. Nicht christlich zu sein hieße

---

[45] Ebd. 102.
[46] Ebd. 269.
[47] Stuttgart 1971 und 1972; vgl. auch dessen Aufsatz: Kann der Teufel erlöst werden?: Merkur 1974; vgl. dazu W. *Post,* Kritik der Religion bei Karl Marx (München 1969); *ders.,* Jesus in der Sicht des modernen Atheismus, Humanismus und Marxismus, bei *Schierse,* a.a.O. 73–96.

folglich nicht zu dieser Kultur gehören. Jeder Versuch, Jesus abzu-
schaffen, ihn aus unserer Kultur zu beseitigen, unter dem Vorwand,
wir glaubten nicht an den Gott, an den er geglaubt hat, ist nach ihm
lächerlich und unfruchtbar. Kolakowski, kritisch sowohl gegen die
polnische Kirche wie gegen die polnische kommunistische Partei, fragt,
welche Bedeutung Jesus für einen Ungläubigen haben könne. Er sieht
diese Bedeutung in dem Prädikat: Prophet und Reformator gegeben.
Beides sind für Kolakowski unerläßliche Elemente, soll der Mensch
nicht der Herrschaft von Zwängen und etablierten Institutionen verfallen und von ihnen überwältigt werden. Das Eigentümliche an Jesus
und der von ihm ausgehenden Wirkung sieht Kolakowski darin, daß
sich Jesus von Nazareth für jene besondere Form von ständiger Vergegenwärtigung eignet, bei der universale Werte an einen konkreten persönlichen Ursprung gebunden sind: „Jesus ist kein Lehrer von Dogmen, sondern ein Beispiel für kompromißlose Tapferkeit und letzten
Widerstand gegen den starken Druck der Wirklichkeit, die ihn nicht
annimmt. Er war ein Beispiel für jene radikale Authentizität, in der jedes menschliche Individuum die eigenen Werte des Lebens allererst
wahrhaftig verwirklichen kann."[48] Die von Jesus proklamierten und
verwirklichten Werte sind besonders der von Kolakowski so genannte
„Liebesbund", der innerhalb menschlicher Beziehungen an die Stelle
des Vertrags- und Interessenbundes tritt; der Liebesbund gewährt den
tiefsten Grund solidarischen Zusammenlebens für alle Menschen. Daß
Jesus seine Botschaft von der Liebe in der Form der Gewaltlosigkeit
universalisierte – er hat die Idee des auserwählten Volkes aufgehoben
zugunsten einer Öffnung des Heils für alle Völker –, unterstreicht
noch einmal seine beispielhafte Bedeutung. Diese ist jedoch durch den
Ungeist christlicher Traditionen verfälscht, mißbraucht und deshalb
weithin verdeckt worden. So gilt auch für Kolakowski: Jesus und
Christentum sind gegensätzlich, ja widersprüchlich zu sehen. Nur wer
dies zu erblicken vermag, entdeckt jenen Jesus, von dem die Möglichkeit ständiger Vergegenwärtigung ausgeht im Dienst am Menschen,
im Dienst seiner moralischen Bildung und Erziehung – und zwar nicht
als Kollektiv, sondern als Subjekt und Person.

Deshalb kann Kolakowski sagen: Die Welt braucht das Christentum. Ohne es können einige wichtige Aufgaben nicht gelöst werden.

---

[48] Bei *Post* 88.

Ernst Bloch kommt in seinem philosophischen Hauptwerk: „Das Prinzip Hoffnung"[49] auf die Frage nach Jesus zu sprechen. Das ist verständlich, wenn für Bloch das Prinzip Hoffnung lange Zeit in den Religionen, zumal im christlichen Glauben angesiedelt war, in Bereichen, die nun durch den Marxismus, der die Dimension Hoffnung bislang außer acht ließ, beerbt werden sollen; Erbe setzt Liquidation voraus. Diese Beerbung geschieht zugunsten der wahren Gestalt der Hoffnung, die in der Differenz von Vorhandenheit und Zukünftigkeit gründend das für den Menschen Mögliche und in Welt und Gesellschaft Realisierbare erhofft. Das Ziel der Hoffnung, das im Raum der Religion Gott, Gottes Reich, ewiges Leben genannt wird, erscheint nun – als Ergebnis einer von Bloch vorgenommenen umfassenden Religionskritik – in seiner wahren Gestalt: als das aufgedeckte Antlitz des „homo absconditus", als die Herrlichkeit der erlösten Gemeinde, als das neue Jerusalem, das die Menschheit sein wird: „Ubi Lenin, ibi Jerusalem", „Dies septimus nos ipsi erimus".

Das erste, was in Blochs Jesusdeutung auffällt, ist seine klare Aussage zur Historizität Jesu: „Zu einem Kind, das im Stall geboren, wird gebetet. Näher, niedriger, heimlicher kann kein Blick in die Höhe umgebrochen werden. Zugleich ist der Stall wahr, eine so geringe Herkunft des Stifters wird nicht erfunden. Sage macht keine Elendmalerei und sicher keine, die sich durch ein ganzes Leben fortsetzt. Der Stall, der Zimmermannsohn, der Schwärmer unter kleinen Leuten, der Galgen am Ende – das ist aus geschichtlichem Stoff, nicht aus dem goldenen, den die Sage liebt."[50]

Unzweifelhaft ist Jesus nach Bloch von Mythe umgeben; „doch sie ist nur der Rahmen, in den ein Mann eintrat und der von einem Mann gefüllt wurde". Jesus ist jedoch ganz anders als die Gestalten der Mythen. Die Anfechtungen und Verzagtheiten Jesu sind „unkonstruierbar, sie sagen Ecce Homo, nicht Attis Adonis. Das letzte bange Abendmahl, die Verzweiflung in Gethsemane, die Verlassenheit am Kreuz und ihr Ausruf: sie stimmen mit keiner Legende des Messiaskönigs überein… Christlicher Glaube lebt wie keiner von der geschichtlichen

[49] Frankfurt a. M. 1967; Das Werk: Atheismus im Christentum (Frankfurt a. M. 1968) stellt dessen Rezeption dar, für unser Thema: 172–243; Religion im Erbe (München – Hamburg 1967).
[50] Das Prinzip Hoffnung, 1482.

Realität seines Stifters, er ist wesentlich Nachfolge eines Wandels, nicht eines Kultbildes und seiner Gnosis…

Nachfolge Christi war auch bei noch so großer Verinnerlichung und Spiritualisierung primär eine historische und dann erst eine metaphysische Erfahrung."[51]

Jesu Botschaft vom Reich Gottes setzt nicht den vorhandenen Menschen ein; dessen Welt wird gerade durch Jesus gestürzt. Vielmehr wird die Gestalt des Menschensohnes die Utopie des Menschenmöglichen herbeiführen, dessen Kern und Brüderlichkeit Jesus vorgelebt hat. „Ein Mensch wirkte hier als schlechthin gut, das kam noch nicht vor. Mit einem Zug nach unten zu den Armen und Verachteten, dabei keineswegs gönnerisch" – Bloch nennt dies das Mikrologische –, „und dem Aufruhr nach oben, gegen die Wechsler, die Herrschenden. Die Folge heißt: Die ersten werden die letzten sein. Jesus ist gegen die Herrenmacht das Zeichen, das widerspricht, und genau diesem Zeichen wurde von der Welt mit dem Galgen widersprochen: Das Kreuz ist die Antwort der Welt auf die christliche Liebe."[52]

Deshalb ist es nach Bloch verkehrt, aus dem Tod Jesu einen freiwilligen Opfertod zu machen als Sühne und Lösegeld für die Sünde der Menschen. Dagegen erklärt Bloch: „Der wirkliche Jesus starb als Martyrer und Rebell, nicht als Zahlmeister; die Treue für die Seinen bis in den Tod war niemals der Wille zu diesem Tod." Das Kreuz ist „die Katastrophe für den Jesus, der kein Jenseits für die Toten, sondern einen neuen Himmel und eine neue Erde für die Lebendigen gepredigt hat. Ein Rebell gegen Gewohnheit und Herrenmacht ist am Kreuz gestorben, ein Unruhestifter und Löser aller Familienbande, ein Tribun des letzten, apokalyptisch geschützten Auszugs aus Ägypten."[53]

Von der Auferstehung Jesu von den Toten sagt Bloch, daß sie, religionsgeschichtlich gesehen, ohne Analogie sei; aber die biblische Vorstellung einer Weltverwandlung zu einem noch völlig Unvorhandenen findet nach seiner Meinung außerhalb der Bibel nicht einmal eine Andeutung. Auferstehung, Himmelfahrt und Parusie (Wiederkehr) sind nach Bloch „Wunschmysterien", in denen das Adventbewußtsein der ersten Gemeinde bis zur letzten gespannt wurde. Erinnerung an

---

51 Ebd. 1486.
52 Ebd. 1489.
53 Ebd. 1490.

Jesus und Hoffnung auf seine Wiederkunft werden eins: sie werden stets vergegenwärtigt durch den Parakleten; dieser ist eine neue und endgültige Weise der Anwesenheit Jesu, der die endgültige Weltenwende herbeiführt, so daß die Herrlichkeit Gottes zur Herrlichkeit der erlösten Gemeinden wird. Das Neue, das Omega, wird ausschließlich auf den Menschen bezogen – das Reich Gottes „ist unser aller erfüllter Augenblick"[54].

4. Jesus im zeitgenössischen jüdischen Denken

Mit diesem Thema betreten wir eine Gegenwart, die eine Vergangenheit von Mißverständnissen, Schuld und Leid, Blut und Tränen zu beenden bemüht ist und einen neuen Anfang zu setzen versucht. Das gegenseitige, jahrhundertelange „Adversus", das unausrottbar scheinende gegenseitige Zerr- und Feindbild wird demontiert. An die Stelle der Schmähung, der Verfolgung und des Kreuzzugs tritt der Wille zur Versöhnung, das Gespräch.

Zeichen dieses neuen Anfangs ist zunächst die Tatsache, daß die Christen, aufgeschreckt durch die Last der unmittelbaren Vergangenheit und eingedenk ihrer eigenen Ursprünge von dem Thema Altes Testament und Volk Israel neu betroffen wurden. Diesem Vorgang entspricht die Tatsache, daß es eine neue, differenzierte Zuwendung des jüdischen Denkens zum Christlichen gibt, zumal zu Jesus von Nazareth, den Sohn Abrahams, den Sohn Davids.

Statt vieler theoretischer Ausführungen sollen Tatsachen in den Formen von Namen und Werken genannt werden[55].

---

[54] Ebd. 1504. Zur kritischen Würdigung vgl. *C. H. Ratschow*, Atheismus im Christentum? Eine Auseinandersetzung mit Ernst Bloch (Gütersloh 1972); zur Gesamtthematik: Marxismus – Christentum, hrsg. von H. Rolfes (Mainz 1974).

[55] Vgl. *G. Lindeskog*, Die Jesusfrage im neuzeitlichen Judentum. Ein Beitrag zur Geschichte der Leben Jesu Forschung (1938, Nachdruck Darmstadt 1974); *H. Fries*, Überlegungen zum jüdisch-christlichen Gespräch: Wir und die andern (Stuttgart 1966) 208–239; *H. Küng*, Christ sein, 158–166, Lit.: 618–620; Christen und Juden: Concilium 10 (1974) Heft 8; Evangelische Theologie 1974; Judentum und Christentum heute: Bibel und Kirche, (1974) 37–68; *W. Dantine*, a. a. O. 30–41; *W. P. Eckert*, Jesus und das heutige Judentum: *Schierse*, a. a. O. 52–72; Theologische Berichte III, Judentum und Kirche. Volk Gottes, hrsg. v. J. Pfammatter und J. Furger (Zürich – Einsiedeln – Köln 1974).

Schon 1899 schrieb *Max Nordau*, ein Mitarbeiter von Theodor Herzl: „Jesus ist die Seele unserer Seele, wie er das Fleisch unseres Fleisches ist. Wer möchte ihn also ausscheiden aus dem jüdischen Volk? Petrus wird der einzige Jude sein, der von diesem Abkömmling Davids gesagt hat – ich kenne ihn nicht."[56] 1934 schrieb *Joseph Klausner* sein bekanntes Buch: „Jesus von Nazareth. Seine Zeit, sein Leben, sein Wirken". Klausner ist Historiker und schreibt als Historiker auf Grund der vorhandenen jüdischen und christlichen Quellen und der damaligen geschichtlichen, kulturellen, politischen, religiösen Verhältnisse. Dieses Werk ist kein Buch jüdischer Apologetik, kein Buch mit antichristlicher Attitude, sondern ein gewiß mit jüdischen Voraussetzungen geschriebenes Sachbuch, eine umfassende, den Synoptikern entlang gehende und innerhalb des jüdischen Horizontes verbleibende Biographie Jesu, die für Klausner mit dem Kreuzestod endet. Das Christentum, so sagt er, beginnt mit der Legende von der Auferstehung.

Der Inhalt der Lehre Jesu über Gott, über Ethik, Gericht und Gottesreich geht nach Klausner nicht über bereits im AT und im Judentum bekannte Aussagen hinaus. Das Spezifische an Jesu Lehre lag in Akzentuierungen und Verschärfungen, die eine Behinderung der Universalität und der universalen Wirkung mit sich bringen. Klausners Buch endet mit den Sätzen: „Doch ist seine Sittenlehre eine erhabene, gewählter und origineller in der Form als jedes andere hebräische ethische System. Auch seine wunderbaren Gleichnisse stehen ohne Beispiel da. Der Scharfsinn und die Kürze seiner Sprüche und wirkungsvollen Parabeln machen seine Ideen in außergewöhnlichem Maße zum Eigentum aller. Und wenn einst der Tag kommen wird, wo diese Ethik die Hülle ihrer mystischen und mirakelhaften Umkleidung abstreift, dann wird Jesu Buch der Ethik einer der erlesensten Schätze der jüdischen Literatur aller Zeiten sein" (574).

Wichtig ist für unsere Fragestellung der Aufsatz von *Leo Baeck* mit dem bezeichnenden Titel: „Das Evangelium als Urkunde der jüdischen Glaubensgeschichte". Wenngleich nach ihm die Evangelien einem Palimpsest gleichen, so ist es dennoch möglich, auf den genuinen historischen Grund über Jesus zu kommen und folgendes über ihn zu sagen: Jesus war ein Mann, der „während erregter und gespannter Tage im

---

[56] Bei *Dantine*, 31.

Land der Juden lebte, der half und wirkte, duldete und starb, ein Mann aus dem jüdischen Volke, auf jüdischen Wegen, im jüdischen Glauben und Hoffen, dessen Geist in der Heiligen Schrift wohnte, der in ihr dichtete und sann und der das Wort Gottes kündete und lehrte, weil Gott ihm gegeben hatte, zu hören und zu predigen. Vor uns steht ein Mann, der in seinem Volk Jünger gewonnen hat, die den Messias, den Sohn Davids, den Verheißenen suchten und in ihm fanden und festhielten, die an ihn glaubten, bis daß er an sich selbst zu glauben begann, so daß er nun in die Sendung und das Geschick seiner Tage, zu der Geschichte der Menschheit hin eintrat."[57]

Von Leo Baeck ist es nicht mehr weit zu *Martin Buber*. In einem Aufsatz der 20er Jahre hat er sich zu dem Thema Jesus so geäußert: „Der Sinai genügt ihm nicht, er will in die Wolke überm Berg, aus der die Stimme schallt, er will dringen in die Urabsicht Gottes, in die Ur-Unbedingtheit des Gesetzes, wie sie war, ehe sie sich in der menschlichen Materie brach, er will das Gesetz erfüllen, das heißt, er will seine Urfülle aufrufen und wirklich machen."[58] Aber damit, so meint Buber, ist der Mensch schlechthin überfordert. Bekannter als dieses sind die Aussagen, die Buber in seinem Werk: „Zwei Glaubensweisen" gemacht hat. Er unterscheidet den Glauben als „Emuna" und als „Pistis" und sieht darin die jüdisch-christliche Differenz. Jesus selbst ist nach Buber eine wunderbare Verkörperung der Emuna – und deshalb sein großer Bruder im Glauben sowie die Verkörperung einer Liebe, von der andere nur reden. Von daher wird Bubers Wort verständlich: Der Glaube Jesu eint uns, der Glaube an Christus trennt uns. Es ist nach Buber nicht möglich, an Jesus als den Christus, als den Erlöser zu glauben. Zu groß, zu bedrückend sind die Zeichen der unerlösten Welt. Das hindert Buber nicht, den Glauben der Christen als andere Glaubensweise zu respektieren. Wenn sie auch bekannt sind, so seien seine Worte um ihrer Eindringlichkeit und Würde willen zitiert: „Jesus habe ich von Jugend auf als meinen großen Bruder empfunden. Daß die Christenheit ihn als Gott und Erlöser angesehen hat und ansieht, ist mir immer als Tatsache von größtem Ernst erschienen, die ich um seinet- und meinetwillen zu begreifen versuchen muß... Gewisser als je ist es mir immer, daß ihm ein großer Platz in der Glau-

---

[57] Bei *W. P. Eckert*, 55f.
[58] Ebd. 60.

bensgeschichte Israels zukommt und daß dieser Platz durch keine der üblichen Kategorien ersetzt werden kann."[59]

Seit Martin Bubers wichtigen und entscheidenden Anregungen sind nach dem Zeugnis von E. Lapide allein in Jerusalem mehr jüdische Bücher über Jesus geschrieben worden als in all den achtzehn vorhergehenden Jahrhunderten[60].

Zwei davon seien noch vorgestellt, weil sie bekannt und wirksam geworden sind:

Schalom Ben Chorins Buch: „Bruder Jesus. Der Nazarener in jüdischer Sicht"[61] verrät schon im Titel die von Buber ausgehende Inspiration und Themenstellung. Was Buber im Programm ansagte und theologisch begründete, sucht Schalom Ben Chorin als Schriftsteller mit fast leidenschaftlichem Engagement und für weitere Kreise zu entfalten.

Er formuliert den Ertrag seiner Überlegungen so – zunächst im positiven Sinn –: „Jesus ist für mich der ewige Bruder, nicht nur der Menschenbruder, sondern mein jüdischer Bruder. Ich spüre seine brüderliche Hand, die mich faßt, damit ich ihm nachfolge. Es ist nicht die Hand des Messias, diese mit Wundmalen gezeichnete Hand. Es ist bestimmt keine göttliche, sondern eine menschliche Hand, in deren Linien das tiefste Leid eingegraben ist."[62] Die negative Folie stellt sich so dar: „Jesus ist nicht der Messias, denn die Welt ist immer noch unerlöst; er ist nicht der Sohn Gottes, denn wir wissen nicht von einem solchen, er ist nicht der gottmenschliche Mittler, denn wir bedürfen seiner nicht. Jesus ist nicht der Erfüller des Gesetzes – wir müssen es selbst erfüllen. Er ist nicht der einzige Gerechte des stellvertretenden Sühneleidens – denn ihrer sind viele."[63] Der leidende Jesus ist ein Gleichnis für sein ganzes Volk geworden. Die Auferstehung Jesu ein Gleichnis für das heute wieder auferstandene Israel[64].

---

[59] Zwei Glaubensweisen: *M. Buber*, Werke. Erster Band (München – Heidelberg 1962) 657; dazu: *H. U. v. Balthasar*, Einsame Zwiesprache. Martin Buber und das Christentum (Köln – Olten 1958); *L. Wachinger*, Der Glaubensbegriff Martin Bubers (München 1970).

[60] Vgl. *P. E. Lapide*, Jesus in Israeli School Books: Journal of Ecumenical Studies 10 (1973) 515–531.

[61] München ³1970.

[62] Ebd. 12.

[63] *Ders.*, Jesus im Judentum (Wuppertal 1970) 72.

[64] Vgl. Bruder Jesus, 27f.

Auf jeden Fall gilt: Die christliche Interpretation Jesu ist falsch. Jesus von Nazareth verblieb ganz im Judentum, und Schalom Ben Chorin sieht mit anderen jüdischen Zeitgenossen seine Aufgabe darin, Jesus in sein Volk heimzuholen. Wenn alles eliminiert sein wird, was dem jüdischen Bild von Jesus nicht gemäß ist: der Auferstehungsmythos, die Himmelfahrt, die Krippe und der Stern von Bethlehem, dann kann man sagen: „Jesus ist der verlorene Sohn, der nach zweitausendjährigem Irren in das Vaterhaus, sein eigenes jüdisches Volk zurückkehrt, und Israel ruft ihm zu: Dieser mein Sohn war tot und ist wieder lebendig geworden; er war verloren und ist gefunden worden."[65]

Ben Chorin meint, drei Stadien des tragischen Geschicks im Leben Jesu zu erkennen: Eschatologie als Naherwartung des Reiches Gottes, Introversion als Verinnerlichung des Reich-Gottes-Gedankens und schließlich die Passion, die im freiwillig gewählten, vor jüdischen und römischen Behörden provozierten Opfergang endet – und zwar mit dem Verzweiflungsschrei Eli, Eli, lama sabachthani. Er hat als letztes authentisches Wort Jesu zu gelten[66]. In dieser Gestalt und nur in dieser ist Jesus der Menschensohn, d. h. der Bruder der Menschen.

David Flusser, Professor für neutestamentliche Forschung in Jerusalem, sieht ebenfalls in Jesus den jüdischen Menschen, der nur aus dem jüdischen Horizont und Hintergrund zu verstehen ist[67].

Nach Flusser, der im Anschluß vor allem an die synoptischen Evangelien eine Lebensgeschichte Jesu schreibt, ist Jesus ein gesetzestreuer Jude, der allerdings mehr die sittliche als die formale Seite der Gesetzespraxis betont und an erstarrten religiösen Formen Kritik übt[68]. Jesu Ethik kulminiert in dem Gebot radikaler hingebender Liebe, die in der Forderung zur Feindesliebe als besonderes Merkmal anzusehen ist[69]. Jesu Verhalten gegen Sünder und Zöllner ist ein provozierendes Verhalten, weil es gegen die damalige Sitte verstößt. Jesu Predigt vom Reich Gottes charakterisiert Flusser als realisierte Eschatologie[70]. Jesus ist „der einzige uns bekannte Jude, der nicht nur verkündet, daß

---

[65] Jesus im Judentum, 45.
[66] Bruder Jesus, 26f.
[67] Jesus in Selbstzeugnissen und Bilddokumenten (Reinbek 1968) (Rowohlt Monographien 140).
[68] Ebd. 43–63.
[69] Ebd. 64–72.
[70] Ebd. 81–89.

man am Rande der Endzeit steht, sondern gleichzeitig, daß die neue Zeit schon begonnen hat"[71]. „In ihr wird die unbedingte Liebe zu allen sichtbar werden; die Grenzen zwischen den Sündern werden gesprengt. Die Ersten werden die Letzten, die Letzten die Ersten."[72]

Nach Flusser ist sich Jesus bewußt, Prophet und „Sohn" zu sein. Es ist eine innere Entwicklung denkbar, daß Jesus zunächst auf den danielischen Menschensohn als eine von ihm verschiedene Gestalt gewartet hat, aber sich mehr und mehr mit ihr identifizierte, ferner, daß er sich als Menschensohn im Sinne des Gottesknechts und als Messias verstanden und das Kreuz in seinen Auftrag einbezogen hat[73].

Das Ärgernis vom Kreuz gilt nicht dem historischen Jesus, sondern dem Glauben an die erlösende Kraft des Kreuzes. Jesus nimmt einen unvergleichlichen Stellenwert in Geschick und in der Geschichte der Menschheit ein. Flusser gibt den Worten von Mt 28,20 einen, wie er sagt, neuen, unkirchlichen, für alle Menschen gültigen Sinn: „Und siehe ich bin bei euch alle Tage bis ans Ende der Welt."[74]

Was zu dem Thema: Jesus in der zeitgenössischen jüdischen Jesusdeutung theologisch im umfassenden Sinn zu bedenken wäre, übersteigt die Möglichkeiten dieses Beitrags. Nur dies sei bemerkt:

Das Thema als solches ist zu begrüßen, es ist ein Segen für Juden und für Christen, erinnert man sich an das, was in einer langen Vergangenheit geschah. Die Christen werden an jene Voraussetzungen erinnert, ohne die das Leben, die Gestalt, die Botschaft und das Geschick des Jesus, der Christus genannt wird, nicht verständlich sind.

Die jüdischen Jesusdeutungen haben den Christen nicht nur gesagt, was sie selbst längst wußten, sie haben Neues sehen lassen: nicht nur den Menschen, sondern den Juden Jesus, seinen Glauben, seine Botschaft von Gottes Herrschaft und Reich. Die Probleme Gesetz und Evangelium, Gesetz und Gnade, die noch nicht vollendete Erlösung sind in neuer Weise lebendig geworden.

Der Christ, der gewohnt ist, das Alte Testament im Licht des Neuen

---

71 Ebd. 87.
72 Ebd. 88.
73 Ebd. 89–102.
74 13; zu D. Flusser: *W. Dantine*, a. a. O. 38–41; *O. Kuss*, „Bruder Jesus". Zur „Heimholung" des Jesus von Nazareth in das Judentum: Münchener Theol. Zeitschrift 23 (1972) 290–294.

Bundes zu lesen, wird sich gewiß nicht damit einverstanden erklären können, das Neue Testament nur als Appendix des Alten zu lesen und im Alten Testament den einzigen hermeneutischen Schlüssel für das Verständnis des Neuen Testaments zu erkennen. Aber vielleicht haben es sich die Christen und die christlichen Theologen mit dem Thema Altes Testament und Israel und mit der Art ihrer „Heimholung" zu leicht gemacht. Wir werden uns auch nicht damit einverstanden erklären, daß Jesus als der verlorene Sohn anzusehen sei, der nach 2000 Jahren in das Vaterhaus Israel heimkehrt. Der Differenzpunkt wird bleiben: der Glaube Jesu eint, der Glaube an Christus trennt. Ebensowenig können wir uns Martin Bubers aus seiner Frühzeit stammende Aussage zu eigen machen: „Was am Christentum schöpferisch ist, ist nicht Christentum, sondern Judentum, und damit brauchen wir nicht Fühlung zu nehmen. Wir brauchen es nur in uns zu erkennen und in Besitz zu nehmen, denn wir tragen es unverlierbar in uns."[75] Aber daß Jesus im zeitgenössischen jüdischen Denken als Bruder und als Prophet angenommen wird, daß ihm eine unersetzliche Funktion auch für die Juden zugeschrieben wird, sollte den Christen und christlichen Theologen nicht nur Anlaß sein, den unüberbrückbaren Gegensatz zu formulieren etwa in Worten wie diesen: „Der christliche Theologe darf keinen Augenblick den Glauben an die konkurrenzlose Besonderheit der Gestalt und des Werkes Jesu außer Betracht lassen. Das, und das allein, macht ihn zum Christen und trennt ihn absolut und theologisch auf Leben und Tod vom Juden und bringt ihn zugleich zwingend in jenen durchaus polemischen Gegensatz zu ihm, dessen Abschwächung oder Annihilierung nichts anderes als Verrat oder Kapitulation bedeuten müßte."[76]

Der Paulus des Römerbriefs 9–11 hat anders gesprochen, und niemand wird von ihm sagen, er habe die Unterscheidung des Christlichen übersehen oder vergessen. Das Gleiche gilt von den Erklärungen zur Judenfrage, die das Zweite Vatikanische Konzil[77] und die neueste Vatikanische Verlautbarung: Richtlinien und Hinweise für die Durchführung der Konzilserklärung „Nostra aetate," Art. 4, vorgelegt haben[78].

---

[75] Bei *H. U. v. Balthasar*, a.a.O. 27.
[76] *O. Kuss*, a.a.O. 285f Anm. 3.
[77] Nostra aetate.
[78] Text: Herder-Korrespondenz 29 (1975) 65–68.

5. Schluß

Damit soll dieser Bericht beendet sein. Er ist im Rahmen eines Vortrags zu lang geraten, dennoch ist er zu kurz ausgefallen hinsichtlich dessen, was von der Sache her noch hätte bedacht und erwähnt werden müssen.

Zum Schluß legt es sich nahe, im Blick auf das Gesagte einige Thesen bzw. Fragen auszusprechen. Manches ist bereits an den jeweiligen Abschnitten genannt worden. Unsere Überlegungen haben folgendes zutage gefördert:

1. Jesus und die Sache Jesu lebt. Sie sind nicht nur Daten der Erinnerung; sie haben Bedeutung für die Gegenwart, für hier und heute, für den Menschen und für die ihn, sein Leben und seine Geschichte bewegenden Fragen. Der Verzicht auf Jesus und die von ihm faktisch ausgelösten Wirkungen wäre nicht nur Gedächtnisschwäche und Erinnerungsverlust, sondern Verlust an menschlichen Erfahrungen, an menschlichem Niveau, an Kultur, an exemplarischer Menschlichkeit, die Individuum und Gemeinschaft betreffen.

2. Abgesehen von Augsteins Darstellung, wird die Person und die Gestalt Jesu innerhalb der nichtkirchlichen Jesusdeutungen positiv gewürdigt und mit Respekt, mit Hochachtung, mit Verehrung, mit Bewunderung und Liebe bedacht.

3. Gegenstand der nichtkirchlichen Jesusdeutung ist der Mensch Jesus, der historische Jesus, nicht aber der Christus des kirchlichen Glaubens, der Christus des Christentums und speziell der Kirchen, der Christus der Dogmen, der Christus als „Mücke im Bernstein". An diesem Menschen Jesus werden im Bereich der nichtkirchlichen Jesusdeutung die verschiedensten Züge hervorgehoben: Jesus der Freund, der Helfer, Jesus, der mich und dich liebt, der befreit und dem Leben Sinn gibt, Jesus der Anwalt der Armen, der Sünder, der Outcasts, aber auch: Jesus der Kritiker des Bestehenden in damaliger religiöser Praxis, soweit sie Formalismus, Routine, Gesetzlichkeit und religiöse Leistung zum entscheidenden Kriterium machte und dabei den Gott vergaß, der Gerechtigkeit und Barmherzigkeit verlangt, der den Sabbat für den Menschen, nicht aber den Menschen für den Sabbat geschaffen hat.

4. Andere Züge am Menschen Jesus: sein selbstloses Dasein für andere, die von ihm verkündete und gelebte radikale Liebe zum Nächsten als der Verifikation der Liebe zu Gott, die in ihm gegebene exemplari-

sche Identität von Lehre und Leben, der in Jesu Leben und Geschick erkennbare Primat der Praxis vor Theorie und Orthodoxie, seine Treue zu seinem Auftrag, die Unbeirrbarkeit seines Herzens werden als Verwirklichungen höchster menschlicher Möglichkeiten auch und gerade heute erkannt und anerkannt: Ecce Homo.

5. Die Konvergenz dieser Beobachtungen führt in nicht wenigen Fällen dazu, Jesus, wie es Jaspers tut, als den maßgebenden, ja den maßgebendsten Menschen zu qualifizieren, ihn damit aus der Galerie der Menschen wie ich und du hervortreten zu lassen und ihn in die – unausgesprochene, vielleicht sogar verbal geleugnete – Nähe zu Aussagen des christlichen Glaubens zu bringen. Erinnert sei an die Deutung und Bedeutung Jesu in der Jesus-People-Bewegung bei aller Ambivalenz und allem dort antreffbaren Theoriedefizit; erinnert sei an Jaspers, Garaudy und Kolakowski, zum Teil auch an Buber und Flusser und schließlich an jene literarischen Modelle, in denen die Einzigartigkeit Jesu indirekt – durch die Wirkung im Leben der geschilderten Gestalten – erkennbar wird. Als Beispiel seien in diesem Zusammenhang noch zwei Gedichte zitiert. Das erste von *Hilde Domin:*

> „Weniger als die Hoffnung auf ihn
> das ist der Mensch
> einarmig
> immer
> nur der gekreuzigte
> beide Arme
> weit offen
> der Hier bin ich." [79]

Das Gedicht: „Das alte Thema" von *Marie Luise Kaschnitz* enthält folgende Anrufung:

> „Du Bettler, Bruder, Bruder
> Geh in mich ein
> Streck deine Arme
> In meinen Armen aus
> Deine Finger

---

[79] Bei *Thome*, a.a.O. 27f.

In meinen Fingern
Erfülle mich
Mit deiner Ungeduld
Die auch Geduld war
Überirdische
Wie man es nimmt."[80]

6. Wie sollen wir als christliche Theologen auf die nicht-kirchlichen Jesusdeutungen antworten? Sollen wir uns damit begnügen, gleichsam mit der Wünschelrute durch dieses große Gelände zu gehen und aufmerksam zu registrieren, wann, wo und wie heftig die Wünschelrute jeweils an- oder ausschlägt, weil wir Stellen finden, wahrscheinlich viele Stellen – und je mehr, desto besser für uns? –, in denen wir eine Verkürzung, Vereinseitigung, ein Mißverständnis hinsichtlich der Gestalt Jesu feststellen, vor allem – und mit Grund – eine unzulässige Reduktion auf den „historischen Jesus", der ohne den Christus des Glaubens auch nicht im vollen Sinn der historische Jesus ist?

Ich sage nicht, solches zu tun und festzustellen, sei nicht legitim, ja notwendig. Aber ich frage: sollen wir uns mit solchen kritischen Feststellungen, mit dem Hinweis auf Mängel, auf Fehlendes zufriedengeben und – das wäre ein Weiteres – von diesem Negativ-Katalog aus noch ein paar Spurenelemente gnädig anerkennen, die in dem ungleich größeren Defizit übrigbleiben, auf die aufmerksam zu machen es sich eigentlich nicht lohnt, weil ja dies einzelne bei uns, d. h. in der Kirche, in der Theologie viel besser, weil in der Weise des unversehrten Ganzen gegeben ist?

Oder – die Frage sei wiederholt –: sollten wir zunächst positiv zu diesen vielfältigen Jesusdeutungen stehen und ohne nörgelndes Beckmessertum anerkennend hervorheben, nicht nur, daß Jesus im nicht-kirchlichen Bereich überhaupt zum lebendigen und aktuellen Thema wurde, sondern was in diesen Deutungen, auch theologisch und kirchlich gesehen, richtig ist, weil es dem „vere homo" entspricht? Von diesen positiv angesetzten Voraussetzungen aus bleiben immer noch Möglichkeiten genug, um auf das hinzuweisen, was diesen Jesusdeutungen mangelt, weil sie etwas auslassen, was unverzichtbar zur Gestalt und zur Sache Jesu gehört. Mit einer solchen Option ist auf jeden Fall

---

[80] *M. L. Kaschnitz*, Kein Zauberspruch. Gedichte (Frankfurt a. M. 1972) 102.

eine andere Basis für eine Auseinandersetzung mit Grundtypen nicht-kirchlicher Jesusdeutungen gegeben als mit jener Haltung, die damit beginnt, einen „Syllabus errorum" hinsichtlich der Christologie auf den Tisch zu legen und die dann gleichsam im Anhang noch ein paar positiv klingende Bemerkungen nachliefert.

7. Noch einmal: Was sollen wir auf das Phänomen der zeitgenössischen nichtkirchlichen Jesusdeutungen antworten? Ein zu Beginn dieses Beitrags ausgesprochener Satz sei wiederholt: Wir sollten uns nicht vor allem darüber ärgern, daß diese Deutungen im außerkirchlichen Bereich entstanden sind, sondern sollten diese Tatsache auch theologisch positiv beurteilen. Es ist ein Datum der Christologie, daß Jesus einen Bezug zum Ganzen der Schöpfung, d. h. vor allem zum Menschen hat: Christus als Grund und Ziel der Schöpfung, als Alpha und Omega, als der Logos, der jeden Menschen erleuchtet, der in die Welt kommt (Joh 1,9). Die Theologie könnte und sollte heute jene Haltung wiedergewinnen, wie sie im biblischen Modell vom „fremden Exorzisten" begegnet und in der sehr bemerkenswerten Differenz in der Beurteilung dieses Mannes und seines Tuns durch die Jünger Jesu und durch Jesus selbst (Mk 9,38–41). Wir sollten nach einer theologischen Mentalität streben, wie sie im Werk des Klemens von Alexandrien, des Origenes, des Thomas von Aquin, des Nikolaus von Cues begegnet. Bei diesen Theologen wird das Katholische als Kraft einer universalen Bejahung begriffen, die für Differenzen keineswegs blind macht. Daß Jesus über die Grenzen der Kirche hinausgewirkt hat und heute wirkt, ist die Frucht einer Wirkung und Wirkungsgeschichte, die ohne die Kirche nicht denkbar und möglich geworden wäre. Das gilt und bleibt bestehen, auch wenn daraus – aus welchen Gründen auch immer – ein „Außerhalb der Kirche", ein nichtkirchlicher Bereich wurde. Aber – so wäre noch einmal zu fragen – ist dieser Bereich genügend und adäquat beschrieben, wenn er schlechthin als ein Außerhalb der Kirche, wenn er als absolut nichtkirchlicher Bereich qualifiziert wird?

8. Diese Überlegungen führen zu einem weiteren Punkt, der sich bereits abzeichnete. Zu dem großen Konsens: *Jesus ja,* tritt eine noch größere Übereinstimmung: *Kirche nein.*

Die Kirche Jesu Christi wird um Jesu willen abgelehnt. Das ist ein beunruhigender, ja ein erschreckender Tatbestand. Hat er seinen Grund einzig in der Blindheit und Bosheit der Menschen, in ihrer kollektiv gewordenen oder gar pathologischen Ablehnung all dessen, was

Institution heißt, was mit Autorität zu tun hat, was vor allem in den Kirchen, zuhöchst in der katholischen Kirche und deren unverkennbarer ausgeprägter Struktur begegnet?

Um diese Frage zu beantworten, ist es vielleicht gut, einige Gründe derer zu hören, die ihr Ja zu Jesus mit dem Nein zur Kirche verbinden. Es wird z. B. gesagt:

In den Kirchen kommt der Mensch Jesus zu kurz. In den Kirchen begegnet in Wort und Praxis nur der Christus des Glaubens, der erhöhte Christus als wahrer Gott, als Gottessohn.

Dieser Christus wird von der Kirche bewahrt, verteidigt. Zugleich wird er nur für sie selbst in Beschlag genommen. Die Kirche gewinnt damit ihre eigene Erhöhung und Erhebung. Tun und Verhalten der Kirche werden dann zu selbstverständlich als Christusrepräsentanz, als Christusvollzug übernommen, als „andauernde Fleischwerdung des Sohnes Gottes", um mit dem Möhler der „Symbolik" zu sprechen. Dabei kommt es zu einer Legitimation des Faktischen, des Bestehenden und des Jetzigen, es kommt zur Gefahr einer angemaßten Identifizierung von Kirche und Christus. Es unterbleibt die selbstkritische Rückfrage nach dem Evangelium, es unterbleibt die Orientierung am Ganzen der Gestalt, der Botschaft und der Sendung Jesu, die Orientierung nicht nur an ein paar bevorzugten Auswahltexten, etwa: „Wer euch hört, der hört mich" (Lk 10,16) oder „Auf diesen Felsen will ich meine Kirche bauen" (Mt 16,18), sondern die Orientierung an den prophetischen Worten Jesu, den Worten über Gottes Herrschaft und Reich.

In der Kirche und in den Kirchen – so lautet ein anderer Einwand – wird Jesus zu wenig transparent. Es wird im Sein und Tun der Kirchen zu wenig greifbar, was im ersten Satz der Dogmatischen Konstitution über die Kirche: „Lumen Gentium" steht, daß auf dem Antlitz der Kirche Christus das Licht der Welt widerscheint.

Wir finden, so lauten die Einwände, in den Kirchen zu viel Beschäftigung mit sich selbst, zu viel Eigenrotation, zu viel Befestigung und Ausbau von Positionen, mit viel Politik verbunden. Wir finden zu wenig Erneuerung und Verwandlung durch jene normative Instanz, die Jesus heißt. Wir finden zu viel „Kyrie-, Kyrie-Rufe" und zu wenig Bereitschaft, wie Jesus den Willen des Vaters zu tun (Mt 7,21). Wir finden zu viel Amt und Reglement, zu viel Behutsamkeit und Beschwichtigung, zu wenig Freiheit, Spontaneität und Mut. Wir finden zu viel Großkirche, zu wenig Gemeinde, wir finden zu viel Kirche der Herrlichkeit, kaschiert mit dem Etikett Dienst, zu wenig Brüderlichkeit, die mit den Worten Jesu ernst macht: „Nur einer ist euer Vater, der Vater im Himmel" (Mt 23,9). Wir finden zu viel Lasten und Gesetze, zu wenig Freude, zu wenig Prophetie.

In der Kirche und in den Kirchen, so heißt ein weiterer Einwand, ist vieles zu kompliziert, vor allem in den amtlichen Verlautbarungen und in der Theologie und ihrer Fachsprache, die dem Menschen von heute manchmal wie eine Fremdsprache vorkommt, auf jeden Fall: wir selbst und unsere Welt kommen darin nicht vor. Wenn aber einmal ein Versuch gemacht wird, die Sache des Glaubens und des Christseins in unsere Sprache zu übersetzen, dann wird dieser Versuch der mangelnden Präzision und Vollständigkeit verdächtigt. Ist – so geht die Frage weiter – die christliche Botschaft so kompliziert? Kann man sie nicht in einfachen Worten sagen und damit auf eine Form und Sprache bringen, die heute jeder verstehen kann, der denkt und spricht?

Man könnte leicht fortfahren mit der Aufzählung dieser Fragen. Kann man sagen, daß diese Fragen nur aus bösem Willen oder aus mangelnder Kenntnis kommen? Kommen sie nicht auch aus einer Trauer über die Kirchen, über ihre Verkündigung und Theologie und einer Sehnsucht nach dem, was die Frager in den Kirchen suchten und nicht oder zu wenig fanden? Machen diese Fragen nicht auf etwas aufmerksam, was alle Theologen und Amtsträger der Kirchen beherzigen sollten? Zeigt es nicht auf etwas, was zu wenig, was nicht glaubwürdig genug getan wurde, damit das Licht Jesu auf dem Antlitz der Kirche sich widerspiegelt?

Zeigen die zeitgenössischen nichtkirchlichen Jesusdeutungen nicht auch an, wo neue und große, bis jetzt noch nicht eingeholte Möglichkeiten einer zeitgenössischen kirchlichen Jesusdeutung liegen? Liegen sie nicht in einer recht verstandenen, in einer nicht nur programmatisch angedeuteten, sondern inhaltlich und konkret ausgeführten christologischen Anthropologie und anthropologischen Christologie?

III

Ursprünge und Entfaltung
der neutestamentlichen Sohneschristologie
Versuch einer Rekonstruktion

Franz Mußner, Regensburg

I. URSPRÜNGE

1. Zwei Möglichkeiten des methodischen Vorgehens

Man könnte das Thema „Ursprünge und Entfaltung der ntl. Sohneschristologie" auf zweierlei Weise angehen, entweder mit Ausgang beim Johannesevangelium und sich zurücktastend bis zum vorösterlichen Jesus oder, umgekehrt: mit dem vorösterlichen Jesus beginnend und sich vorantastend bis zum Johannesevangelium mit seiner im Bereich des Neuen Testaments vollentfalteten Christologie. Wir schlagen im folgenden den zweiten Weg ein und versuchen den Prozeß der tatsächlichen Entwicklung von den Ursprüngen zur Vollentfaltung zu rekonstruieren. Man könnte das Thema also auch formulieren: Die Sohneschristologie von Jesus zu Johannes. Weil es sich dabei anerkanntermaßen um eine ungemein schwierige Materie handelt, möchte das, was wir vorlegen, nur als ein Versuch gewertet werden, der noch einer eingehenden Ausarbeitung bedürfte [1].

2. Stufen der christologischen „Gnosis"

Rekonstruiert man die Stufen der christologischen Erkenntnis, angefangen beim vorösterlichen Jüngerkreis bis hin zur Vollentfaltung bei Johannes, so sind folgende vier zu nennen: Erfahrung, Reflexion, Ver-

---

[1] Zuletzt haben sich zur neutestamentlichen Sohneschristologie geäußert *H. Leroy*, Jesus von Nazareth – Sohn Gottes. Zur Verkündigung des Apostels Paulus und der Evangelisten: ThQ 154 (1974) 232–249 (mit Literatur); *A. Weiser*, Jesus – Gottes Sohn. Antwort auf eine Herausforderung (Stuttgart 1973); *J. Muschalek*, Gott in Jesus. Dogmatische Überlegungen zur heutigen Fremdheit des menschgewordenen Sohnes Gottes: ZKTh 94 (1972) 145–157; *M. Hengel*, Der Sohn Gottes. Die Entstehung der Christologie und die jüdisch-hellenistische Religionsgeschichte (Tübingen 1975).

sprachlichung, Objektivierung. Begleitet sind diese vier Stufen von den Fragen: Welche Erfahrungen machten die Jünger mit Jesus? Wann setzte ihre Reflexion über die gemachten Erfahrungen ein? Was brachte die Reflexion zutage? Welche Rolle spielte dabei die Ostererfahrung? In welcher Weise versprachlichte sich die Reflexion? Welche vorgegebenen Sprachmodelle wurden dabei benutzt? In welche Texte verobjektivierte sich die Versprachlichung der Reflexion? In welchen Kontexten erscheinen die christologischen Grundtexte? Welche Funktion haben sie darin? Aus welchen Grunderfahrungen mit Jesus leben Reflexion, Versprachlichung und Objektivierung? Läßt sich die Vielfalt von Erfahrung, Reflexion, Versprachlichung und Objektivierung auf einen Einheitsgrund zurückführen, der die verschiedenen christologischen „Entwürfe" des Neuen Testaments zusammenhält?

Jedenfalls sind wir der Überzeugung, daß ohne die Berücksichtigung der genannten vier Stufen der Prozeß der „Christusgnosis", wie er sich von Jesus bis hin zu Johannes vollzog, nicht rekonstruiert werden kann. Ob man unser Vorgehen als eine „Christologie von unten" bezeichnen kann, sei nebenbei zur Diskussion gestellt. Mit einer „transzendentalen Christologie" hat unser Versuch vermutlich nichts zu tun, eher schon mit einer „dialogischen" oder einer Christologie des „Miteinander". Dies sei durch ein Schaubild illustriert:

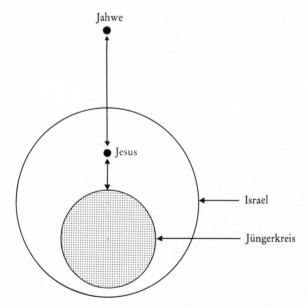

Die „dialogische Christologie" wird im Hinblick auf die genannten Stufen entwickelt in der Relation Jesus – Jüngerkreis, die einen „Kommunikationsfall" darstellt[2], der auf dem Sprecher-Hörer-Modell beruht[3].

3. Der vorösterliche „Sehakt" der Jünger

Die Stufe der Erfahrung nennen wir jetzt den „Sehakt" der Jünger. Denn die Erfahrung beruht auf einem Sehakt, natürlich „Sehakt" nicht bloß im Sinn einer an der Oberfläche haftendbleibenden Beobachtung verstanden, sondern als ein Akt, in den schon Verstehen oder wenigstens der Versuch von Verstehen miteinfließt[4]. Schlicht gesagt: Der Beobachtende macht sich Gedanken über das Beobachtete, wenn ihm dabei auch das meiste noch rätselhaft bleibt und es zu keiner eindeutigen Erkenntnis kommt. Auf jeden Fall geht aus dem Sehakt die Frage hervor, und sie kann Jesus von Nazareth gegenüber dann nur lauten: *Wer ist dieser?*, und diese Frage ist ja schon die Grundfrage, von der die Christologie bis heute lebt, und sie begegnet als solche ausdrücklich wiederholt in den Evangelien. Exemplarisch sei dafür Mk 4,41 genannt: τίς ἄρα οὗτός ἐστιν; οὗτός bezieht sich auf Jesus, und die Folgerungspartikel ἄρα steht nach W. Bauer[5] „häufig bei Fragen, die sich als Folgerung aus dem Vorhergehenden ergeben". Im Vorhergehenden wird von der Sturmstillung erzählt, und aus der Beobachtung dieses Vorgangs ergibt sich die Frage der Jünger: „Wer ist also dieser, weil auch der Sturm und das Meer ihm gehorchen?" Selbstverständlich ist die Formulierung der Frage auf das Konto des Redaktors oder der vormarkinischen Überlieferung zu setzen, aber die Szene bringt dennoch die Situation, in der sich die Jünger vor Ostern Jesus gegenüber befanden, ausgezeichnet zur Sprache: Sie beobachten einen Vorgang, und aus dem Sehakt wird die Frage geboren. Die Frage selbst bleibt unbe-

---

[2] Deshalb hat unser Versuch auch wenig mit einer „Deszendenz-" oder „Aszendenzchristologie" zu tun. Vgl. dazu K. *Rahner*, Zur Selbstkritik der systematischen Christologie im Dienst der Exegese: H. *Feld – J. Nolte* (Hrsg.), Wort Gottes in der Zeit (Festschr. f. K. H. Schelkle) (Düsseldorf 1973) 333–346.
[3] Vgl. dazu auch Anm. 32.
[4] Vgl. dazu auch F. *Mußner*, Die johanneische Sehweise und die Frage nach dem historischen Jesus (QD 28) (Freiburg i. Br. 1965).
[5] Wb s. v. 2.

antwortet, und sie konnte vor Ostern noch gar nicht beantwortet werden, weil Ostern erst eine Antwort möglich machte. Mt setzt in der Parallele statt des Fragepronomens τίς bei Mk das Fragepronomen ποταπός („von welcher Beschaffenheit, von welcher Art") ein. Dahinter scheint ein noch intensiveres Fragen zu stehen: nicht bloß: „*Wer* ist dieser?", sondern: „*Von welcher Art* ist dieser?" Damit wird schon der eigenartige Eindruck anvisiert, den das Auftreten Jesu auf die Jünger machte. Im Sehakt begegnet ihnen das Geheimnis Jesu, ohne daß sie schon in der Lage wären, die Erfahrung dieses Geheimnisses auf eine glatte christologische Formel zu bringen. Der Sehakt entläßt zunächst nur eine Frage aus sich, die aber das, was sich im Sehakt der Erfahrung zeigte, schon anvisiert. Wichtig ist dabei grundsätzlich dies: Aus dem Sehakt gingen Fragen hervor, die sich auf das Geheimnis der Person Jesu richteten. H. G. Gadamer hat in seinem Werk „Wahrheit und Methode"[6] auf den Zusammenhang von Erfahrung und Frage im hermeneutischen Prozeß aufmerksam gemacht. Nach Gadamer ist, so seltsam das aufs erste klingen mag, „der eigentliche Prozeß der Erfahrung... ein wesentlich negativer"[7]. „Wenn wir an einem Gegenstand eine Erfahrung machen, so heißt das, daß wir die Dinge bisher nicht richtig gesehen haben und nun besser wissen, wie es damit steht. Die Negativität der Erfahrung hat also einen eigentümlichen produktiven Sinn."[8] Die Richtigkeit dieser Theorie scheint sich gerade im Hinblick auf die Erfahrung zu bestätigen, die die Jünger mit Jesus von Nazareth machten. Zunächst wußten sie über ihn nicht viel mehr als dies, daß er ein Zimmermann aus dem Dorf Nazareth in Galiläa war. In der fortschreitenden Erweiterung des Sehakts Jesus gegenüber erwies sich diese Erfahrung als völlig ungenügend; sie mußte immer mehr einer neuen Erfahrung Platz machen, die man kurz so formulieren könnte: Dieser Jesus ist *mehr* als nur ein Zimmermann aus Nazareth. So kommt es allmählich zu jener „Offenheit für Erfahrung, die durch die Erfahrung selbst freigespielt wird"[9]. Man kann außerdem sagen: Das Verhältnis der Jünger zu Jesus beruhte auf dem Ich-Du-Verhältnis. Dazu bemerkt Gadamer: „Das Ich-Du-Verhältnis ist... kein unmittelbares, sondern ein Reflexionsverhältnis."[10] Die Erfahrungen, die der

---

[6] Tübingen ²1965.
[7] Ebd. 335. [8] Ebd. 336.
[9] Ebd. 338. [10] Ebd. 341.

Umgang mit Jesus mit sich brachte, setzte sich um in Reflexion über das „Du", das „Jesus" heißt, und zwar zunächst in der Weise, daß die Erfahrung Fragen aus sich entließ, wie die oben genannte: „Von welcher Art ist dieser?" „Man macht keine Erfahrungen ohne die Aktivität des Fragens. Die Erkenntnis, daß die Sache anders ist und nicht so, wie man zuerst glaubte, setzt offenbar den Durchgang durch die Frage voraus, ob es so oder so ist. Die Offenheit, die im Wesen der Erfahrung liegt, ist logisch gesehen eben diese Offenheit des So oder So. Sie hat die Struktur der Frage."[11] Weiter: „Mit der Frage wird das Befragte in eine bestimmte Hinsicht gerückt. Das Aufkommen einer Frage bricht gleichsam das Sein des Befragten auf. Der Logos, der dieses aufgebrochene Sein entfaltet, ist insofern immer schon Antwort."[12] Die Begegnung der Jünger mit Jesus ließ in ihnen Fragen aufkommen, wie wir gesehen haben, und diese Fragen versuchen das Sein des Befragten aufzubrechen. Das Sein Jesu aber widerstand zunächst diesem Aufbrechen, so daß die Jünger immer wieder vor Ostern vor einem Rätsel standen. Auch dies und gerade dies gehörte zur vorösterlichen Erfahrung der Jünger. Fragen heißt nach Gadamer „ins Offene stellen. Die Offenheit des Gefragten besteht in dem Nichtfestgelegtsein der Antwort. Das Gefragte muß für den feststellenden und entscheidenden Spruch noch in der Schwebe sein. Das macht den Sinn des Fragens aus, das Gefragte so in seiner Fraglichkeit offenzulegen. Es muß in die Schwebe gebracht werden, so daß dem Pro das Contra das Gleichgewicht hält. Jede Frage vollendet erst ihren Sinn im Durchgang durch solche Schwebe, in der sie eine offene Frage wird. Jede echte Frage verlangt diese Offenheit... Falsch nennen wir eine Fragestellung, die das Offene nicht erreicht, sondern dasselbe durch Festhalten falscher Voraussetzungen verstellt."[13] Damit vermittelt uns Gadamer eine Kategorie, nämlich die Kategorie „das Offene", die hilfreich für unser Thema („Ursprünge der Sohneschristologie") zu sein scheint. Zur Erfahrung der Jünger im Umgang mit Jesus gehörte das „Offene" seiner Person. In welcher Hinsicht „offen", wird uns noch beschäftigen müssen. Zunächst zeigt sich für uns der Umstand, daß das Fragen der Jünger ins „Offene" stieß, im „Unverständnismotiv", das bei Mk bekanntlich eine große Rolle spielt (vgl. Mk 6,1–6; 3,20–22.31–35; 8,31–33; 6,14f; 8,27f; 9,32 – es begegnet auch bei Joh: 7,12.26f.36.43;

[11] Ebd. 344.   [12] Ebd. 345.   [13] Ebd. 345f.

8,25; 9,16; 10,19–21; 12,34; 16,18; nur bei Joh auf das Volk bezogen).
Selbstverständlich gehört das „Unverständnismotiv" der Redaktion
an, aber es bringt zweifellos die Erfahrung zur Geltung, die den Jüngern vor Ostern der Umgang mit Jesus einbrachte: er war für sie ein
unverstandenes Rätsel, das zunächst nicht auflösbar war. Das Rätselhafte an der Gestalt Jesu wurde noch verstärkt durch bestimmte Logien
Jesu, die m. E. zum sicheren Bestand der ipsissima verba Jesu gehören;
ich meine z. B. die zu Q gehörigen πλεῖον ὧδε-Logien (Mt 12,41 =
Lk 11,32 [„Hier ist mehr als Jonas"]; Mt 12,42 = Lk 11,31 [„Hier
ist mehr als Salomon"])[14] bzw. das μεῖζον ὧδε-Logion im mt.
Sondergut (Mt 12,6 [„Mehr als der Tempel ist hier"]). Es entsteht ja
diesen Logien gegenüber die Frage: Was ist mit dem geheimnisvoll
klingenden ὧδε gemeint? Wo „hier"? K.-H. Rengstorf hat darauf aufmerksam gemacht, daß alle derartigen πλεῖον-Worte im Mund Jesu
„den Komparativ im Neutrum haben und dadurch etwas eigentümlich
Rätselvolles an sich tragen"[15]. Dieses „Rätselvolle" scheint geradezu
ein Konstitutivum der vorösterlichen „indirekten Christologie" zu
sein. Nach Ostern wußte selbstverständlich die christliche Gemeinde,
daß mit dem ὧδε, an dem sich ein „Größeres" und ein „mehr" gezeigt
hatten, niemand anderer als Jesus selbst gemeint ist[16]. Vor Ostern dagegen war dieser Bezug für die „Außenstehenden" kaum möglich, für
den Jüngerkreis höchstens ahnungsweise. Es fehlte gewiß vor Ostern
nicht an Versuchen, das, was sich an Jesus von Nazareth für Jünger
und Volk gezeigt hat, in feste Kategorien zu fassen. Darauf weisen besonders zwei Berichte im Mk-Evangelium hin, die echt Geschichtliches
wiederzugeben scheinen[17]. Da wird in 6,14f par. von Meinungen des

---

[14] Zur jesuanischen Authentizität dieser Logien vgl. *F. Mußner*, Wege zum Selbstbewußtsein Jesu. Ein Versuch: BZ, NF 12 (1968) 161–172 (169–171).
[15] ThWbzNT VII, 232.
[16] Man kann demgegenüber nicht auf das Logion Jesu über Johannes den Täufer in
Mt 11,9 hinweisen: „Aber wozu seid ihr hinausgegangen? Einen Propheten zu sehen?
Ja, ich sage euch, mehr noch als einen Propheten (καὶ περισσότερον προφήτου)". Wer
mehr noch ist als ein Prophet, bleibt nicht in einem rätselhaften ὧδε verhüllt, sondern
der Spruch ist durch den Kontext eindeutig auf den Täufer bezogen, wie auch die unmittelbare Fortsetzung im V. 10 zeigt (οὗτός ἐστιν →Täufer) und wo dann auch gesagt
wird, warum Johannes „noch mehr" ist als die Propheten des Alten Bundes: Weil er der
in Mal 3,1 angesagte „Vorläufer" des Messias ist! Das gibt ihm eine einzigartige Aus-
zeichnung.
[17] Vgl. dazu auch *F. Mußner*, Der „historische" Jesus: Praesentia Salutis. Gesammelte
Studien zu Fragen und Themen des Neuen Testaments (Düsseldorf 1967) 67–80 (72 f).

Volkes über Jesus berichtet. Die einen sagen von ihm: „Johannes der Täufer ist von den Toten auferstanden, und deshalb wirken die Wunderkräfte in ihm. Andere aber sagten: Er ist Elias; wieder andere sagten: Er ist ein Prophet wie einer von den Propheten". Nach 8,27 f par. hat Jesus selbst die Jünger eines Tages gefragt: „Für wen halten mich die Leute?" Sie aber sagten zu ihm: „Für Johannes den Täufer und andere für Elias, wieder andere für irgendeinen von den Propheten". Diese teilweise abergläubischen, teilweise mit der frühjüdischen Endzeiterwartung zusammenhängenden Ansichten lassen uns ein Doppeltes erkennen: 1. Die Meinung in Israel, wer Jesus von Nazareth eigentlich sei, waren nicht einmütig; 2. niemand im Volk hält Jesus für den Messias[18]. Dieser Befund trifft im wesentlichen auch für das Joh-Evangelium zu: Die Samariterin kommt nur zu der Vermutung: „Ist dieser etwa der Christus?" (4,29.) Nach 7,26 fragen einige Jerusalemer: „Haben etwa die Oberen in Wahrheit erkannt, daß dieser der Christus ist?", wenden dann aber selber sofort ein, daß Jesu Herkunft aus Galiläa gegen eine solche Annahme spreche. Aus der Bemerkung des Volkes in 7,31: „Der Christus, wenn er kommt, kann er mehr Zeichen tun, als dieser tut?" geht auch keineswegs hervor, daß es in Jesus wirklich den Messias sieht. Nach 7,40 ff gehen die Meinungen des Volkes über Jesu Wesen und Würde völlig auseinander, so daß „eine Spaltung in der Menge seinetwegen" entsteht, die nur beweist, daß Jesu Wirken nicht eindeutig „messianisch" war. Und nach 12,34 ist gerade Jesu Hinweis auf seine kommende „Erhöhung" (am Kreuz) für das Volk der große Einwand gegen seine Messianität[19]. Mögen die Formulierungen des vierten Evangeliums auch auf das Konto seines Verfassers gehen, so bestätigen sie auf jeden Fall den von der synoptischen Tradition festgehaltenen Sachverhalt, daß Jesus für seine Zeitgenossen ein Rätsel darstellte, das nur schwer mit Hilfe gewohnter Kategorien auflösbar war. Jesus von Nazareth war „mehrdeutig". Das hing auch damit zusammen, daß sein Leben weithin „unmessianisch" zu verlaufen schien, weil es vielfach nicht den Erwartungen entsprach, die man in

---

[18] Vgl. auch *J. Schmid,* Das Evangelium nach Markus (Regensburg [3]1954) zu Mk 6,15.
[19] Vgl. dazu auch *R. Schnackenburg,* Die Messiasfrage im Johannesevangelium: Neutestamentliche Aufsätze (Festschr. f. J. Schmid) (Regensburg 1963) 240–264; *M. de Jonge,* Jewish Expectations about the ‚Messiah' according to the Fourth Gospel: NTSt 19 (1972/73) 246–270.

Israel vom Messias hegte[20]. Diese Feststellung ist ganz unabhängig davon, ob Jesus ein messianisches Selbstbewußtsein besaß oder nicht[21]. Es geht jetzt ständig darum: Was war an Jesus von Nazareth für Jünger und Volk *erfahrbar*, und in welche Richtung ging die vorösterliche Reflexion? Immerhin könnten die oben angeführten Antworten der Jünger auf die Frage Jesu, für wen ihn die Leute halten, einen wichtigen Fingerzeig geben für eine erste Beantwortung der Frage: In welche Richtung ging die Reflexion auf Grund der mit Jesus gemachten Erfahrung? Man kann antworten: in Richtung einer Prophetenchristologie (wiedergekommener Elias, wiedererstandener Täufer „oder irgendeiner der Propheten" fallen ja letztlich alle unter die Kategorie „Prophet"). Wir werden noch sehen, welch enorme Rolle gerade die (direkte oder indirekte) Prophetenchristologie in der nachösterlichen Reflexion und Versprachling des „Jesusphänomens" gespielt hat.

Versuchen wir jetzt die Erfahrung, die die Jünger vor Ostern mit Jesus von Nazareth machten, noch mehr zu konkretisieren. Fragt man: Was haben die Augen- und Ohrenzeugen am Menschen Jesus von Nazareth erfahren, so kann man zunächst grundsätzlich antworten: Ein bestimmtes Verhalten, ein bestimmtes Reden, Jesu Weg zum Leiden und Sterben und Jesu Erscheinungen nach seiner Auferstehung von den Toten. Diese Grund-Erfahrungen lassen sich noch weiter spezifizieren in Richtung einer sogenannten „Bedeutungserfahrung". Die Jünger erfuhren Jesus als ihren Anführer (Nachfolge!), später sprachlich artikuliert im christologischen ἀρχηγός-Prädikat[22]; als „den Freund der Zöllner und Sünder" (Mt 11,19); als Thorakritiker und „Thoraverschärfer"[23] (freilich nicht als „Thoraverschärfer" im jüdi-

---

[20] Vgl. dazu Näheres bei *Mußner*, Der „historische" Jesus, 72–77.

[21] Vgl. dazu O. *Betz*, Die Frage nach dem messianischen Bewußtsein Jesu: NT 6 (1963) 20–48; N. *Brox*, Das messianische Selbstverständnis des historischen Jesus: Vom Messias zum Christus, hrsg. von K. Schubert (Wien 1964) 165–201; E. *Dinkler*, Petrusbekenntnis und Satanswort. Das Problem der Messianität Jesu: Zeit und Geschichte (Dankesgabe an R. Bultmann) (Tübingen 1964) 127–153. Hingewiesen sei auch auf K. *Berger*, Die königlichen Messiastraditionen des Neuen Testaments: NTSt 20 (1973/74) 1–44; R. *Pesch*, Das Messiasbekenntnis des Petrus (Mk 8,27–30). Neuverhandlung einer alten Frage: BZ, NF 17 (1973) 178–195; 18 (1974) 20–31; K. *Berger*, Zum Problem der Messianität Jesu: ZThK 71 (1974) 1–30.

[22] Vgl. dazu P.-G. *Müller*, ΧΡΙΣΤΟΣ ΑΡΧΗΓΟΣ. Der religionsgeschichtliche und theologische Hintergrund einer ntl. Christusprädikation (Bern/Frankfurt 1973).

[23] Vgl. dazu H. *Braun*, Spätjüdischer-häretischer und frühchristlicher Radikalismus II (Die Synoptiker) (Tübingen 1957).

schen Sinn, sondern im Sinn der harten Forderungen der „Bergpre-
digt"); als einen, der über ἐξουσία verfügt (Mk 1,22); als einen, der
über Gott mehr als andere Bescheid zu wissen scheint (Gleichnisse!),
als „Weisheitslehrer" (weil manche seiner Logien in Zusammenhang
mit der überlieferten Spruchweisheit Israels gesehen werden konnten);
als einen, der einfach zu Gott „abbā" sagt; als den, der Wunder wirkt;
als διάκονος aller (Lk 22,27); als den Ansager der eschatologischen
Gottesherrschaft; als den Rufer zur μετάνοια; als einen zum Leiden
Bereiten; als einen Propheten „mächtig in Wort und Tat" (Lk 24,19).

Damit ist gewiß nicht das gesamte Erfahrungsmaterial erfaßt, aber
vermutlich doch das Wesentlichste. Eine Frage stellt sich dabei ein:
Erfuhren die Jünger Jesus auch als den Sohn? Zunächst muß man dar-
auf antworten: Auf keinen Fall erfuhren sie ihn weder vor Ostern
noch bei den Erscheinungen nach seiner Auferweckung von den
Toten so als „Sohn", daß sich daraufhin wie von selbst das Prädikat
„Sohn Gottes" einstellte. Wohl werden die Jünger gemerkt haben, daß
Jesus ein sehr unmittelbares Verhältnis zu Gott besaß und in Gottes
Nähe lebte. Ein Hinweis auf die Stimme Gottes, die bei der Taufe und
„Verklärung" Jesu vom Himmel erscholl: „Dies ist mein geliebter
Sohn", führt nicht viel weiter. Denn einmal sind die Berichte darüber
in der historisch-kritischen Exegese sehr umstritten[24], zum andern
führen sie in Wirklichkeit nicht zum Sohnesprädikat im Sinn der nach-
österlichen Christologie, weil nicht auszumachen ist, welche seman-
tische Valeur das Prädikat „Sohn" in der Himmelsstimme hatte. „Mein
Sohn" konnte in Israel in vielfachem Sinn gedeutet werden, auch wenn
die Anrede sich im Mund Gottes fand[25]. Ich glaube formulieren zu

---

[24] Vgl. dazu etwa *F. Lentzen-Deis*, Die Taufe Jesu nach den Synoptikern. Literarkri-
tische und gattungsgeschichtliche Untersuchungen (FThSt 4) (Frankfurt a.M. 1970); *A.
Vögtle*, Die sogenannte Taufperikope Mk 1,9–11. Zur Problematik der Herkunft und
des ursprünglichen Sinnes: EKK (Vorarbeiten 4; (Zürich 1972) 195–139; *J. M. Nützel*,
Die Verklärungserzählung im Markusevangelium. Eine redaktionsgeschichtliche Untersuchung (Würzburg 1973).

[25] Jetzt kann auch hingewiesen werden auf einen Text aus der Höhle 4 von Qumran
(4QpsDan A^a), in dem der Titel „Sohn Gottes" erstmals in einem Qumrantext erscheint
(vgl. dazu *J. A. Fitzmyer*, The Contribution of Qumran Aramaic to the Study of the
New Testament: NTSt 20,1973/74, 382–407 [391–394]). Der Text lautet nach den
Ergänzungen und der Übersetzung von Fitzmyer: „[But your son] shall be great upon
the earth, [O King! All (men) shall] make [peace], and all shall serve [him. He shall be
called the son of] the [G] reat [God], and by his name shall he be named. He shall be
hailed (as) *the Son of God* (ברה די אל), and they shall call him *Son of the Most High*

dürfen, daß die vorösterliche Bedeutungserfahrung der Jünger Jesus von Nazareth gegenüber nicht unmittelbar zum christologischen Sohnesprädikat führen konnte noch gar führen mußte, trotz gewisser, freilich von vielen Exegeten in ihrer „Echtheit" umstrittener Selbstaussagen Jesu (wie das „Sohneslogion" in Mt 11,27 = Lk 10,22)[26], der Hinweis auf den „Sohn" im Gleichnis von den bösen Winzern[27] oder in der bejahenden Antwort Jesu auf die Frage der Synedristen bei seinem Prozeß „Bist du der Sohn Gottes?" (Lk 22,70)[28]. Auch die Erscheinungen des Auferstandenen führten nicht unmittelbar zum „Sohn". Wohl implizierten die Erscheinungen des Auferstandenen eine enorme hermeneutische Funktion, auf die schon oft hingewiesen worden ist[29]. In keiner der alten Formeln heißt es: „Der Sohn Gottes

---

(בר עליון). As comets (flash) to the sight, so shall be their kingdom ..." Vermutlich handelt es sich um einen messianischen Text (vgl. auch Lk 1,32–35).

[26] Vgl. dazu P. Hoffmann, Die Offenbarung des Sohnes: Kairos 12 (1970) 270–288; ders., Studien zur Theologie der Logienquelle (Ntl.Abh.NF, 8) (Münster 1971) 102–141 (Lit.). M. E. ist es bis jetzt trotz allen Aufwands an Gelehrsamkeit nicht gelungen, das „Sohneslogion" als nachösterliches Gemeindeprodukt zu erweisen. Denn nachösterlich müßte es so lauten: „Alles ist mir von meinem Vater übergeben (vgl. dazu Mt 28,18) und niemand kennt den Vater außer der Sohn (vgl. dazu Joh 1,18), und niemand kennt den Sohn außer der Vater und wem es der Vater offenbaren will" (vgl. dazu Mt 16,16f; Gal 1,15f). Vgl. auch J. Jeremias, ABBA. Studien zur ntl. Theologie und Zeitgeschichte (Göttingen 1966) 47–54; ders., Ntl. Theologie. I: Die Verkündigung Jesu (Gütersloh 1971) 62–67. Zum Begriff ἐπιγινώσκειν im „Sohneslogion" vgl. S. Wagner, ידע in den Lobliedern von Qumran: Bibel und Qumran (Berlin 1968) 232–252 (bes. 239f; 250f). Zur Kriterienfrage hinsichtlich „Echtheit" bzw. „Unechtheit" einer Jesusüberlieferung vgl. F. Mußner (und Mitarbeiter), Methodologie der Frage nach dem historischen Jesus: K. Kertelge (Hrsg.), Rückfrage nach Jesus (QD 63) (Freiburg i. Br. 1974) 118–147.

[27] Vgl. dazu F. Mußner, Die bösen Winzer nach Matthäus 21,33–46: Antijudaismus im Neuen Testament? (München 1967) 129–134; J. Blank, Die Sendung des Sohnes. Zur christologischen Bedeutung des Gleichnisses von den bösen Winzern Mk 12,1–12: J. Gnilka (Hrsg.), Neues Testament und Kirche (für R. Schnackenburg zum 60. Geburtstag) (Freiburg i. Br. 1974) 11–41 (Lit.). In Blanks Aufsatz finden sich auch bedeutsame Hinweise über den Zusammenhang von Propheten- und Sohneschristologie.

[28] Vgl. G. Schneider, Verleugnung, Verspottung und Verhör Jesu nach Lk 22,54–71. Studien zur lukanischen Darstellung der Passion (Studien zum A und NT, 22) (München 1969) 122–129 (dazu F. Mußner in: BZ, NF 17 [1973] 270–272). – Selbstverständlich hat die Urkirche alsbald den Begriff „Sohn" in den oben angeführten Überlieferungen im Sinn der wesenhaften Gottessohnschaft Jesu verstanden.

[29] Vgl. F. Mußner, Die Auferstehung Jesu (München 1969) 140–154; K. Lehmann, Die Erscheinungen des Herrn. Thesen zur hermeneutisch-theologischen Struktur der Ostererzählungen: H. Feld/J. Nolte (Hrsg.), Wort Gottes in der Zeit (Festschrift für K. H. Schelkle) (Düsseldorf 1973) 361–377; J. Ernst, Schriftauslegung und Auferstehungsglaube bei Lukas: ders. (Hrsg.), Schriftauslegung. Beiträge zur Hermeneutik des NT und im NT (München 1972) 177–192.

ist auferstanden" oder: „Gott hat ihn von den Toten erweckt und damit als seinen Sohn ausgewiesen." Auch in dem wohl vorpaulinischen christologischen Exposé in Röm 1,3 f mit seiner „Zweistufenchristologie" verweist die Formulierung der 2. Stufe τοῦ ὁρισθέντος υἱοῦ θεοῦ ἐν δυνάμει κατὰ πνεῦμα ἁγιωσύνης ἐξ ἀναστάσεως νεκρῶν zunächst nur auf eine Adoptionschristologie, auch wenn Paulus selbst durch das als „Eröffnungstext" vorangestellte περὶ τοῦ υἱοῦ αὐτοῦ eine „isotope Ebene" schafft, von der aus gesehen dann das zweite Glied der Formel sekundär als Aussage auf die wesenhafte Gottessohnschaft des Auferweckten interpretiert wird[30]. Dennoch muß gesagt werden, daß die Erscheinungen des Auferstandenen nicht bloß die Bedeutungserfahrung der Jünger enorm angereichert haben, sondern die christologische Reflexion so vorantrieben, daß es alsbald zu Versprachlichungsprozessen kam, wobei auf vorhandene „Sprachmodelle" zurückgegriffen werden konnte.

4. Sprachmodelle zur nachösterlichen Deutung der Jüngererfahrung mit Jesus

Ostern trieb zweifellos die christologische Reflexion der Jünger voran. Aber sie trieb nicht sofort auf einen christologischen Einheitsgrund hin mit einem einzigen Sprachmodell. Es stellten sich für die Reflexion auch nach Ostern mehrere vorgegebene Sprachmodelle ein. Ich nenne die wichtigsten: „Messias" („Sohn Davids"), „Prophet", „Knecht Gottes", „Gerechter", „Herr", „Menschensohn" (von Jesus selbst schon verwendet), „Weisheit Gottes", „Sohn Gottes". Alle diese Sprachmodelle stammen bekanntlich aus der alttestamentlich-jüdischen Überlieferung. Dazu kamen noch weitere Sprachmodelle, ebenfalls aus der Schrift des Alten Testaments, wie jene, die Aussagen enthielten über „Erhöhung", „Inthronisation" (in christologischer Auslegung des Ps 110,1), Sohnesadoption (im Anschluß an die Nathanverheißung 2 Sam 7,12 ff und Ps 2,7)[31], „Leiden des Gerechten"

---

[30] Vgl. zu Röm 1,3f zuletzt *H. Schlier*, Zu Röm 1,3: Neues Testament und Geschichte (O. Cullmann zum 70. Geburtstag) (Zürich – Tübingen 1972) 207–218; *M. Hengel*, Der Sohn Gottes (s. Anm. 1) 93–104.
[31] Auf die noch nicht monographisch dargestellte enorme Wirkungsgeschichte des „Nathanspruches" im Neuen Testament hat besonders hingewiesen *O. Betz*, Was wissen wir von Jesus? (Stuttgart/Berlin 1965) 59–62; 64–68.

(Leidenspsalmen!) usw. Dazu kam auch noch das Denkschema: Verheißung – Erfüllung. Alle diese Sprach- und Denkmodelle stellten sich
in der Reflexion ein und boten sich für die Versprachlichung an – und
„Christologie" ist ja nichts anderes als Versprachlichung Jesu![32] Sie
begegnen im NT in großer Zahl, und auf diesem Befund beruht ja die
These von den verschiedenen christologischen „Entwürfen" im NT
und (damit zusammenhängend) vom christologischen „Pluralismus"
im NT, auf den wir noch zu sprechen kommen werden.

Welche Hilfe konnten die diversen Sprachmodelle für die Gnosis
des „Jesusphänomens" leisten? Warum griff man überhaupt auf sie
zurück? Sicher könnte man zunächst antworten: um ein heilsge-
schichtliches Kontinuum, jedenfalls im sprachlichen Bereich, herzu-
stellen. Das war schon nichts Geringes. Mehr jedoch scheint man auf
diese vorliegenden Sprachmodelle deswegen zurückgegriffen zu haben, weil sie „irgendwie" – wie ich bewußt zunächst sage – geeignet
waren, die mit Jesus gemachten Erfahrungen sprachlich zu artikulieren. Man wollte die gemachten Erfahrungen aus dem Bereich vager
Reflexion herausholen und in festen Formulierungen, wie Würdetiteln,

---

[32] Deshalb muß die Frage nach der Entstehung der neutestamentlichen Christologie
einer kommunikationstheoretischen Analyse unterzogen werden, um die Primärfakto-
ren in der Produktion christologischer „Texte" zu erhellen. Der eigentliche „Primärfak-
tor" ist naturgemäß dabei Jesus selbst. Als homo loquens (J. Habermas) steht er im
gesellschaftlichen Gefüge Israels und des Jüngerkreises. Nicht erst Ostern brachte Jesus
zum „Sprechen", sondern er befand sich zuvor schon in einem dialogischen Kommuni-
kationsfeld, und „Christologie" ist auch ein Echo auf die primären Sprechakte Jesu
selbst, und zwar nicht bloß auf das „Daß", das nackte Existieren des Sprechers, sondern
auch auf das „Was", den Inhalt seiner Sprechakte. Aus dem „Daß" und dem „Was"
zusammen bildete sich die „Bedeutungserfahrung" mit Jesus von Nazareth, die in der
nachösterlichen Reflexion die „objektivierte" Christologie aus sich entließ. Diese ver-
sprachlichende Reflexion nach Ostern darf aber nicht verwechselt werden mit der
Genese primärer Sprechakte über Jesus als Folge der auch im vorösterlichen Raum bereits christologisch sich einfärbenden Erfahrungen seiner Augen- und Ohrenzeugen.
Jedenfalls muß das „Selbstreferat" Jesu als das „Erstreferat" neutestamentlicher Christologie verstanden werden; Jesus selbst lieferte die „Initialsprache" für die spätere
Christologie. Weil also die neutestamentliche Christologie die Bedeutungserfahrung der
Primärzeugen mit dem Primärsprecher in „objektivierte" Sprache umsetzt, wie sie in
den nachösterlichen Würdeprädikaten für Jesus und den Sätzen der Christologie vorliegt, darum ist Christologie im Grunde nichts anderes als *Versprachlichung Jesu*. – Ich
folge in dieser Anm. dankbar Anregungen und Formulierungen aus einem Referat meines Schülers *P.-G. Müller*, das er in einem von mir veranstalteten Hauptseminar im
WS 1973/74 über die ntl. Sohngotteschristologie gehalten hat. Vgl. auch noch *F. Mußner*,
Christologische Homologese und evangelische Vita Jesu: *B. Welte* (Hrsg.), Zur Frühgeschichte der Christologie (QD 51) (Freiburg i. Br. 1970) 59–73.

fixieren und als feste Verkündigungssätze weitergeben. Das ist das Berechtigte an der Formulierung: „Jesus ist in das Kerygma auferstanden." Das „Jesusphänomen" wurde „satzhaft". Und ohne die Ostererfahrung hätte dieser Versprachlichungsprozeß vermutlich nicht eingesetzt. Gerade darin liegt die hermeneutische Bedeutung von Ostern.

Wir fragen nun weiter: Welche Erfahrungen, die man mit Jesus gemacht hatte, gingen in die christologischen Würdenamen und Sätze ein? Und warum versprachlichte und verobjektivierte sich die Reflexion über die gemachten Erfahrungen nicht bloß in einem einzigen Titel oder einem einzigen Satz? Antwort: weil auch die „Bedeutungserfahrung" mit Jesus keine einzige und einlinige war. Man hatte mit Jesus von Nazareth eine Fülle von Erfahrungen gemacht, und jeweils ein Teilaspekt aus dieser Fülle verobjektivierte sich in der versprachlichenden Reflexion in einem bestimmten Würdenamen oder Satz[33], so z. B. die von den Jüngern aus dem Mund Jesu gehörte Ansage der Nähe der Gottesherrschaft im Messiastitel, weil „Reich Gottes" und „Messias" zusammengehörige Dinge sind; die Nachfolge-Erfahrung im ἀρχηγός-Titel usw.

Im Zusammenhang dieses Referats gehe ich jetzt nur näher auf den Titel „Prophet" bzw. „der Prophet" für Jesus von Nazareth ein, weil das für unser Thema von besonderer Bedeutung ist. In der Bemerkung der „Emmausjünger" über Jesus, ὃς ἐγένετο ἀνὴρ προφήτης δυνατὸς ἐν ἔργῳ καὶ λόγῳ ἐναντίον τοῦ θεοῦ καὶ παντὸς τοῦ λαοῦ (Lk 24,19), versprachlichte sich zweifellos ein Haupteindruck, den Jesus vor Ostern auf Jünger und Volk gemacht hat. Sein Wirken erinnerte Israel und die Jünger in vielfacher Hinsicht an das Wirken der Propheten. Das ganze Material der indirekten und direkten „Prophetenchristologie" hat mein Schüler F. Schnider in seiner Dissertation „Jesus, der Prophet" vorgelegt und formgeschichtlich analysiert[34]. Ich war selber erstaunt, wie umfangreich das ntl. Material der „Prophetenchristologie" ist. Fast alle Performanzen Jesu können unter „Prophetenchristologie" subsumiert werden – wir erinnern uns dabei auch wieder an den

---

[33] Vgl. dazu auch W. *Marxsen*, Anfangsprobleme der Christologie (Gütersloh [6]1969).
[34] Freiburg i. d. Schw./Göttingen 1973 (= Orbis Biblicus et Orientalis 2). Dazu jetzt noch E. *Boismard*, Jésus, le Prophète par excellence, d'après Jean 10,24–39: J. *Gnilka* (Hrsg.), Neues Testament und Kirche (Festschrift für R. Schnackenburg) (Freiburg i. Br. 1974) 160–171; J. *Coppens*, Le Messianisme et sa Relève prophétique. Les anticipations vétérotestamentaires. Leur accomplissement en Jésus (Gembloux 1974).

Eindruck des Volkes, Jesus sei der Elias redivivus, der wiedererstandene Täufer oder einer der Propheten. In die prophetische Tradition hinein gehören, um das Wichtigste zu nennen, die Berufung Jesu, sein Sendungsbewußtsein, seine Tora- und Kultkritik[35], seine Nachfolgeweisungen, seine Unheilsansagen (Drohworte und Weherufe), seine Zeichenhandlungen und Wundertaten, seine Geistbegabung, und schließlich sein gewaltsames Todesgeschick[36]. Gewiß gibt es da auch „Überschüsse" über die Analogie mit den atl. Propheten hinaus, etwa im Hinblick auf die Nachfolgeweisungen[37]. Darum ist es zu verstehen, daß am Anfang, besonders im palästina-judenchristlichen Bereich der Urkirche, die Prophetenchristologie das Feld weithin beherrscht hat. Ist sie später durch die Sohneschristologie verdrängt worden? Etwa unter dem Einfluß des Hellenismus, als die christliche Mission die Grenzen des Heiligen Landes überschritt, und in Abwehr sich evtl. früh zeigender Tendenzen im Judenchristentum, in Jesus nichts anderes als *nur* einen Propheten zu sehen (s. Pseudoklementinen)?[38] Oder gab es die Möglichkeit einer organischen Transposition der Prophetenchristologie in die Sohneschristologie? O. Cullmann meint, daß die Darstellung Jesu als „des Propheten" im NT nur als Volksmeinung angeführt sei, die vielleicht „besonders in Galiläa verbreitet gewesen ist"[39]. F. Hahn sieht zwar, „daß Person und Wirken Jesu in einem frühen Stadium der Überlieferung ebenfalls mit Hilfe dieser Vorstellung [nämlich vom eschatologischen Propheten] beschrieben worden ist", doch sei dies „von späteren christologischen Aussagen verwischt und überdeckt worden", freilich lassen sich „noch Eigentümlichkeiten dieser altertümlichen Christologie erkennen"[40]. Dieser Meinung war ich selber lange Zeit, bis mir das Buch von U. Mauser „Gottesbild und Menschwerdung"[41] in die Hände kam. Dieses Werk half mir, nicht

---

[35] Zum Verhältnis der atl. Propheten zum Gesetz vgl. W. *Zimmerli*, Das Gesetz und die Propheten. Zum Verständnis des AT (Göttingen 1963).
[36] Vgl. zum letzteren O. H. *Steck*, Israel und das gewaltsame Geschick der Propheten (Neukirchen 1967).
[37] Vgl. M. *Hengel*, Nachfolge und Charisma (Berlin 1968) 96–98.
[38] Vgl. dazu *Schnider*, a. a. O. 241–255; H. J. *Schoeps*, Theologie und Geschichte des Judenchristentums (Tübingen 1949) 71–118.
[39] Christologie des Neuen Testaments (Tübingen ⁴1966) 34f.
[40] Christologische Hoheitstitel (Göttingen ³1966) 351.
[41] Eine Untersuchung zur Einheit des Alten und des Neuen Testaments (Tübingen 1971).

bloß die „Prophetenchristologie" in einem neuen Licht zu sehen, sondern sie auch als die entscheidende Vorstufe der „Sohneschristologie"
zu erkennen und die letztere überhaupt erst nicht bloß in ihrem
Ursprung, sondern auch in ihrem Aussagesinn zu begreifen. Es muß
ja jedem beim Studium der Evangelien auffallen, daß die alte Prophetenchristologie aus der Anfangszeit der Urkirche von der evangelischen Redaktion keineswegs unterdrückt worden ist. Die Evangelien
sind ja unsere Hauptquelle für ihre Kenntnis. Daraus entsteht aber die
Frage: Warum haben die Evangelisten dieselbe nicht unterdrückt, sondern mit der Sohneschristologie verbunden, freilich so, daß die letztere
die erstere umfaßt und in dieser Umfassung interpretiert und überbie-
tet auf ein Höheres hin? Bevor wir uns mit dieser Interpretation und
Überbietung befassen, seien zunächst die Untersuchungsergebnisse U.
Mausers vorgelegt.

5. Die Ergebnisse U. Mausers

Mauser geht aus von einem Aufsatz des Alttestamentlers W. Zimmerli
„Verheißung und Erfüllung"[42], in dem Zimmerli einen doppelten Tatbestand festgestellt hat (ich formuliere nach Mauser): „Einmal kann
nachgewiesen werden, daß scheinbare Erfüllungen einer konkreten
Verheißung im Alten Testament selbst der Finalität beraubt und ihrerseits von neuem zur Basis für eine über die anscheinend schon erreichte
Erfüllung weit hinausgehende neue Verheißung werden"; zum andern,
„daß sich das Erwarten Israels im Grunde überall nicht auf dies oder
jenes hinwendet, sondern auf das Kommen Gottes selbst"[43]. Zimmerli
zitiert das Wort des Propheten Amos (4,12): „Bereite dich, deinem
Gott zu begegnen, Israel!"; er sagt, „daß die Mitte alles Verheißenen
der kommende Herr selber ist"[44], *also eine Person*. Mauser bringt diese
Verheißung dann schon vorläufig in einen Zusammenhang mit ihrer
Erfüllung in Jesus Christus: „Das Kommen Gottes im Neuen Testament ist ja konkret sein Kommen in die *Geschichte eines Menschen*,
und das ist das Einmalige der neutestamentlichen Botschaft, daß Gott

---

[42] EvTh 12 (1952/53) 34–59, wieder abgedruckt: *C. Westermann*, (Hrsg.), Probleme
atl. Hermeneutik (München 1960) 69–101 (wir zitieren hiernach).
[43] *Mauser*, Gottesbild, 4 f.
[44] A. a. O. 90.

in einer *Menschengeschichte* sein ganzes Werk tut."[45] Von da her stellt
dann Mauser die Frage: „Ist es möglich, ja vom Wesen alttestamentlicher Verheißung aus gefordert, das Erwarten des Kommens Gottes
als Mensch im Alten Testament bezeugt zu finden?"[46] Während für
Bultmann jenes Menschenleben, das mit dem Namen „Jesus von
Nazareth" verbunden ist, nur insofern Bedeutung besitzt, „als es Voraussetzung zum Kommen des Kerygmas ist" (Mauser)[47], kommt es
Mauser darauf an, das eschatologische, von den Propheten angesagte
Kommen Jahwes gerade *in der Menschengeschichte Jesu*, in seinem
vorösterlichen Leben bis hin zu seinem gewaltsamen Tod und seiner
Auferweckung zu sehen. „Die Menschengeschichte Jesu Christi ist,
als Grund des christlichen Kerygmas, das Wort Gottes. Diese Menschengeschichte erweist sich also als der Konvergenzpunkt von Frage-
richtungen, die sich vom Alten wie vom Neuen Testament her stellen."
Dabei fragt es sich, „ob es nicht möglich wäre, von diesem Konvergenzpunkt aus das Problem des Verhältnisses zwischen Altem und
Neuem Testament neu zu durchdenken. In Richtung auf das Alte
Testament stellt sich die Frage in dieser Form: Wenn das Alte Testament als Verheißung verstanden werden soll, die das Kommen Gottes
konkret als sein Kommen in Gestalt einer menschlichen Geschichte
erwartet, so muß darnach gefragt werden, ob das Gottesbild des Alten
Testaments Züge aufweist, die die Neigung Gottes zur Menschwerdung bezeugen. Dem müßte gleichzeitig ein Menschenbild entspre-
chen, das menschliches Leben dazu bestimmt erweist, sich als Menschengeschichte gewordenes Wort Gottes zu vollenden. Vom Neuen
Testament aus gesehen ist aber zu fragen, ob die Geschichte, die die
christliche Theologie Jahrhundertelang als die Menschwerdung Gottes
beschrieb, als eine echte menschliche Geschichte so verstanden werden
kann, daß sie Grundstrukturen des alttestamentlichen Gottes- und
Menschenbildes entspricht."[48]

Um sein Programm für den Leser zu verdeutlichen, verweist Mauser
auf die sogenannten Anthropomorphismen des Alten Testaments, die
für ihn „Anzeigen eines Gottes" sind, „der dem Menschlichen nicht
fremd ist, sondern in Teilnahme an der Geschichte des Menschen sich

---

[45] Ebd. 7.
[46] Ebd. 8.
[47] Ebd. 15.
[48] Ebd. 16f.

Menschliches zugesellt. Dem entspricht gleichzeitig das Menschenbild des Alten Testaments, das... in bestimmten Sinne theomorph ist", eben weil nach der Schöpfungsgeschichte der Mensch „Abbild und Gleichnis" Gottes ist. Unter Anspielung auf eine Formulierung des Christushymnus im Philipperbrief sagt Mauser: „Der alttestamentliche Gott ἐν μορφῇ ἀνθρώπου ist die Ankündigung des Deus incarnatus. Und der Mensch des Alten Testaments, der in gewissem Sinn sein Leben ἐν μορφῇ θεοῦ erfährt, ist der Bote des Menschen Jesus, dem das christliche Bekenntnis vere Deus entspricht."[49] Damit hat Mauser sich sein Thema gestellt. Er führt es in dem Teil seines Buches, der dem Alten Testament gewidmet ist, in einem dreifachen Schritt so durch, daß er zunächst noch weiter den theologischen Sinn der „Anthropomorphismen" herausarbeitet, dann das Geschick der Propheten Hosea und Jeremia anhand ihrer Texte so interpretiert, daß in deren Geschick das Geschick Jahwes selbst im leidvollen und schmerzerfüllten Gespräch mit seinem Volk Israel sichtbar wird und die Propheten des Alten Bundes nicht bloß als Kritiker des Bestehenden in Israel und als Ansager von Heil und Unheil, sondern als *repraesentatio* Jahwes erkennbar werden. „Der Gott Israels ist ein Gott voll von Pathos, und Prophetie ist inspirierte Kommunikation des göttlichen Pathos an das Bewußtsein des Propheten", so formuliert Mauser im Anschluß an das Buch des jüdischen Forschers Abraham J. Heschel „Die Prophetie" (erschienen 1936, erweiterte amerikanische Fassung „The Prophets", 1962)[50].

Zu den Anthropomorphismen bemerkt Mauser: „Die Anthropomorphismen Jahwes stehen in einem Korrespondenzverhältnis zu der Erschaffung des Menschen im Bilde Gottes und erklären sich gegenseitig."[51] Mauser zitiert J. Hempel: „Bild Gottes sein heißt für den Menschen... Gottes Wesir sein."[52] Die alttestamentlichen Anthropomorphismen waren „nicht nur keine zeitlich bedingte Naivität...", sondern enthalten „umgekehrt bewußte Theologie" (Mauser)[53]. Mauser verweist dann auf das Buch des Alttestamentlers H. Wheeler Robinson, „The Cross of Hosea" (1949), in dem R. den Propheten

---

[49] Ebd. 17.
[50] Ebd. 41.
[51] Ebd. 38.
[52] Das Ethos des Alten Testaments (Berlin ²1964) 201.
[53] A.a.O. 39.

Hosea, besonders im Hinblick auf die ersten drei Kapitel über die Ehe des Propheten, „auf eine Weise auslegt, die dem Problem des Anthropomorphismus eine ganz neue Dimension öffnet"[54]. Die Geschichte der Ehe des Propheten dient „als menschliche Illustration einer göttlichen Wahrheit". „Das hat zuerst einmal für den Begriff der Offenbarung seine Bedeutung. Solange Offenbarung als Mitteilung von Wahrheit angesehen wird, bleibt der Offenbarungsvorgang mechanisch gedacht: Der die Offenbarung empfangende Mensch ist lediglich ein Schreiber, der ein Diktat niederschreibt. Das Buch Hosea erlaubt aber das Urteil, daß eine solch mechanische Vorstellung dem wirklichen Vorgang der Offenbarung nicht entspricht. Denn in Hosea – Mauser zitiert nun Robinson wörtlich – ‚we see that the revelation is made in and through a human experience, in which experience the thruth to be revealed is first created' und daraus folgt ‚that human experience is capable of representing the divine... revelation is made through the unity of fellowship between God and man and is born of their intercourse'. Das heißt nicht weniger, als daß Offenbarung schon im Alten Testament der Inkarnation insofern wesensverwandt ist, als der Offenbarungsmittler [der Prophet] mit seiner eigenen Existenz an der Offenbarung Anteil hat, ja daß sein Leben der Ort ist, an dem Offenbarung entsteht und das Mittel, wodurch sie sich mitteilt."[55] Für die Anthropomorphismenfrage folgt daraus, daß die alttestamentlichen Anthropomorphismen keineswegs „bloße Akkomodationen an menschliche Schwachheit ohne ausdrucksvolle Bilder für die Wahrheit eines lebendigen Gottes sind"; vielmehr spricht sich Gottes Sorge und Liebe nicht bloß in menschlicher Rede aus, sondern in der Lebenserfahrung, und im Geschick des Propheten *spiegelt sich repräsentativ* die Liebe und Sorge Gottes. Die Liebe und Sorge des Hosea sind „nicht nur Symbole eines göttlichen Verhaltens zur Welt, sondern reale Entsprechungen zu einer ebenfalls ganz realen Liebe und Sorge Gottes. Ist aber allen Ernstes von realer Liebe und Sorge in Gott zu reden, so kann offensichtlich das Dogma von der Leidensunfähigkeit Gottes nicht gehalten werden"[56] (was heute ja auch schon katholische Dogmatiker sagen)[57].

---

[54] Ebd. 39.   [55] Ebd. 40.   [56] Ebd.

[57] Vgl. etwa *W. Kasper: A. Schilson – W. Kasper*, Christologie im Präsens. Kritische Sichtung neuer Entwürfe (Freiburg i. Br. 1974) 141; *H. Küng*, Menschwerdung Gottes. Eine Einführung in Hegels theologisches Denken als Prolegomena zu einer künftigen Christologie (Freiburg i. Br. 1970) 622–631.

„Anthropomorphismus" in diesem Sinn ist darum „die Ankündigung von Gottes Menschwerdung"[58]... und der Prophet „ist der Mensch, der das Pathos Gottes nicht nur kennt, so daß er es mitteilen kann, sondern es in und an sich erfährt, so daß er von ihm in seiner Existenz affiziert wird"[59]. Das eigentliche Geheimnis der Prophetie darf dann so formuliert werden: es ist „Sym-pathie mit dem göttlichen Pathos"[60]. „Gibt es [aber] ein Pathos Gottes, so gibt es auch, aus ihm fließend und von ihm hervorgerufen, ein Pathos des Propheten, das sich zum Pathos Gottes wie ein Spiegel verhält. Der Prophet ist darum keineswegs nur der Künder von Gottes Entscheidung und Weisung; er ist zugleich und zuerst eine Darstellung von Gottes eigenem Zustand in der Geschichte mit seiner Welt."[61] Dazu kommt, daß der Prophet sich von seinen Zeitgenossen dadurch unterscheidet, „daß er weiß, welche Zeit es ist und die Zeit ansagt als Gotteszeit"[62]. Das „Herzstück" der prophetischen Existenz „ist die Teilnahme an der Beziehung Gottes zu seinen Menschen in der Geschichte, die durch die konkrete Stunde Gottes bestimmt ist"[63]. Gott wird im Propheten „menschenförmig", er erscheint in ihm ἐν μορφῇ ἀνθρώπου, was natürlich nicht heißt, daß die göttliche Natur sich mit der menschlichen „vermischen" oder Gott im Propheten „aufgehen" würde.

Damit hat uns Mauser einen wichtigen Weg gewiesen. Er selber führt seine Thesen dann noch weiter an den Prophetengestalten Hosea und Jeremia aus. Hosea „kann zeichenhaft handeln, weil er selbst zuvor schon zum Zeichen Gottes geworden ist"[64]. „Der Auftrag Jahwes macht den Propheten nicht nur zum Boten, der Gehörtes weitersagt. Vielmehr schafft sich das Gotteswort ein menschliches Leben, das in menschlicher Weise die Geschichte Gottes teilt."[65] Die anthropomorphe Sprache des Alten Testaments „will einen Gott erschließen, der sich des Menschlichen so annimmt, daß er selbst von einem konkreten Menschen vertreten werden kann"[66]. Der Prophet „nimmt die Stelle ein, die Gott in seiner Geschichte mit dem Volk einnimmt und er teilt das Geschick Gottes, das Jahwe zu der konkreten Zeit seiner Zuwendung erfährt. Er ist deshalb nicht nur Sprecher Gottes, sondern Stellvertreter und Gleichnis Jahwes."[67] Auf diese Weise wird „die

---

[58] A.a.O. 41.   [59] Ebd. 42.   [60] Ebd.   [61] Ebd. 43.
[62] Ebd. 42.   [63] Ebd.   [64] Ebd. 74.
[65] Ebd. 76.   [66] Ebd.   [67] Ebd. 115 f.

Menschwerdung Gottes in den Dokumenten des Glaubens Israels vorbereitet"[68].

Das Neue Testament liegt ganz auf dieser Linie. Denn es beschreibt „im Wirken Jesu von Nazareth, in seinem Wort wie in seinem Werk, das Wirken Gottes..."[69] Das Neue Testament identifiziert geradezu „das Ereignis eines Menschenlebens mit Wort und Tat Gottes... Es hat dadurch von Gott noch viel breiter und nachdrücklicher in Form menschlicher Sprache und Aktion, menschlichen Willens und Entschließens geredet, als das je im Alten Testament geschehen ist. Die Anthropomorphie Gottes im Alten Testament wird im Neuen Testament so auf die Spitze getrieben, daß man das Neue Testament nur als ihren unüberbietbaren Kulminationspunkt begreifen kann."[70]

Mauser hebt aber am Schluß seines Buches mit Recht hervor, daß die Stellvertretung Gottes durch den Propheten im Alten Testament „nirgends die Spitze erreicht" hat, „daß man berechtigt wäre, von einer Identität der Tat Gottes mit dem Ereignis eines menschlichen Lebens zu reden". Es handelt „sich stets um eine fragmentarische Stellvertretung"[71]. „Gerade diese Grenze ist aber im Neuen Testament beseitigt."[72] Es ist nun nicht bloß so, daß Gott nur nach paulinischer Christologie „entscheidend, umfassend und in Ewigkeit verbindlich in der Geschichte des Menschen Jesus Christus handelt" und hier das „Heilsgeschehen... in seiner inneren Struktur vollkommen bestimmt

---

[68] Ebd. 116.

[69] Ebd. 117.

[70] Ebd. In diesem Zusammenhang sei auch hingewiesen auf das viel zu wenig beachtete Buch von P. *Kuhn*, Gottes Selbsterniedrigung in der Theologie der Rabbinen (Stud. zum A und NT, 17) (München 1968). K. zeigt anhand eines reichen Textmaterials, welche Rolle die Idee vom „Pathos" Gottes im rabbinischen Denken gespielt hat; er gliedert die vorgelegten Texte folgendermaßen: 1. Gott verzichtet auf seine Ehre; 2. Gott als Diener der Menschen; 3. Gottes Selbsthingabe an die Menschen; 4. Gottes Herabsteigen vom Himmel auf die Erde; 5. Gottes Selbstbeschränkung auf einen Raum in der Welt. Es handelt sich hier um eine rabbinische „praeparatio evangelica" ohnegleichen. Vgl. auch *Kuhns* (noch unveröffentlichte theol.) Dissertation „Gottes Trauer und Klage in der rabbinischen Überlieferung" (Regensburg 1974), ferner K. *Kitamori*, Theologie des Schmerzes Gottes (deutsch [Göttingen 1972] 32: „Der Schmerz Gottes ist der tiefste Hintergrund des geschichtlichen Jesus. Ohne diesen Hintergrund haben alle Lehren über Jesus keine Tiefe"; Zitat bei H. *Schürmann*, Jesu ureigener Tod. Exegetische Besinnungen und Ausblick [Freiburg i. Br. 1975] 144); M. *Ginsberger*, Die Anthropomorphismen in den Thargumim: Jahrbücher f. prot. Theol. 17 (1891) 262–280; 430 bis 458.

[71] A. a. O. 186.   [72] Ebd.

(ist) durch die in ihm gegebene Einheit von Gottestat und Menschengeschichte"[73] – Mauser verifiziert nämlich seine Thesen am Beispiel der paulinischen Theologie und seltsamerweise nicht an den Evangelien selbst, obwohl das evangelische Jesusmaterial dazu geradezu auffordern würde. Damit kommen wir wieder zur Frage nach dem Ursprung der ntl. Sohneschristologie zurück.

6. Von der Prophetenchristologie zur Sohneschristologie

Wer dem bisher Ausgeführten zustimmen kann, wird nun auch meiner *These* zustimmen: Die sogenannte Prophetenchristologie der Evangelien ist im Neuen Testament kein christologischer „Nebenkrater", der alsbald verdrängt wurde, sondern sie führte *von ihrem Wesen her* in der weiteren christologischen Reflexion der Urkirche konsequent zur Sohneschristologie. Was hatte der Jüngerkreis in seinem Sehakt letztlich an Jesus von Nazareth erfahren? Ich möchte jetzt antworten: *Eine bis zur Deckungsgleichheit gehende Aktionseinheit Jesu mit Jahwe.* Um diese Erfahrung in der nachösterlichen Reflexion sprachlich zu artikulieren, stellte sich das Sohnesprädikat allmählich wie von selbst ein. Denn die „Deckungsgleichheit" zwischen Jesus und Jahwe impliziert nicht bloß totale Aktionseinheit im Handeln, Sprechen und Denken, sondern (als Grund für sie) eine vorgegebene Einheit auch im Sein. Agere sequitur esse! Vergleicht man in der synoptischen Überlieferung das Material für eine Messiaschristologie mit jenem für eine Prophetenchristologie, so hat das letztere bei weitem das Übergewicht, wie die Arbeit von F. Schnider zeigt[74]. Wie ich schon weiter oben betonte, konnten fast alle Performanzen Jesu unter „Prophetenchristologie" subsumiert werden. „Ein großer Prophet ist unter uns erweckt worden, und Gott hat sein Volk heimgesucht" (Lk 7,16); „ein Prophet mächtig in Wort und Tat" (24,19): das sind die Eindrücke, die man von Jesus hatte. Selbst im Johannesevangelium mit seiner durchreflektierten Sohneschristologie spielt das christologische Propheten-Modell

---

[73] Ebd. 187.
[74] Dies ist auch das Ergebnis der in Anm. 34 genannten Arbeit von *Coppens,* Le Messianisme et sa Relève prophétique. C. spricht geradezu von einer „Ablösung" des „königlichen Messianismus" durch die Prophetenchristologie.

noch eine große Rolle[75] (vgl. Joh 4,19; 9,17; 1,21.25; 6,14; 7,40.52; 8,52f). Handelte es sich bei den alttestamentlichen Propheten stets nur um eine „fragmentarische Stellvertretung", wie Mauser betont, so bei Jesus um die totale[76]. Die prophetische Aktionseinheit geht also bei Jesus bis zur Deckungsgleichheit mit Jahwe. Darin besteht das eschatologische, nicht mehr überbietbare Novum des „Jesusphänomens". In Joh 10,30 wird diese Erfahrung und Einsicht auf die Formel gebracht: ἐγὼ καὶ ὁ πατὴρ ἕν ἐσμεν. Man beachte, daß es nicht heißt: εἷς ἐσμεν, sondern in neutrischer Formulierung: ἕν ἐσμεν. Ich und der Vater sind nicht eine einzige Person, sondern eine totale Aktionseinheit im Sprechen und Handeln. R. Schnackenburg bemerkt dazu[77]: „Die Formulierung ist kräftiger als an den früheren Stellen, wo Jesus von seinem Zusammenwirken mit dem Vater (5,17.19), seiner Übereinstimmung mit dem Vater (vgl. 5,30; 8,16.18), seinem Handeln nach dem Willen und der Weisung des Vaters (6,38; 8,26.28; 10,18) sprach. Dies alles ist inbegriffen…" Der Satz in Joh 10,30 darf zunächst noch nicht trinitarisch verstanden werden, obwohl er naturgemäß in den trinitarischen Auseinandersetzungen eine große Rolle gespielt hat[78]. Es handelt sich bei dem neutrischen ἕν vielmehr um die Deckungsgleichheit zwischen Jesus und dem Vater.

---

[75] Vgl. dazu *Schnider,* Jesus, der Prophet, 191–230; *R. Schnackenburg,* Die Erwartung des „Propheten" nach dem Neuen Testament und den Qumran-Texten: Stud. Ev. (TU 73) (Berlin 1959) 622–639.

[76] Diese zeigt sich etwa (um Beispiele zu nennen) im spontanen Wissen Jesu um Gottes Denkart, das er zuvor schon in seinem konkreten Handeln offenbart (vgl. etwa in Lk 15 den Zusammenhang des Handelns Jesu an „Zöllnern und Sündern" mit seiner in den folgenden Gleichnissen vorgelegten „Theorie"; „Jesu Verhalten erklärt den Willen Gottes mit einer an Jesu Verhalten ablesbaren Parabel" [*E. Fuchs,* Zur Frage nach dem historischen Jesus, Tübingen 1960, 154]); im Lehren Jesu, das in „Vollmacht" geschieht und nicht „nach Art der Schriftgelehrten" (Mk 1,21) und das sich nicht als „Spruch Jahwes" wie bei den Propheten ausgibt, sondern in eigener Machtvollkommenheit geschieht; in der von ihm beanspruchten Vollmacht zur Sündenvergebung (Mk 2,10); in seinem συνεσθίειν „zusammen mit Zöllnern und Sündern" (vgl. dazu *F. Mußner,* „Das Wesen des Christentums ist συνεσθίειν". Ein authentischer Kommentar: Mysterium der Gnade [Festschr. für J. Auer] [Regensburg 1975] noch nicht erschienen); in der „Proexistenz" Jesu (dazu *H. Schürmann,* Jesu ureigener Tod, 143–149). „…Jesus macht Gottes Willen so geltend, wie das ein Mensch tun müßte, wenn er an Gottes Stelle wäre" (*E. Fuchs,* a.a.O.). Natürlich gibt es auch „Differenzen" im Hinblick auf Jesus und Jahwe (etwa in Jesu Nichtwissen der „Stunde" des Endes, vgl. Mk 13,32); diese bringen auf jeden Fall der Personverschiedenheit von Vater und Sohn zur Geltung.

[77] Das Johannesevangelium II (Freiburg i. Br. 1971) 386f.

[78] Vgl. *T. E. Pollard,* The Exegesis of John X. 30 in the Early Trinitarian Controversies, in: NTSt 3 (1956/57) 334–349.

98

In diesen Zusammenhang gehört auch die frühe παῖς-Christologie, wenn diese auch eine verhältnismäßig geringe Rolle gespielt hat[79]. Jesus wird im Neuen Testament fünfmal als παῖς Gottes bezeichnet (Mt 12,18; Apg 3,13.26; 4,27.30). Es ist zwar umstritten, ob der christologische παῖς-Titel aus der Reflexion über den stellvertretenden Sühnetod Jesu hervorgegangen ist oder ob mit ihm Jesus nur als der gehorsame Gerechte hingestellt werden sollte, der den Willen Gottes restlos erfüllt (vgl. auch Mt 3,15). Diese Alternative ist aber im Grunde keine wirklich fundierte. Denn die restlose Erfüllung des Willens Gottes führt Jesus ja schließlich in den Tod „für uns". Für den Zusammenhang unserer Überlegungen zur Prophetenchristologie ist von Bedeutung, daß die παῖς-Christologie selber ein wichtiger Teil der Prophetenchristologie zu sein scheint. Manche Alttestamentler sagen bekanntlich, der Gottesknecht von Jes 53 sei der Prophet selber, der aber, wie Mauser gezeigt hat, das „Pathos" Gottes existentiell und repräsentativ zur Darstellung bringt. So gehört die παῖς-Christologie einerseits direkt in die Prophetenchristologie hinein, zum andern konnte gerade sie ohne weiteres in die Sohnes-Christologie transformiert werden, weil der griechische Term παῖς ja auch die Bedeutung „Sohn" hat.

Es muß also gesagt werden: Die neutestamentliche Sohneschristologie ist nicht *nur* die transformierte Prophetenchristologie, wenn diese auch zur Bedeutungserschließung der ersteren ganz Wesentliches beizutragen vermag. Es bleibt da ein bedeutender Rest. Denn wie die ntl. Sohneschristologie erkennen läßt, kommen in ihr noch Aspekte zur Geltung, die aus der Prophetenchristologie allein nicht erklärbar sind. Da ist einmal die Exklusivität, mit der im Neuen Testament Jesus Christus als der Sohn Gottes deklariert wird; da ist ferner der zur Soh-

---

[79] Vgl. dazu *J. Jeremias,* Παῖς (θεοῦ) im Neuen Testament: *ders.,* ABBA. Studien zur ntl. Theologie und Zeitgeschichte (Göttingen 1966) 191–216; *F. Mußner,* Art. Ebed Jahwe: LThK III, 624f (Literatur); *L. Ruppert,* Jesus als der leidende Gerechte. Der Weg Jesu im Lichte eines alt- und zwischentestamentlichen Motivs (SBS 59) (Stuttgart 1972); *B. Gerhardsson,* Gottessohn als Diener Gottes. Messias, Agape und Himmelsherrschaft nach dem Matthäusevangelium: StTh 27 (1973) 73–106; *K. Berger,* Die königlichen Messiastraditionen des Neuen Testaments: NTSt 20 (1973/74) 40 (Anm. 154: „Jesus qua παῖς bei Lk geht zurück auf die Gleichsetzung des prophetischen παῖς mit dem weisheitlichen υἱός in der Weisheitslit.", und B. meint sogar: „Der παῖς-Titel hat so die Brücke zwischen Prophet und Sohn Gottes geschlagen"); *P. Benoit,* Jésus et le Serviteur de Dieu: *J. Dupont* (Hrsg.), Jésus aux Origines de la Christologie (Gembloux 1974).

neschristologie gehörige Präexistenzgedanke, und da ist schließlich überhaupt die Sohnestitulatur für Jesus von Nazareth[80]. Man hat gerade im Hinblick auf diese Sohnestitulatur auf alttestamentliche (und auch hellenistische) Sprachmodelle verwiesen oder auf das im Alten Orient verbreitete Adoptions- und Inthronisationsmodell oder die „Legitimationsformel". Das braucht hier nicht näher ausgeführt zu werden[81]. Wir stellen die Frage so: Was veranlaßte die urkirchliche Reflexion über das „Jesusphänomen", die hochbedeutsame Prophetenchristologie sehr bald – höchst wahrscheinlich schon in vorpaulinischer Zeit[82] – in die Sohneschristologie zu transformieren? Im Rahmen dieses Referats kann die Antwort auf diese Frage nur in Andeutungen erfolgen. Ich möchte folgende Anlässe nennen:

a) Die vorösterliche Erfahrung des μᾶλλον und μεῖζον und damit des „Offenen" an Jesus, was eine bestimmte „disclosure" bei den Jüngern auslöste[83] und sich an bestimmten Worten und Taten Jesu mani-

---

[80] Wie sich die totale Stellvertretung Gottes durch Jesus konkret in seinem Wirken äußerte, wurde in Anm. 76 an Beispielen dargelegt.

[81] Vgl. dazu etwa *G. Fohrer:* ThWbzNt VIII, 349ff; *W. Schlißke,* Gottessöhne und Gottessohn im Alten Testament (Stuttgart – Berlin – Köln – Mainz 1973); *H. Haag,* Sohn Gottes im Alten Testament: ThQ 154 (1974) 223–231 (mit Literatur); *M. Hengel,* Der Sohn Gottes (s. Anm. 1) 35–39.

[82] Vgl. dazu etwa *M. Hengel,* Christologie und ntl. Chronologie. Zu einer Aporie in der Geschichte des Urchristentums (Festschrift für O. Cullmann) (Zürich – Tübingen 1972) 43–67 (45); *ders.,* Der Sohn Gottes, 103.

[83] Wir führen hier einen Begriff des englischen Sprachtheoretikers *I. T. Ramsey* ein, nämlich „disclosure", den man am besten mit „Erschließung" ins Deutsche übersetzt (vgl. dazu *Wim A. de Pater,* Theologische Sprachlogik [München 1971] 11–49). Eine derartige disclosure-Erfahrung (etwa anläßlich eines bestimmten Wunders oder bestimmten Logions Jesu) löst eine unerwartete Erkenntnis aus (ein „Aha-Erlebnis"), die in der folgenden Reflexion zu einer bestimmten Versprachlichung („Modell") führt, die als Echo auf die ursprüngliche Situation, in der die disclosure passierte, zu verstehen ist. Ein Schaubild soll das Gemeinte verdeutlichen:

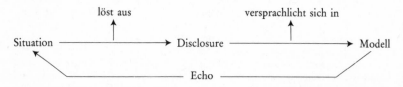

Ramseys Theorie scheint für die Erfassung des christologischen Erkenntnisprozesses hilfreich zu sein. Mit Hilfe des „Endmodells" im Versprachlichungsprozeß „kommunizieren" die Hörer (die Kirche) an der durch die ursprüngliche Disclosure-Situation ausgelösten Primärerfahrung der Jünger. Religiöse Sprache impliziert nach Ramsey immer

festierte, ja Jesus als die eschatologische „disclosure" Gottes erkennen ließ, so daß man „vom Leben Jesu nicht adäquat sprechen kann, ohne von Gott zu sprechen" (Wim A. de Pater)[84], aber auch umgekehrt nicht von Gott sprechen kann, ohne vom Leben Jesu zu sprechen.

b) Die ebenfalls vorösterliche Erfahrung des „Rätselhaften" an Jesus, das die bisher in Israel entwickelten Deutungsschemata sprengte[85].

c) Die nachösterliche Erinnerung an bestimmte „Weisheits"-Logien Jesu[86].

d) Die mit dem zuletzt genannten Punkt zusammenhängende nachösterliche Reflexion über die Jesuserfahrung, die aus dem im Alten Testament vorgegebenen Weisheitsmodell sehr früh eine Weisheitschristologie entwickelte, deren Spuren sich vor allem in der paulinischen und johanneischen Christologie finden[87].

Die Auferweckung Jesu von den Toten dagegen kann man hier nicht nennen, da sie weder unmittelbar zu einer Messiaschristologie und erst recht nicht unmittelbar zu einer Sohneschristologie führte. Sie trieb vielmehr den hermeneutischen Prozeß voran. Sie brachte den „Erfahrungsüberschuß", der sich in der Reflexion der Jünger über das „Jesus-

---

ein „mehr", aber ständig beruhend auf ursprünglicher Erfahrung. Vgl. dazu jetzt auch *Wim A. de Pater*, Erschließungssituationen und religiöse Sprache: Linguistica Biblica, H. 33 (1974) 64–88.

[84] Ebd. 77.

[85] Das „Rätselhafte" an Jesus von Nazareth zeigte sich nicht bloß in bestimmten Logien Jesu, sondern auch in einem bestimmten, ärgerniserregenden Verhalten, so etwa bei seinem öffentlichen Auftreten in Nazareth (Mk 6, 1–6 parr.) oder bei der Behandlung seiner Verwandten (Mk 3, 31–35 parr.), nach Lk 2, 49 auch in der Antwort des zwölfjährigen Jesus auf die Frage seiner Eltern.

[86] Vgl. auch *F. Christ*, Jesus Sophia. Die Sophia-Christologie bei den Synoptikern (AThANT) (Zürich 1970).

[87] Vgl. *E. Schweizer*, Aufnahme und Korrektur jüdischer Sophiatheologie im NT: *ders.*, Neotestamentica (Zürich/Stuttgart 1963) 110–121; *A. Feuillet*, Jésus et la sagesse divine d'après les évangiles synoptiques, in: RB 62 (1955) 161–196; *ders.*, Le Christ, sagesse de Dieu d'après les épîtres pauliniennes (Paris 1966); *U. Wilckens*, Weisheit und Torheit. Eine exegetisch-religionsgeschichtliche Untersuchung zu 1 Kor 1 u. 2 (Tübingen 1959); *M. J. Suggs*, Wisdom, Christology and Law in Matthew's Gospel (Cambridge/Mass. 1970); *K. Berger*, Die königlichen Messiastraditionen des Neuen Testaments: NTSt 20 (1973/74) 1–44 (28–37: „Die Bedeutung weisheitlicher Traditionen über den Sohn Gottes"); *A. van Roon*, The Relation between Christ and the Wisdom of God according to Paul: NT 16 (1974) 207–239; *M. Hengel*, Der Sohn Gottes, 78–81; 116ff. Dazu noch *L. Mack*, Logos und Sophia. Untersuchungen zur Weisheitstheologie im hellenistischen Judentum (Studien zur Umwelt des NT, 10) (Göttingen 1973).

phänomen" eingestellt hatte, zur Geltung, der unter anderen Kategorien und Sprachmodellen nicht untergebracht werden konnte als nur im Sohnesprädikat. Weil aber Ostern eine Tat *Gottes* ist, darum ist der hermeneutische Prozeß, den es auslöste, selbst letztlich eine Wirkung dieser Tat Gottes, beruht auf dem *Offenbarung* implizierenden Handeln Gottes in der Auferweckung Jesu von den Toten. Das ὤφθη des Urcredo von 1 Kor 15,3–5 schließt Offenbarung in sich[88]. Damit leugnen wir nicht, daß Ostern auch seinshafte Folgen für Jesus Christus in sich schloß, deren sich die christologische Reflexion der Urkirche alsbald annahm; aber Ostern führte nicht unmittelbar zum Sohnesprädikat. Nicht Ostern machte Jesus zum Sohn, wenn auch Ostern als „Überschuß" über die Prophetenchristologie hinaus betrachtet werden muß; denn im Osterereignis handelte Gott an dem *toten* Jesus, was er bei den Propheten nicht tat.

Die Weisheitschristologie brachte vor allem den Präexistenzgedanken ein, der sich aber auch mit der Prophetenchristologie, wie sie uns Mauser interpretiert hat, in Zusammenhang bringen läßt: In der Sendung des Propheten west Jahwe selbst an.

W. Thüsing hat versucht, den christologischen Präexistenzgedanken so zu bestimmen[89]: „*Präexistenz bedeutet: Gott ist von vornherein so, daß er Selbstmitteilung in diesem intensivsten Sinn der Jesusoffenbarung wollen kann: Er ist ‚Jahwe' – in dem Sinn, wie dieser Name von der Selbstmitteilung in Jesus her verstanden werden kann.*"[90] Thüsing kommt alles darauf an, den Präexistenzgedanken nicht von einer isolierten Christologie her zu entwickeln, sondern ihn von der christologischen Theo-logie aus anzugehen. Nach Th. ist also der „Sinn des

---

[88] Die Urkirche war sich bewußt, daß das Sohnesgeheimnis Jesu sich letztlich den Glaubenden nur durch eine Offenbarung Gottes erschließt (vgl. Mt 16,17; Gal 1,16). Das dispensierte aber weder die Urkirche noch dispensiert es die Theologie, nach den Anhalten des Sohnesgeheimnisses und Sohnesprädikats beim historischen Jesus zu suchen. Das vorliegende Referat ist ein Versuch dafür.

[89] Vgl. *K. Rahner – W. Thüsing*, Christologie – systematisch und exegetisch (QD 55) (Freiburg i. Br. 1972) 243–253; dazu noch *E. Schweizer*, Zur Herkunft der Präexistenzvorstellung bei Paulus: *ders.*, Neotestamentica (Zürich – Stuttgart 1936) 105–109; *G. Schneider*, Präexistenz Christi. Der Ursprung einer neutestamentlichen Vorstellung und das Problem ihrer Auslegung: *J. Gnilka* (Hrsg.), Neues Testament und Kirche (Festschrift für R. Schnackenburg) (Freiburg i. Br. 1974) 399–412 Lit.); *R. G. Hamerton-Kelly*, Pre-existence, Wisdom and the Son of Man. A study of the Idea of Pre-existence in the New Testament (Cambridge 1973); *M. Hengel*, Der Sohn Gottes, 108 ff.

[90] A. a. O. 249.

Präexistenzbegriffs ... vom biblischen Gottesbegriff her zu erschließen: Gott ist nicht nur der ‚unbewegte Beweger' des Aristoteles, sondern er ist Jahwe – er ist der Gott, der *da* ist und der kommt, der Gott, der auf Selbstmitteilung hin ist und der seine ruᵃḥ (seinen Geist) als Kraft des Sich-selbst-Erschließens bei sich hat". „Sendung des Sohnes" setzt nach Th. „nicht voraus, daß der zu Sendende als solcher vor der Sendung existiert hat, d.h. präexistent im temporalen Sinn gewesen ist"[91]. Th. betont mit Recht, daß die christologische Präexistenzlehre vor allem der Sicherung der *Singularität* des Menschen Jesus als des absoluten und definitiven Heilbringers dienen will. Diese Singularität Jesu aber beruht vor allem darin, daß Gott und sein Heilswille wie nie zuvor im Menschen Jesus von Nazareth manifest wurden. Das heißt, Jesu „Präexistenz" ist unlösbar von seiner „Pro-Existenz" (H. Schürmann)[92]. Das prae impliziert das pro! Und das pro setzt das prae voraus! Denn Jahwe ist der Gott, der da ist „für". Man könnte also sagen: Die christologische Präexistenzlehre über den Menschen und Propheten Jesus von Nazareth verkündigt nichts anderes als das schon immer, „seit Ewigkeit" vorhandene *Da-Sein-für* Jahwes, das sich definitiv in dem Menschen Jesus von Nazareth geoffenbart hat – „offenbaren" dabei im strengsten Sinne des Wortes verstanden. Dieses radikale Da-Sein-für Jahwes in Jesus wurde vom Jüngerkreis Jesu zunächst schon in ihrem vorösterlichen Sehakt erfahren, für den Jesus sich als der διάκονος aller zeigte (vgl. Lk 22,27), der „für die Welt" in den Tod ging, und wurde von ihnen endgültig erfahren in der Auferstehung Jesu von den Toten, die ihn als den „Endmenschen" offenbarte, mit dem die Reihe der endgültig Geretteten eröffnet wird (1 Kor 15,45.23), da dieser zum πνεῦμα ζωοποιοῦν für die übrigen wurde (15,45). Da aber Jesus von Nazareth keine „Marionette" Gottes war, sondern eine konkrete, historische *Person,* darum muß die definitive Offenbarung Jahwes in Jesus trinitarisch begriffen werden. Die alttestamentliche Weisheitslehre half als Sprachmodell entscheidend mit, Jahwes in Jesus endgültig und personal sich offenbarendes Da-Sein-für als Präexistenzlehre zu artikulieren. Denn die Weisheit ist die seit „Ewigkeit" bestehende Weltzugewandtheit Jahwes; sie schlug ihr Zelt in Israel und

---

[91] Ebd. 250.
[92] Der proexistente Christus – die Mitte des Glaubens von morgen? Diakonia 3 (1972) 147–160; jetzt stark erweitert: *ders.,* Jesu ureigener Tod, 121–155.

endgültig in Jesus von Nazareth auf (Joh 1,14)[93]. In ihrem endgültigen Anwesen in Jesus von Nazareth offenbarte sie ihren Personcharakter.

II. ENTFALTUNG

1. Die vielfältige Interpretation des christologischen Sohnesprädikats im Neuen Testament

Die christologische Sohnesprädikation hatte sich ziemlich früh in der Urkirche durchgesetzt, jedenfalls schon in vorpaulinischer Zeit (s. o.) – man darf annehmen: zwischen 40–50 n. Chr. Paulus setzt eindeutig die Sohneshomologese voraus (vgl. z. B. Röm 1,3f; 8,3; Gal 4,4)[94], sie ist für Mk eine Selbstverständlichkeit (Mk 1,1.11 [Taufe Jesu]; 9,7 [Verklärung Jesu]; 15,39), für Joh ohnehin (vgl. nur Joh 3,16f; 20,31; 1 Joh 4,15; 5,5), auch für Hebr (1,4ff; 4,14). Gerade aber Hebr 1,1f läßt deutlich erkennen, daß man – jedenfalls zu der Zeit der Abfassung dieses Briefes – deutlich zwischen den Propheten und dem Sohn unterschied, aber sie doch in die eine Offenbarungsgeschichte einordnete, deren tätiges Subjekt der „sprechende" Gott ist (ὁ θεὸς λαλήσας). Aber die Sohneshomologese als solche war, wie das Neue Testament zeigt, verschieden interpretierbar[95]. Die Bekenntnisformel als solche („Jesus ist der Sohn Gottes") klingt zwar aufs erste eindeutig und prägnant, wie alle derartigen Bekenntnisformeln, aber es können sich mit ihr sehr viele Vorstellungen verbinden, nicht bloß religionsgeschichtlich, sondern auch in jener Gemeinschaft selbst, die sich zu der Formel bekennt. Das läßt das Neue Testament erkennen. Die Formel wird in den verschiedenen Schriften des NT unter vielfältigen Aspekten verwendet. Deshalb können die oben angeführten Schriften aus dem

---

[93] Vgl. dazu auch *F. Mußner*, „Kultische" Aspekte im johanneischen Christusbild: *ders.*, Praesentia Salutis. Gesammelte Studien zu Fragen und Themen des Neuen Testaments (Düsseldorf 1967) 133–145 (133–136).

[94] Gal 4,4f klingt fast wie ein Credosatz mit festen Stichworten und einem festen, bereits aus der Überlieferung stammenden Formschema (vgl. dazu *F. Mußner*, Der Galaterbrief [Freiburg i. Br. ²1974] 271f).

[95] Vgl. dazu auch *H. F. Weiß*, Bekenntnis und Überlieferung im Neuen Testament: ThLZ 99 (1974) 321–330 (326f).

NT „geradezu als Kommentare zum überlieferten Bekenntnis zu Jesus als ‚Sohn Gottes‘ gelten" (Weiß)[96]. Häufig ist im NT die Sohnesprädikation mit der Sendungsformel verbunden, so in Röm 8,3f; Gal 4,4f; Joh 3,16f; 1 Joh 4,9. Worin liegt die hermeneutische Funktion der Sendungsaussage? Nach J. Blank darin, „daß sie es erlaubt, die Bedeutung auch des irdischen Jesus in die umfassende christologisch-soteriologische Aussage einzubeziehen"[97]. Denn die Sendung des Sohnes ist kein abstrakt-metahistorischer Vorgang, sondern sie konkretisiert sich in Jesus von Nazareth. Deutlich wird das etwa in Gal 4,4f: Gott sandte seinen Sohn, „damit er die unter dem Gesetz loskaufe, damit wir die υἱοθεσία empfangen". Hier zeigt sich ein „teleologisches Schema" (N. A. Dahl)[98]; es begegnet nämlich ebenso in den vorher schon erwähnten Aussagen von Röm 8,3f, Joh 3,16f und 1 Joh 4,9: Voraus geht immer der „Sendungssatz", es folgt der finale „Heilssatz"[99]. So bestätigt sich an diesen Texten des NT unsere obige These, daß die im Sendungsgedanken zum Ausdruck kommende Präexistenzchristologie eine Pro-existenzchristologie impliziert, d. h.: *der Sohn ist ganz Sohn für uns! Dies ist ein wesentlicher Aspekt der ntl. Sohneschristologie[100]. Mk interpretiert die Sohneshomologese „im Sinn seiner Passionstheologie: ‚Sohn Gottes‘ ist Jesus hier gerade als der ‚Christus passus‘, und das sachgemäße Bekenntnis zu Jesus als ‚Sohn Gottes‘ ist das Bekenntnis angesichts des Gekreuzigten (15,29)."[101] Joh interpretiert im Evangelium das Sohnesbekenntnis „im Rahmen und Zusammenhang des für ihn charakteristischen Offenbarungsgedankens"[102] (vgl. besonders Joh 1,18). Nach 1 Joh wird die Sohneshomologese anscheinend auch von den christologischen Irrlehrern vertreten, aber sie leugnen dabei etwas ganz Entscheidendes, nämlich daß der Mensch Jesus „aus Gott" ist (1 Joh 4,4) und wirklich der „im Fleisch

[96] Ebd. 326.
[97] Paulus und Jesus (München 1968) 267.
[98] Formgeschichtliche Beobachtungen zur Christusverkündigung in der Gemeindepredigt: Ntl. Studien für R. Bultmann (Berlin ²1957) 3–9 (7 f).
[99] Vgl. dazu *Mußner*, Galaterbrief, 271–273.
[100] Im übrigen läßt sich beobachten, daß selbst in einem einzigen Buch des Neuen Testaments das Sohnesprädikat sehr differenziert gebraucht wird, so etwa im Galaterbrief (vgl. dazu *Mußner*, Galaterbrief, 86, Anm. 43).
[101] *Weiß*, a. a. O. 326. Vgl. auch noch *H. Leroy*, Jesus von Nazareth – Sohn Gottes (s. Anm. 1) 240–242.
[102] *Weiß*, a. a. O.

gekommene" Christus ist (1 Joh 4,2f; 2 Joh 7), wobei in 1 Joh die Prädikationen χριστός und ὁ υἱὸς τοῦ θεοῦ beinahe semantisch schon gleichwertig sind. Das Bekenntnis als solches garantiert also noch nicht den rechten Glauben! Es kommt auf seine Interpretation an. Im Hebr wird „das überlieferte Bekenntnis aktualisiert, indem es im Sinne der diesem Brief eigenen ‚Hohepriester'-Christologie interpretiert wird"[103].

Diese Beispiele aus dem NT sollen genügen. Sie lassen uns mit aller Deutlichkeit erkennen, daß die Sohneshomologese durch ihren jeweiligen Kontext, in dem sie erscheint, verschiedene Funktionen ausübt, die das Bekenntnis aspektereich machen. Im Hinblick auf diese verschiedenen Funktionen und Aspekte der Sohneshomologese könnte man von einem „Pluralismus" derselben im NT sprechen: Gewiß die eine Sohneshomologese, aber in pluralistischer „Interpretation", so daß es etwa im Hinblick auf „Christologie heute" durchaus legitim, weil schriftgemäß sei, die ntl. Sohneschristologie so oder so auszulegen, je nach dem persönlichen Geschmack oder dem Geist der Epoche. Wie verhält es sich damit? 1 Joh sollte darauf aufmerksam machen, daß das christologische Sohnesprädikat nicht x-beliebig ausgelegt werden darf. Gerade der enge genetische Zusammenhang von Prophetenchristologie und Sohneschristologie im NT könnte eine „Christologie von unten" dazu verführen, die Sohneschristologie auf eine radikalisierte (und dann mißverstandene) Prophetenchristologie zu reduzieren, im Sinn des häretischen Judenchristentums der Pseudoklementinen oder des Islams. Die Neigung dazu scheint heute vorhanden zu sein, wie Beobachtungen zeigen. Auch Interpretationsversuche haben ihre Grenzen! Heute ist zwar nicht die Gefahr des λύειν τὸν Ἰησοῦν [104] gegeben, wenistens nicht im kirchlichen Bereich, wohl aber die Gefahr der Auflösung des „metaphysischen" Geheimnisses Jesu, wie es sich dem Sehakt der Jünger in dem μᾶλλον und μεῖζον, das sie an Jesus von Nazareth erfuhren, zeigte. Jesus durchbrach nicht bloß die Transzendenz in einer Bewegung von unten nach oben, sondern ließ auch in der Gegenbewegung von oben nach unten den Vater für uns sichtbar werden: „Wer mich gesehen hat, hat den Vater gesehen" (Joh 14,9).

---

[103] *Ders.*, ebd. Vgl. auch noch *M. Hengel*, Der Sohn Gottes, 131–136. Und zum Ganzen noch *R. Schnackenburg*, Christologie des NT: Mysterium Salutis III/1 (Einsiedeln/Zürich/Köln 1970) 227–388.
[104] Formuliert nach einer Lesart zu 1 Joh 4,3.

In dem, was ich die „Aktionseinheit" und „Deckungsgleichheit" zwischen Jesus und Jahwe nannte, kommen beide Bewegungen zur Geltung und zur Deckung.

2. Das Sohnesprädikat und die Einheitlichkeit
der neutestamentlichen Christologie

Das Sohnesprädikat begegnet in fast allen Schriften des NT; ein Zeichen, daß sich die Sohneshomologese im ganzen Umkreis der Urkirche durchgesetzt hat. Am häufigsten begegnet es im Joh-Evangelium, nämlich 26mal. Das überrascht nicht, hängt aber wohl nicht bloß mit dem speziellen Interesse des Verfassers an der Sohneschristologie zusammen, sondern auch mit einem im Verlauf des 1. Jahrhunderts zunehmenden Interesse der Gesamtkirche an ihr. Man kann eindeutig sagen: Gesiegt hat unter den christologischen Prädikaten in der Urkirche das Sohnesprädikat. Der Grund dafür kann nur der gewesen sein: Die Glaubensreflexion erkennt im Sohnesprädikat die zutreffendste christologische Versprachlichung des „Jesusphänomens"[105]. So darf man die *These* aufstellen: *Gerade die Sohneshomologese hält die verschiedenen christologischen „Entwürfe" des NT zusammen;* sie alle konvergieren in der Sohneschristologie. Das scheint keine Selbstverständlichkeit zu sein. Es gab christologische Prädikate, die sehr aussagestark waren, wie das Messias- oder auch das χύριος-Prädikat. Die alte „religionsgeschichtliche Schule" hatte eine rasche Erklärung zur Hand: der Sieg der Sohneschristologie in der Urkirche ist bedingt durch wirksame Einflüsse des Hellenismus oder allgemein semitischer Ideen auf die Entwicklung der Christologie. Nach W. Bousset kann man sich denken, „daß unsere synoptischen Evangelien einem solchen Zeitalter nicht mehr genügten. Die Gestalt Jesu von Nazareth, wie sie hier gezeichnet, war viel zu irdisch und konkret, viel zu menschlich-jüdisch und beschränkt, viel zu wenig im Wunder und in der Idee aufgelöst... Da kam der Verfasser des vierten Evangeliums und versuchte es mit einem großartigen Neubau.

---

[105] Man sollte deshalb eine Darstellung der Christologie nicht betiteln: „Jesus der Christus" (so W. *Kasper),* sondern „Jesus der Sohn". Denn das Novum, das mit Jesus von Nazareth in die Welt gekommen ist, *ist der Sohn* (Mk 1, 1; Gal 4, 4; Joh 3, 16) und nichts anderes.

Der große Gedanke, den er natürlich nicht mit Bewußtsein, sondern instinktiv erfaßte, war der, Mythos und Dogma in die Geschichte ganz zurückzutragen. Im kleinen Maßstabe war das schon geschehen, als die Urgemeinde ihr Menschensohndogma und ihren Wunder- und Weissagungsbeweis in das Leben Jesu zurücktrug; aber nun galt es, die Geschichte ganz im Mythos aufzulösen und für diesen transparent werden zu lassen.

Das ist dem Verfasser des vierten Evangeliums gelungen. Was er zeichnet in seinem neuen Leben Jesu, das ist der auf Erden wandelnde Gottessohn oder Gott."[106] E. Käsemanns Johannesdeutung geht in dieselbe Richtung[107]. Zwar betont auch Käsemann, daß „die Einheit des Sohnes mit dem Vater das zentrale Thema der johanneischen Verkündigung" ist[108], aber Johannes ist für K. zugleich auch jener „erste Christ, welcher Jesu Erdenleben nur als Folie des durch die Menschenwelt schreitenden Gottessohnes benutzt und als Raum des Einbruchs himmlischer Herrlichkeit beschreibt"[109]. Und so spricht K. von dem „naiven Doketismus" des vierten Evangeliums[110]. Mir scheint es kein größeres Mißverständnis der christologischen Absichten des Joh-Evangeliums zu geben als die Auffassung Käsemanns. Benutzt der vierte Evangelist Jesu Erdenleben wirklich „nur als Folie des durch die Menschenwelt schreitenden Gottessohnes"? War es nicht viel eher so, daß er das, was der Sehakt der Jünger nach der synoptischen Überlieferung an Jesus von Nazareth wahrgenommen hatte, nämlich seine bis zur Deckungsgleichheit mit Jahwe gehende totale Aktionseinheit, die zunächst in der nachösterlichen Prophetenchristologie ihren sprachlichen Ausdruck gefunden hatte, in vertiefter Reflexion neu formulierte? Die christologischen Grundaussagen des vierten Evangeliums gehen durchgehend auf diese Aktionseinheit bis Deckungsgleichheit Jesu mit dem Vater. Ich stelle im folgenden das Material zusammen: 3,32 („was er gesehen und gehört hat, bezeugt er"); 3,34 („denn der, den Gott gesandt hat, redet Gottes Worte, ohne Maß spendet er [ihm] ja den Geist. Der Vater liebt den Sohn, und alles hat

---

[106] Kyrios Christos. Geschichte des Christusglaubens von den Anfängen des Christentums bis Irenäus (Göttingen ⁴1935) 159.
[107] Jesu letzter Wille nach Johannes 17 (Tübingen ³1971).
[108] Ebd. 59.
[109] Ebd. 35.
[110] Ebd. 62.

er in seine Hände gegeben"); 5,16 („mein Vater wirkt bis auf diese Stunde, und auch ich wirke"); 5,19f („der Sohn kann nichts aus sich selbst tun, wenn er es nicht den Vater hat tun sehen. Denn was immer jener tut, das tut in gleicher Weise [ὁμοίως] auch der Sohn. Denn der Vater liebt den Sohn und zeigt ihm alles, was er selbst tut, und noch größere Werke als diese wird er ihm zeigen" ...); 5,22 („denn der Vater richtet keinen, sondern er hat das Gericht ganz dem Sohn übergeben, auf daß alle den Sohn ebenso ehren, wie sie den Vater ehren. Wer den Sohn nicht ehrt, ehrt auch den Vater nicht, der ihn gesandt hat"); 5,30 („aus mir selbst kann ich nichts tun; wie ich höre, richte ich. Mein Gericht ist gerecht, weil ich nicht meinen Willen suche, sondern den Willen dessen, der mich gesandt hat"); 5,36 („ich aber habe ein größeres Zeugnis als das des Johannes. Denn die Werke, die der Vater mir zu vollenden gegeben hat, gerade die Werke, die ich tue, legen über mich Zeugnis ab, daß mich der Vater gesandt hat"); 5,43 („ich bin im Namen meines Vaters gekommen"); 6,38 („ich bin vom Himmel herabgestiegen, nicht um meinen Willen zu tun, sondern den Willen dessen, der mich gesandt hat"); 7,16 („meine Lehre ist nicht die meine, sondern die Lehre dessen, der mich gesandt hat"); 7,29 („ich aber kenne ihn [den Vater], weil ich bei ihm bin und weil er [es ist, der] mich gesandt hat"); 8,16 („aber wenn ich urteile, ist mein Urteil richtig, weil ich nicht allein bin, sondern ich und der, der mich gesandt hat"); 8,19b („wenn ihr mich kennen würdet, würdet ihr auch meinen Vater kennen"); 8,26 („aber der mich gesandt hat, ist wahrhaftig, und ich spreche [nur] das zur Welt, was ich von ihm gehört habe"); 8,28ff („wenn ihr den Menschensohn erhöht habt, dann werdet ihr erkennen, daß ich es bin und daß ich nichts aus mir selbst tue, vielmehr das sage, was mich der Vater gelehrt hat. Und der, der mich gesandt hat, ist mit mir. Er hat mich nicht allein gelassen, weil ich überall [nur] das tue, was ihm gefällt"); 8,38 („was ich beim Vater geschaut habe, das rede ich ..."); 8,42b („ich bin nicht von mir selbst gekommen, sondern jener hat mich gesandt"); 9,4 („ich muß die Werke dessen wirken, der mich gesandt hat, solange es Tag ist"); 10,30 („ich und der Vater sind eins"); 10,32 („viele gute Werke habe ich euch gezeigt aus meines Vaters [Vollmacht]"); 10,38b („glaubt den Werken, damit ihr für allemal erkennt, daß in mir der Vater [ist] und ich im Vater [bin]"); 12,49ff („ich habe nicht aus mir selbst gesprochen, sondern der Vater, der mich gesandt hat, hat mir Auftrag gegeben, was ich reden und was ich sagen

[soll]... Was ich also sage, sage ich so, wie der Vater es mir gesagt hat"); 14,10 („glaubst du nicht, daß ich im Vater [bin] und daß der Vater in mir ist? Die Worte, die ich zu euch rede, rede ich nicht von mir selbst: der Vater aber, der in mir bleibt, tut die Werke"); 14,24 b („das Wort aber, das ihr hört, ist nicht mein, sondern des Vaters, der mich gesandt hat"); 17,7 f („jetzt haben sie erkannt, daß alles, was du mir gegeben hast, von dir ist. Denn die Worte, die du mir gegeben hast, habe ich ihnen gegeben; sie haben sie angenommen und in Wahrheit erkannt, daß ich von dir ausgegangen bin, und sie haben geglaubt, daß du mich gesandt hast").

Hält man Ausschau nach geeigneten Kategorien, die diese Äußerungen des johanneischen Christus und des 4. Evangeliums einzufangen vermögen, dann stellen sich wie von selbst jene schon genannten ein: „Aktionseinheit" und „Deckungsgleichheit". Jesus lebt mit dem Vater und der Vater mit ihm in totaler Aktionseinheit im Denken, Handeln und Sein, das bis zur Deckungsgleichheit zwischen den beiden führt („ich und der Vater sind eins")[111]. Sendungsgedanke; Nachsprechen dessen, was der Sohn vom Vater gehört hat; Tun der Werke, die der Vater aufgetragen hat, führen aber schon von der Terminologie her zurück auf Prophetenchristologie – und die Reaktion des Volkes mit dem Ruf: „Das ist wahrhaftig der Prophet, der in die Welt kommen soll" (6,14; vgl. 7,40), läßt diese Spur noch deutlich genug erkennen. Wie uns Mauser gezeigt hat, lebt der Prophet in Aktionseinheit mit Jahwe. Aber Mauser macht auch, wie wir uns erinnern, auf das „Fragmentarische" der Stellvertretung Jahwes durch die alttestamentlichen Propheten aufmerksam. In Jesus dagegen blieb es nicht beim „Frag-

---

[111] Dem widerspricht keineswegs die Aussage von Joh 14,28: „Der Vater ist größer als ich"; denn es handelt sich bei ihr nicht um Reste einer „Adoptionschristologie" (vgl. dazu *C. K. Barrett*, „The Father is greater than I" (Jo 14,28): Subordinationist Christology in the New Testament: *J. Gnilka* [Hrsg.], Neues Testament und Kirche [Freiburg i. Br. 1974] 144–159), vielmehr um eine „Gehorsamschristologie", die sich konsequent aus jener Aktionseinheit und Deckungsgleichheit Jesu mit seinem Vater ergibt, deren Ansätze in der „Prophetenchristologie" zu suchen sind: Der Prophet kommt zur Aktionseinheit mit Jahwe durch seinen Gehorsam gegen Jahwes Auftrag und durch die freiwillige Übernahme des „Pathos" Jahwes. Die Spannung, die zwischen dem Satz des joh. Christus „ich und der Vater sind eins" und jenem „der Vater ist größer als ich" zweifellos vorliegt, bringt die *Personenverschiedenheit in der Deckungsgleichheit* zur Geltung. So kann man die joh. Christologie mit *H. U. von Balthasar* als Auslegung des Sohnesgehorsams Jesu verstehen (dazu Näheres bei *A. Schilson*, Christologie im Präsens, 63–70).

mentarischen"; die Aktionseinheit ging über in die volle und durchgehaltene Deckungsgleichheit, für die in der versprachlichenden Reflexion sich schließlich kein anderes Prädikat mehr einstellen konnte als das Sohnesprädikat. Der μονογενής tut nur, was er den Vater tun sieht: das hatte sich dem vorösterlichen Sehakt der Jünger im Blick auf Jesus von Nazareth gezeigt. Im reflektierenden Rückblick darauf nannten sie ihn nach Ostern alsbald den „Sohn"; denn wahre Sohnschaft zeigt sich, gerade für altorientalisches Empfinden, in der gehorsamen Nachahmung des Vaters durch den Erstgeborenen. Es war der anfängliche Sehakt selbst, in dem sich die Erfahrung der Jünger sammelte, der dann in der späteren, durch die Osteroffenbarung vorangetriebenen Reflexion das Leben Jesu als Manifestation seiner totalen bis zur Deckungsgleichheit führenden Aktionseinheit mit Gott erkennen ließ, am meisten dann durchreflektiert im Joh-Evangelium, wie die oben zitierten „christologischen" Sätze des joh. Christus zeigen, die ja nur den kommentierenden Kontext zum Sohnesprädikat bilden – Käsemanns These vom „naiven Doketismus" des vierten Evangeliums redet also vollkommen praeter rem [112]. Das Sohnesprädikat zog mit der Zeit alle an-

---

[112] Zur Kritik an Käsemanns Johannesauffassung vgl. auch *G. Bornkamm*, Zur Interpretation des Johannes-Evangeliums: EvTh 28 (1968) 8–25; *H. Hegermann*, Er kam in sein Eigentum. Zur Bedeutung des Erdenwirkens Jesu im vierten Evangelium, in: *E. Lohse* (Hrsg.), Der Ruf Jesu und die Antwort der Gemeinde (Festschr. für J. Jeremias) (Göttingen 1970) 112–131. Wir stimmen der Bemerkung *J. Robinsons* über die Debatte zwischen Bornkamm und Käsemann zu: Diese Debatte „veranschaulicht, wie weit eine neutestamentliche Schrift ... nicht ausreichend bestimmt werden kann, wenn sie isoliert von der christlichen Entwicklungslinie, in der sie sich bewegt, und außerhalb des breiteren Zusammenhanges jener Gesamtentwicklung behandelt wird. Vielmehr müssen die Umrisse einer neutestamentlichen Schrift klargemacht werden, indem man bestimmt, woher sie kam und in welcher Richtung sie sich bewegte. Das heißt: neutestamentliche Theologie kann nicht außerhalb einer Rekonstruktion der Geschichte der Weitergabe von Überlieferungen betrieben werden. Denn außerhalb einer solchen Rekonstruktion kann die hermeneutische Arbeit, die innerhalb einer Schrift geleistet wird, nicht bestimmt werden" (Die johanneische Entwicklungslinie: *H. Köster – J. Robinson*, Entwicklungslinien durch die Welt des frühen Christentums [Tübingen 1971] 241). Die „Entwicklungslinie", in der sich die johanneische Christologie bewegt, scheint uns auf die alte Prophetenchristologie zurückzuführen, die Joh ganz als Sohneschristologie interpretiert. Dabei ist es nach Joh der „Paraklet", der den hermeneutischen Prozeß in der christologischen „Gnosis" des „Jesusphänomens" vorantreibt: „Jener wird mich verherrlichen, weil er von dem Meinigen nehmen und (es) euch verkündigen wird" (Joh 16,14); vgl. dazu *F. Mußner*, Die johanneischen Parakletsprüche und die apostolische Tradition: *ders.*, Praesentia Salutis, 146–158; *E. Haenchen*, Vom Wandel des Jesusbildes in der frühen Gemeinde: *O. Böcher – K. Haacker* (Hrsg.), Verborum Veritas (Festschrift für G. Stählin) (Wuppertal 1970) 3–14 (13f). Auch *A. von Harnacks* berühmter Satz:

deren christologischen Prädikate an sich wie „Prophet", „Knecht Gottes", „Messias", „Herr", „Weisheit" und (speziell bei Joh) „Menschensohn"[113]. Die Sohneshomologese bedeutet die Einheit aller christologischen „Entwürfe" im Neuen Testament. Denn das Sohnesprädikat wurde im Verlauf des 1. Jahrhunderts zur christologischen Auslegungsnorm und – wenn I. Frank in seinem Buch „Der Sinn der Kanonbildung"[114] Recht hat – im Verlauf der anschließenden Zeit zur kanonkritischen Instanz. Frank sagt: „Das Johannesevangelium ist... nicht nur der Katalysator der Kanonbildung, es ist auch der maßgebende ‚Kanon im Kanon' für die Auslegung der übrigen kanonischen Schriften, und diese Aussage gilt nicht nur für die synoptischen Evangelien und sonstigen Schriften, sie gilt auch für die Paulusbriefe."[115] „Kanon im Kanon" wurde das Johannesevangelium speziell im Hinblick auf seine Sohneschristologie. Und so muß wohl die Sohneshomologese auch für eine „Christologie heute" die maßgebende Norm bleiben, und dies auch im Sinn einer „homo-exemplaris"-Christologie. Denn Christentum wird sich in Zukunft nur behaupten können, wenn es in radikaler Weise in Aktionseinheit mit Gott bleibt, darin dem Beispiel Jesu folgend. Die Kirche muß „sohnhaft" sein oder sie ist nicht mehr die Kirche Jesu Christi. Nur so findet sie ihre Identität und damit auch ihre Relevanz[116].

„Nicht der Sohn, sondern allein der Vater gehört in das Evangelium, wie es Jesus verkündet hat, hinein" (Das Wesen des Christentums [Leipzig 1921] 91) erweist sich als ein völliges Fehlverständnis des „Jesusphänomens", wie es uns in den Evangelien entgegentritt.

[113] Über die weltweite johanneische Menschensohnforschung in den Jahren 1957–1969 orientiert vorzüglich E. Ruckstuhl: Theol. Berichte (hrsg. v. J. Pfammatter u. F. Furger) 1 (Zürich 1972) 171–284; R.s. eigene Meinung geht vor allem dahin, „daß der ewige Gottessohn durch seine Fleischwerdung und sein Auftreten als Menschensohn zum eschatologischen Ereignis wurde" (276). R. Schnackenburg urteilt: „In der Sache berührt sich die Menschensohn-Thematik zum Teil eng mit der Rede vom ‚Sohn', nämlich in der Beschreibung des Erlöserweges, im Gedanken der Präexistenz und in den Aussagen über die ‚Verherrlichung' (vgl. 13,31 f mit 17,1 f)" (Das Johannesevangelium II [Freiburg i. Br. 1971] 166 f).

[114] Eine historisch-theologische Untersuchung der Zeit vom 1. Clemensbrief bis Irenäus von Lyon (FrThSt 90) (Freiburg i. Br. 1971).

[115] Ebd. 210.

[116] „Eine Besinnung auf die Christologie stellt den heute geforderten Dienst dar, den die Theologie... der heutigen Gesellschaft und Kirche zu deren Identitätsfindung leisten kann" (W. Kasper, Jesus der Christus [Mainz 1974] 15).

Abschließend noch folgende Bemerkungen:

1. Wenn etwas in diesem Referat deutlich wurde, dann auf jeden Fall dies, daß eine „Entmythologisierung" des ntl. Sohnesprädikats in keiner Weise weiterhilft. Es geht für die heutige Theologie nicht um „Entmythologisierung", sondern um Erschließung des Prädikats mit Hilfe der Stufen: Erfahrung, Reflexion, Versprachlichung, Objektivierung. Diese Aufgabe erfordert aber zu ihrer Lösung den Gebrauch der Mittel der modernen Hermeneutik, Linguistik (einschließlich Kommunikationstheorie) und Sprachtheologie.

2. Christologie kann nicht ohne Blick auf das Alte Testament entwickelt werden, und dies nicht bloß in dem Sinn, daß das Alte Testament Sprachmodelle bereitstellte, sondern auch im Sinn einer entscheidend wichtigen Offenbarungsstufe auf dem Weg zur Christologie des Neuen Bundes[117].

3. Eine Alternative „ontologische" *oder* „funktionale" Christologie führt zu christologischen Fehlurteilen. Gerade die Sohneschristologie ist beides in unlösbarer Einheit.

4. Wird die Sohneschristologie entwickelt mit Hilfe der Kategorien „Aktionseinheit" und „Deckungsgleichheit", so könnte damit evtl. auch für einen Juden eine Verstehenshilfe gegenüber der für ihn so skandalösen Sohneschristologie[118] geboten werden, weil es dem gläubigen Juden vor allem darum geht, in der totalen Erfüllung des im Gesetz geoffenbarten Willens Gottes gewissermaßen zur „Deckungsgleichheit" mit Gott zu kommen, auf daß sich so Israel als „der erstgeborene Sohn Gottes" (Ex 4,22) bewährt. „Meine Speise ist es, den Willen dessen zu tun, der mich gesandt hat": so spricht der Sohn nach Joh 4,34.

---

[117] Vgl. dazu auch *H. Gese,* Erwägungen zur Einheit der biblischen Theologie: ZThK 67 (1970) 417–436; *F. Hahn,* Das Problem „Schrift und Tradition" im Urchristentum: EvTh 30 (1970) 449–468; *F. Mußner,* Der Jude Jesus: Freiburger Rundbrief XXIII (1971) 3–7; *H. Frankemölle,* Neutestamentliche Christologien vor dem Anspruch alttestamentlicher Theologie: BL 15 (1974) 258–273.
[118] Vgl. dazu etwa *H. J. Schoeps,* Paulus. Die Theologie des Apostels im Lichte der jüdischen Religionsgeschichte (Tübingen 1959) 166–173 („Der jüdische Protest gegen die Christologie").

IV

Gottes Sohn in der Zeit

Entwurf eines Begriffs

Peter Hünermann, Münster

I. ANLASS, FRAGESTELLUNG UND METHODE

In diesem Jahr – 1975 – beginnt Bernhard Welte sein 70. Lebensjahr. Ihn zu ehren sind die folgenden Überlegungen konzipiert worden. Sie schließen an jenen unvergessenen Artikel an, den Bernhard Welte vor rund 20 Jahren veröffentlicht hat: „Homoousios hemin. Gedanken zum Verständnis und zur theologischen Problematik der Kategorien von Chalkedon"[1]. Angesichts der sich damals schon deutlich abzeichnenden Spannungen zwischen den Ergebnissen einer kritisch fragenden Exegese und der dogmatischen Theologie wurde in diesem Aufsatz der Versuch unternommen, menschliches Wesen im Hinblick auf das Christusmysterium neu zu bedenken. Welte charakterisiert die dabei angewandte Methode so: „Wir suchen diesen einen Begriff zu verstehen, und zwar wie man jeden Begriff verstehen muß, von dem in ihm zu Begreifenden her."[2] Er fragt nicht unmittelbar zurück auf die „geschichtlichen Wurzeln des Begreifens der Menschennatur, die in Chalkedon wirksam waren"[3]. Er sucht den Weg zu dieser Natur selbst, „so wie sie uns heute sichtbar werden kann und um die es dort ging, wie es noch heute um sie geht"[4].

Die Art, wie Bernhard Welte diese Methode handhabt, zeigt, daß hier geschichtliche Tradition nicht von einem absolut gesetzten Standpunkt der Gegenwart aus übersprungen, sondern gerade vermittelt durch das Geleit der Tradition die Sache neu und ursprünglich für heutiges Denken erschlossen wird. Dieser Methode folgend soll bei jenem

---

[1] Das Konzil von Chalkedon, hrsg. v. *A. Grillmeier* und *H. Bacht* (Würzburg 1954) Bd. 3, 51–80.
[2] A.a.O. 53.
[3] Ebd.
[4] Ebd.

Problem angeknüpft werden, mit dessen Skizzierung Weltes Artikel ausklingt. Dieser letzte Abschnitt trägt die Überschrift: „Das geschichtliche Wesen der hypostatischen Einigung als theologische Aufgabe"[5]. Zeigt sich im Nachdenken von Hypostasis und Physis als konstitutiven Momenten menschlichen Daseins, daß letztes Glücken, endgültige Vollendung von Menschsein in die Unverfügbarkeit des göttlichen Geheimnisses weist, Göttlichkeit vollendete Menschlichkeit nicht aufhebt, sondern hervorbringt, dann stellt sich im Blick auf die Evangelien die Frage nach dem geschichtlichen Werden dieser Vollendung. Jesu Verhältnis zum Vater ist gekennzeichnet durch sein Gegenüberstehen – seine Hingabe, seinen Gehorsam, seine Liebe – zum Vater. Die Gestalt seines Verhältnisses zum Vater erbildet sich in den Ereignissen seines Lebens, endgültig in seinem Tod und der Auferstehung. Beide miteinander verknüpften Momente, das Verhältnis zum Vater und die Ereignisse des Lebens Jesu, müssen ihren Raum finden im Begriff der hypostatischen Union. Nicht darüber, in der göttlichen Natur, nicht darunter, in der menschlichen Natur, sondern gerade *in* der Person Jesu müssen sie ihren Platz haben. Es geht ja um Selbstvollzüge Jesu. So skizziert Welte die Aufgabe, über die zeitlosen Kategorien Chalkedons hinaus zu schreiten und eine Differenzierung zu gewinnen, die doch das in den Begriffen von Chalkedon angesagte Geheimnis nicht verläßt, vielmehr den damals geprägten Begriffen eine neue innere Spannweite vermittelt. Es geht um einen denkerischen Prozeß, der gekennzeichnet ist durch die ausgreifende Zirkelstruktur jedes geistigen Neuansatzes. Aristoteles hat diese Struktur gekennzeichnet durch die Worte: „ἐπίδοσις εἰς αὑτό" – Zuwachs bzw. freie Zugabe ins Selbe[6].

Der Weg, der im folgenden beschritten wird, soll gleichfalls im Geleit der Tradition erfolgen: Vorausgesetzt wird die Formel von Chalkedon und die Auslegung, welche Bernhard Welte ihr gegeben hat. Als weitere Elemente werden hinzugenommen die christologische Perichoresenlehre des Johannes von Damaskus und eine dem neuzeitlichen Denken verpflichtete Reflexion auf Zeit und Geschichte.

Die sachliche Begründung des zuletzt angeführten Punktes bedarf im Rahmen der angegebenen Problematik keiner weiteren Erläuterung. Anders steht es mit der Perichoresenlehre des Johannes von

[5] A. a. O. 74.
[6] *Aristoteles*, De Anima, hrsg. v. *W. D. Ross* (Oxford 1956) II, 5, 417b.

Damaskus. Als letzter großer Zeuge orientalischer Vätertheologie und als deren sachkundiger Erbe wird Johannes von Damaskus durch sein Werk zu einem der klassischen Dogmatiker der griechischen Kirche[7] und Vermittler der griechischen Tradition an das lateinische Mittelalter[8]. Mit Recht wird die vornehmste Leistung des Johannes in der Systematisierung der überlieferten theologischen Momente gesehen. Und doch führt dieser große Kirchenlehrer die klassische Christologie mit seiner Perichoresenlehre an eine Schwelle, von der her im Rückblick sich eine bereits in der Formel von Chalkedon implizit angelegte Sachlogik zeigt, die ihrerseits über diese von Johannes erreichte Schwelle hinausdrängt. Es wird unter Sachlogik hier der einem komplexen Sachverhalt innewohnende Logos verstanden, der als Einsicht vermittelndes Prinzip das nachfragende Denken in seine eigene Bewegung einbezieht, eine Bewegung, die die vielfältigen bislang unverbundenen Momente des in Frage stehenden Sachverhaltes in ein Zusammenspiel bringt. In diesem Sinne hat unseres Erachtens Johannes von Damaskus durch seine Fragestellung die Sachlogik der chalkedonischen Christologie in einer neuen Weise freigesetzt. Berücksichtigt man die neuzeitliche Zeit- und Geschichtserfahrung, so führt diese Sachlogik zur theologischen Vermittlung der chalkedonischen Christologie mit der skizzierten heutigen christologischen Problematik.

Daß sich diese Sachlogik im Werk des Johannes von Damaskus Bahn bricht, ist ein denkwürdiges Geschehen. Es manifestiert sich darin, wie die chalkedonische Christologie gerade in dem Moment, wo sie zum vollen Austrag in allen Dimensionen gekommen ist, zuletzt im Monotheletenstreit, über sich hinausdrängt. Es bezeugt sich darin, daß Chalkedon Anfang, nicht Ende ist, erste begriffliche Gestalt einer Erfassung des Mysteriums Jesu Christi. Weil aber jeder Begriff der Erfassung einer Sache dient und die hier zu erfassende Sache größer ist als jeder Begriff, so zeigt sich gerade nach der geschichtlich vollendeten Ausgestaltung dieses Begriffes, daß eine neue Bewegung, im Begriff ernötigt, von der Sache her einsetzt. Es ist eine Bewegung, die ihrer Dynamik nach mitten in die heutige Problematik hineinweist.

Die Intention der folgenden Erörterungen richtet sich darauf, jenen neuen theologischen, näherhin christologischen Begriff mensch-

---

[7] Vgl. *M. Jugie*, Jean Damascène (Saint) DThC (Paris 1924) Bd. 8, 748–751.

[8] Vgl. *B. Studer*, Die theologische Arbeitsweise des Johannes von Damaskus (Studia Patristica et Byzantina, H. 2) (Ettal 1956) 132 f.

lichen Daseins herauszuheben, der sich in der Perichoresenlehre des Johannes von Damaskus erstmalig, wenngleich noch unentfaltet, abzeichnet. Er soll dann mit Hilfe der modernen Zeit- und Geschichtsreflexion näherhin geklärt werden.

Damit sind Anlaß, Fragestellung, einzuschlagende Methode und Lösungselemente genannt. Die Gliederung ergibt sich in logischer Sequenz. In einem ersten Gang sollen die drei genannten Lösungselemente skizziert werden: II. Eines Wesens mit uns in der Zeit – Lösungselemente der Zeit- und Geschichtsproblematik in der Christologie. 1. Der Mensch als partizipative Einheit mit Gott und die hypostatische Union. (Hier wird knapp die Deutung, die Bernhard Welte den Begriffen Physis und Hypostasis im Hinblik auf die chalkedonische Christologie gegeben hat, zusammengefaßt.) 2. Perichoresis: Göttliches und Menschliches im Prozeß. (Dieser Abschnitt dient der Exposition der Perichoresenlehre des Johannes von Damaskus.) 3. Zeit und Geschichte – Wesensverfassung menschlichen Selbstseins. (Hier erfolgt eine Reflexion auf menschliches Dasein unter dem leitenden Gesichtspunkt von Zeit und Geschichte.)

Diesem dreigliedrigen Abschnitt, der die Lösungselemente entfaltet, schließt sich ein weiterer Teil an mit dem Titel: III. Unio Hypostatica in Zeit und Geschichte. Dieser Abschnitt soll den Begriff zeitlichen menschlichen Daseins entwickeln, das mit Gott in einer Wesenseinheit verbunden ist. Diese Aufgabe erfolgt in zwei methodisch aufeinanderfolgenden Schritten. Unter der Überschrift: „1. Der vollendet menschliche Mensch in der Zeit" wird ein negativer Grenzbegriff des völlig mit Gott geeinten Menschen in der Zeit entwickelt. Der darauf folgende Abschnitt mit dem Titel: „2. Die Geschichte Jesu als Geschehen hypostatischer Union" versucht im Ausgang von der Perichoresenlehre und unter ihrer Zuhilfenahme den entworfenen negativen Grenzbegriff zur theologischen Fassung des Lebens Jesu Christi, seines Todes und seiner Auferstehung heranzuziehen. Es geht darum, die Geschichte Jesu Christi, seinen Tod und seine Auferstehung als Geschick und Selbstvollzug zu verstehen, durch welche Unio hypostatica geschieht.

In einer abschließenden Rückbesinnung soll dann Eigenart und Stellenwert des theologischen Begriffs im Ensemble dogmatischer Theologie erörtert werden, um so den „Sitz im Leben" dieser Untersuchung zu verdeutlichen.

II. EINES WESENS MIT UNS IN DER ZEIT –
LÖSUNGSELEMENTE
DER ZEIT UND GESCHICHTSPROBLEMATIK
IN DER CHRISTOLOGIE

1. Der Mensch als partizipative Einheit mit Gott
und die hypostatische Union [9]

Die Natur des Menschen erweist sich bei näherem Zusehen nicht als abgezirkelter Wasgehalt oder bestimmte und begrenzte Mächtigkeit. Der Mensch ist nicht einfach ein Seiendes neben anderen, versenkt in sich, er selbst in platter Identität. Der Mensch ist jeweils über sich hinaus beim anderen seiner, er ist in der Welt. Diese Offenheit ist sein eigentliches Charakteristikum. Thomas von Aquin grenzt die menschliche Seele – das Formprinzip menschlichen Daseins – durch Ungegrenztheit aus: die menschliche Seele ist quodammodo omnia [10]. Dieser universale Bezug macht den Menschen zum Menschen. Er ermöglicht jeden konkreten Umgang mit diesem und jenem und verweist auf Absolutes, Göttliches. Denn es ist wirkende und damit wirkliche Unendlichkeit, die den Menschen bei keiner Grenze Halt machen läßt, sondern Grenzen als Grenzen erfahrbar macht. Es ist verborgen ihn anrührendes absolutes, göttliches Geheimnis, das ihn beunruhigt und ihn über alle Partikularitäten hinaus fragen und suchen heißt. Nur weil der Mensch von diesem entzogenen Grunde berührt ist, vermag er Welt als Welt zu erfahren, sie zu bejahen oder an ihr zu verzweifeln. Der Mensch ist seiner Natur nach Sein-beim-anderen, weil er vom entlegensten, äußersten Anderen, von Gott, angerührt ist und an ihm Teil hat.

Der Mensch ist Sein-beim-anderen im Selbststand. Als er selbst steht er allem gegenüber. So findet er sich vor. Darin erweist sich dieses Selbstsein als gesetztes. Allein, obwohl gesetzt und damit endlich, ist dieses Selbstsein nochmals Reflex von Absolutheit. Denn menschliches Selbst kann nie gänzlich und in jeder Hinsicht anderen Zwecken oder anderem Seienden untergeordnet werden, noch sich selbst auf diese

---

[9] Da es sich in diesem Teil um eine Zusammenfassung der Ausführungen von Bernhard Welte handelt, werden lediglich die Grundlinien wiedergegeben.
[10] *Thomas von Aquin*, De veritate q.1, a.1, c., Ed. *R. Spiazzi*, O. P. (Taurini 1949).

Weise unterordnen. Immer steht der Mensch noch einmal als er selbst neben und damit über menschlichen Zwecken, neben und damit über dem Seienden. Ja selbst durch die drückendste und entwürdigendste Unterjochung kann ihm die Würde seines Selbstandes nicht schlechthin geraubt werden. Auch der Unterdrückte bleibt noch Gegenüber aus eigener Ursprünglichkeit. Noch in seiner Ohnmacht klagt er die Anerkennung der anderen ein. So spiegelt der Mensch in seinem Selbstsein Würde und Freiheit des absoluten, göttlichen Wesens auf bestimmte Weise wider. Auch in dieser Hinsicht ist der Mensch partizipative Einheit mit Gott.

Aus dieser nur allzu knapp skizzierten Überlegung ergibt sich: Der Mensch ist um so vollendeter Mensch, je stärker die partizipative Einheit mit Gott entfaltet ist. Die Erfahrung lehrt allerdings, daß der Mensch sich selbst, sein eigenes Wesen immer wieder schuldhaft negiert. Hier handelt es sich nicht nur um rein faktisches Geschehen. Es manifestiert sich vielmehr eine wesentliche Möglichkeit. Wer diese Möglichkeit für sich selbst nicht in Demut anerkennt, der überschreitet damit eine Grenze, die der Mensch heilig zu halten hat: Er verabsolutiert sich selbst. Der Mensch ist gehalten, die Distanz zu jenem heiligen Ursprung, an dem er von ferne Anteil hat, anzuerkennen.

Trotz dieser Ferne aber bleibt der Mensch unlöslich an diesen teilgebenden Ursprung gebunden, selbst in seiner Schuld, wenngleich auf negative Weise.

Aus dieser doppelten Einsicht, daß der Mensch zwar einerseits partizipative Einheit mit Gott ist, und zwar hinsichtlich seiner Natur wie seines Selbstseins, und auf der anderen Seite in einer nicht zu überschreitenden Distanz zu seinem Ursprung steht, resultiert als kühnster und zugleich paradoxer Gedanke: menschliche Natur, Sein beim anderen – so wie sie aus sich selbst heraus nie vollendet sein kann –, geeint der göttlichen Natur und gerade so als menschliche vollendet; menschlicher Selbstand – so wie er aus sich selbst heraus nie vollendet sein kann – im göttlichen Selbst Stand gewinnend und gerade so menschlich vollendet in sich selber stehend.

Dieser Gedanke umreißt von sich her nur eine negative Möglichkeit, und zwar, geschichtlich gesehen, eine wohl erst post Christum natum denkbare negative Möglichkeit: Es besteht vom Wesen des Menschen her kein Widerspruch zu solch einer, die Schwelle des göttlichen Geheimnisses überschreitenden Einigung mit Gott selbst.

Wenn Chalkedon die Einheit göttlicher und menschlicher Natur in dem einen Jesus Christus definiert, dann verkündet es ihn als jenen vollendeten Menschen, der, gerade indem und weil er Gott ist, Aufgipfelung wahren Menschentums ist.

Hat die voraufgehende Skizze den Weg zum Begriff des vollendeten Menschen geführt, welcher die chalkedonische Christologie verständlich macht, so bereitet die Perichoresenlehre den Boden vor, das unvermischte und ungetrennte Zueinander und Ineinander göttlichen und menschlichen Daseins in den *Selbstvollzügen* Jesu Christi zu denken.

2. Perichoresis – Göttliches und Menschliches im Prozeß[11]

Der Begriff der Perichoresis ist stoischen und neuplatonischen Ursprungs. Gebraucht wird dieser Begriff im stoischen und neuplatonischen Denken, um die Einigung von Leib und Seele näher zu bestimmen. Dabei ergeben sich zwei für die Christologie wichtige Aspekte: In der Stoa wird betont, daß die Seele den Leib ganz durchdringe – wie das Feuer, das glühende Metall –, ohne der eigenen Wesenheit verlustig zu gehen. Diese Wahrung der Eigentümlichkeiten von Körper und Seele bei gleichzeitiger völliger Durchdringung macht diesen Begriff für die Christologie interessant. Die Neuplatoniker betonen darüber hinaus ein Fundierungsverhältnis: die den Leib unvermischt durchwaltende Seele ist jenes Prinzip, von dem die wechselseitige Durchdringung ausgeht. Zu beachten ist, daß sowohl in stoischen wie neuplatonischen Texten nicht das Substantiv Perichoresis auftaucht, sondern lediglich das entsprechende Verb[12].

Es scheint, daß Gregor von Nazianz das Verb als erster in christologischen Diskussionen verwendet, und zwar bezeichnenderweise im Hinblick auf die beiden Naturen Jesu und zugleich im Hinblick auf die Benennungen[13]. Maximus Confessor scheint das Substantiv Perichoresis gebildet zu haben und zieht Verb und Substantiv heran, um im

---

[11] Vgl. zum folgenden L. *Prestige,* Perichoreo and Perichoresis in the Fathers: JTS 29 (1928) 242–252; A. *Deneffe,* Perichoresis, Circumincessio, Circuminsessio: ZKTh 47 (1923), 497–532; B. *Studer,* a.a.O. 112–113; C. *Rozemond,* La Christologie de Saint Jean Damascène (Studia Patristica et Byzantina H. 8) (Ettal 1959) 29–33.

[12] Zum stoischen und neuplatonischen Gebrauch vgl. die bei *Studer,* a.a.O., angegebenen Hinweise.

[13] Vgl. *Prestige,* a.a.O. 242f; *Deneffe,* a.a.O. 500f.

Monotheletenstreit die Unvermischtheit und Ungetrenntheit menschlicher und göttlicher Vollzüge Jesu Christi theologisch zu fassen. Gegenüber Behauptungen wie denen von Pyrrhos, die Annahme zweier Tätigkeiten in Christus führe notwendigerweise zur Annahme zweier Personen in Christus, stellt Maximos fest: „Nicht Gott entsprechend hat er das Göttliche vollzogen, er war nämlich Mensch; und nicht dem Menschen entsprechend hat er das Menschliche vollbracht, er war nämlich Gott."[14] Die Vollzüge Jesu Christi, in denen Menschliches menschlich bleibend über sich erhoben, Göttliches göttlich bleibend menschlich erscheint, erläutert Maximos durch die Perichoresenlehre. „Über den Menschen hinaus wirkt er das Menschliche... erweisend, daß die menschliche Energeia mit der göttlichen Dynamis zusammengewachsen ist. Denn die Physis, unvermischt der Physis, hat diese völlig durchwaltet."[15]

Damit ist in Fortführung der chalkedonischen Christologie das konkrete Wirken Jesu als Ort der Offenbarung, ja des Selbstvollzuges Gottes charakterisiert, und umgekehrt erweist sich göttliches Wirken als Ort der Offenbarung von Menschlichkeit, ja menschlichen Selbstseins. Göttliches Wirken tritt gerade im Menschen in seiner ganzen Göttlichkeit, seiner überbordenden Liebe und Macht zutage – menschliches Wirken entfaltet sich gerade im Logos zu seiner vollen unaufhebbaren Eigenständigkeit und Würde.

Das zuletzt angeführte Zitat erweist, daß Maximos den Begriff der Perichoresis lediglich mit der von den Stoikern her gegebenen Charakteristik für die Christologie verwendet: Ausgehend von der hypostatischen Union, hilft ihm dieser Begriff das wechselseitige Ineinander göttlicher und menschlicher Vollzüge in ihrer Unvermischtheit und Ungetrenntheit zu begreifen[16].

Johannes von Damaskus übernimmt von Maximos diese Grundbestimmung der Perichoresenlehre. In prägnanter Kürze formuliert er: „Geeint nach der Hypostasis und die gegenseitige Perichoresis besitzend, werden sie unvermischt vereint."[17] Zugleich aber vertieft er die-

---

[14] *Maximus Conf.*, Schol. in (Dion. Ar.) Ep. 4.8 (Cord. 2.77 D).
[15] *Maximus Conf.*, Ambig. 112 Bd (PG, 91,1053 B).
[16] Vgl. *H. Straubinger*, Die Christologie des Heiligen Maximus Confessor (Bonn 1906) 52f.
[17] Expositio fidei, 52 (Die Schriften des Johannes von Damaskos, hrsg. vom Byzantinischen Institut der Abtei Scheyern, *P. Bonifatius Kotter* OSB) (Berlin–New York 1973) 127.

sen Gedanken, indem er aus der neuplatonischen Tradition das Moment des Fundierungszusammenhanges aufgreift. Damit gewinnt er die Möglichkeit, Perichorese nicht nur als Ergebnis und Auswirkung der hypostatischen Union zu bedenken. Der Begriff der Perichorese bietet ihm vielmehr die Möglichkeit, die hypostatische Union im Prozeß, das hypostatische Einswerden selbst theologisch zu fassen.

Dieser Schritt drückt sich zunächst darin aus, daß Perichoresis und Henosis kath hypostasin parallel gebraucht werden [18]. Darüber hinaus beschreibt Johannes von Damaskus die Perichorese als einen wechselseitigen, aber ungleichgewichtigen Fundierungsprozeß. „Die Perichorese wurde nicht aus dem Fleisch, sondern aus der Gottheit. Unmöglich ist es ja, daß das Fleisch die Gottheit durchwaltet. Aber nachdem die göttliche Physis einmal das Fleisch durchwaltet, gewährt sie auch dem Fleisch die sie selbst betreffende unsagbare Durchwaltung, welche wir Einigung nennen."[19]

Damit wird die hypostatische Einigung als eine doppelte Bewegung charakterisiert: als herabsteigende Offenbarungsbewegung des Göttlichen und als Aufstiegsbewegung des Menschlichen. Dabei ist die Offenbarungsbewegung das primäre, fundierende Moment, die Aufstiegsbewegung das sekundäre, responsorische Moment. Beide Bewegungen haben jeweils ihren Zielpunkt im anderen. So geht die erste Bewegung der Perichorese zwar von der Gottheit aus, wird aber am Menschen geschaut und deswegen Theosis und Logosis, Gottwerdung oder Wortwerdung genannt [20]. Menschliche Existenz wird in diesem Geschehen in den Selbstand Gottes hineingerissen. Und umgekehrt geht die andere Bewegung der Perichorese vom Menschen aus, hat aber ihren Zielpunkt in Gott und wird infolgedessen Kenosis und Sarkosis, Entäußerung und Fleischwerdung genannt. In der Ohnmacht des Fleisches ist nichts anderes als Gottes Wort selbst gegenwärtig. „Durch die Vereinigung wird nämlich offenbar, was ein jedes von beiden aus der Verbindung und der Perichorese mit dem zugleich mit ihm Bestehenden erhalten hat. Denn wegen der hypostatischen Einigung wird vom Fleisch gesagt, es sei vergöttlicht und Gott geworden und dem Logos gleich göttlich, und von Gott dem Wort wird gesagt, es sei

---

[18] Vgl. a.a.O. 61 (*Kotter*, 155); a.a.O. 91 (*Kotter*, 214).
[19] A.a.O. 91 (*Kotter* 214).
[20] Vgl. ebd.

Fleisch und ein Mensch geworden und Geschöpf, und er wird Letzter genannt, nicht als hätten sich die zwei Naturen in eine zusammengesetzte Natur verwandelt – unmöglich ist es ja, daß die natürlichen Gegensätze in einer Natur zugleich existieren –, sondern weil die beiden Naturen nach der Hypostasis geeint und die wechselseitige Perichoresis ohne Vermischung und Verwandlung besitzen."[21]

Im Hinblick auf beide Bewegungen, in welchen die eine hypostatische Union konstituiert wird, spricht Johannes von Damaskus von Henosis, Koinonia, Chrisis, Einigung, Gemeinschaft, Salbung. Das Selbstsein Jesu Christi ist, gerade weil es durch die Offenbarungs- und Aufstiegsbewegung konstituiert ist, in sich selbst Einigung, Gemeinschaft, Salbung. Der Inhalt seines Selbstseins, das Auszeichnende und Charakteristische ist die Einigung, die Gemeinschaft, die Salbung[22].

Indem Johannes so die Einigung selbst als ein Perichorein, ein wechselseitig sich teilgebendes Durchwalten göttlichen Selbstandes und menschlicher Natur, menschlichen Selbstandes und göttlicher Natur denkt, hat er, ohne die Tragweite dessen zu ermessen, einen enormen Schritt in der Christologie getan. Die Konsequenzen, die sich aus diesem Schritt ergeben könnten, werden aber in eigentümlicher Weise abgefangen durch das Zeitverständnis des Damaszeners. Dieses Zeitverständnis ist zwar geprägt von dem Gedanken des Nacheinander, dieses Nacheinander aber wird als Abfolge von Zustandsformen verstanden. Es gibt im eigentlichen Sinn kein zeitlich gedehntes Werden, es sei denn in der Sphäre des Akzidentellen. So bedenkt Johannes zwar den Prozeß der hypostatischen Einswerdung, dieser Vorgang aber geschieht für ihn im Augenblick. Die Möglichkeit, die Ereignisse des Lebens Jesu in diesen Konstitutionsprozeß einzubeziehen, entfällt. Allerdings sieht Johannes die Notwendigkeit, die Lehre von der Idiomenkommunikation im Hinblick auf die Zustandsformen zeitlich zu dimensionieren. Ausgehend von seiner Perichoresenlehre, vertieft er dabei Ansätze, die er von Gregor von Nazianz übernimmt, und unterscheidet vier, durch einen je unterschiedlichen Zeitindex charakterisierte Aussagemöglichkeiten: Aussagemöglichkeiten über Jesus Christus vor der Einigung, in der Einigung, nach der Einigung und nach der Auferstehung[23]. Die

---

[21] Ebd.
[22] Vgl. ebd.
[23] Vgl. a.a.O. 91 (*Kotter* 212–218).

Perichorese nach der Einigung und die Perichorese nach der Auferstehung werden in ihrer qualitativen Verschiedenheit nicht vom unterschiedenen Charakter des Selbstvollzuges, von Theosis und Sarkosis her differenziert, ihre Unterschiedenheit liegt nicht in einer durch den Gang der Ereignisse sich differenzierenden Henosis, einer qualitativ unterschiedlich zu charakterisierenden Einigung Jesu mit dem Vater. Johannes von Damaskus führt vielmehr die verschiedenen Aussagen der Schrift über den irdischen bzw. erhöhten Herrn entweder auf die menschliche oder die göttliche Natur oder auf die eine Hypostase zurück. Hier sinkt der Gedanke unter die ursprünglich in ihm angelegte Dynamik hinab. Das Prinzip der Perichoresenlehre, welches Maximos formuliert hatte: „Nicht Gott entsprechend hat er das Göttliche vollbracht, er war ja Mensch, nicht dem Menschen entsprechend hat er das Menschliche vollbracht, er war ja Gott", wird mit diesem aufteilenden Sprechen verraten! Fehlt der Perichoresenlehre des Johannes von Damaskus so die Konsistenz und innere Bündigkeit, so bleibt ihm doch das Verdienst, mit Hilfe der Perichoresenlehre den hypostatischen Einigungsprozeß selbst, wenngleich in unzeitlicher Form, bedacht zu haben. Hier ergibt sich am Ende der orientalischen Patristik ein Ansatz für eine Begriffsbildung, welche aus der chalkedonischen Christologie erwachsend zugleich über diese hinausdrängt und auf die heutige Problematik vorweist. Im Aufriß der Problemstellung wurde gefragt: Wie läßt sich ein Begriff der Homousie gewinnen, der Gleichwesentlichkeit Jesu mit dem Vater und mit uns, der es ermöglicht, Jesu Verhältnis zum Vater, seine Hingabe, seinen Gehorsam an ihn, die Ereignisse seines Lebens, seinen Tod und seine Auferstehung als jene geschichtlichen Selbstvollzüge und Ereignisse zu denken, durch welche das Verhältnis Jesu zum Vater sich erbildet? Wie können diese für das Verhältnis Jesu zum Vater konstitutiven Ereignisse und Vollzüge ihren Raum finden gerade im Begriff der hypostatischen Union? Auf diese neuzeitlichen, wesentlich vom biblischen Befund her ausgehenden Fragen an die chalkedonensische Christologie bieten die Ausführungen des Johannes von Damaskus über die Perichorese im Prozeß der Einigung eine erste, wenngleich noch sehr implizite und damit ungenügende Antwort. Dieser Ansatz wird sich erst dort als leistungsfähig erweisen, wo er angereichert ist durch eine Besinnung auf Zeit und Geschichte als den Raum, in dem sich diese Einigung vollzieht. Um diese Anreicherung des Begriffes zu erlangen, bedarf es einer

Besinnung auf Zeit und Geschichte als Wesensverfassung menschlichen Selbstseins.

3. Zeit und Geschichte –
Wesensverfassung menschlichen Selbstseins

Zeit ist mehr, als die Definition des Aristoteles denken läßt: „Dies aber ist die Zeit: die Zahl der Bewegung nach dem Früher und Später."[24] Auch der zählende und das Gezählte werden umfangen vom Vergehen und Kommen. So ist Zeit weder ein Gedankending (ens rationis) noch lediglich ein Äußerliches der an sich unveränderlichen zeitlosen Substanzen. Zeit bezeichnet vielmehr die Weise, wie es Sein überhaupt gibt: Sein der Berge und Flüsse, Sein der Pflanzen und Tiere, Sein des Menschen, der der Zeit inne ist. Zeit charakterisiert die Verfaßtheit alles Seienden.

Zeit ihrerseits ist gekennzeichnet durch einen Vorbehalt bzw. Entzug und ein Zureichen. Zukunft ist das „noch-nicht" von Dingen, Ereignissen, kommenden Geschlechtern, von uns selbst. Zukunft bezeichnet so einen Vorbehalt, denn Zukunft ist ja Zukunft dieser Dinge, dieser Ereignisse usw. Und analog ist Vergangenheit auf ihre Weise Entzug. Was früher war, ist vergangen, abgesunken ins Gewesensein. So ist der Vorbehalt von Zukunft und der Entzug von Vergangenheit ein radikales Vorenthaltensein: beide Male geht es um spezifische Weisen des Nichtseins. Und weil Zukunft und Vergangenheit dem Menschen so entzogen sind, ist ihm auch die Gegenwart kein festzuhaltender Besitz.

Zugleich aber ist Zeit bestimmt durch ein Zureichen: Vergangenheit ist zwar gewesen, geht uns aber immer noch an. Sie bestimmt unsere Geschichte mit, Zukunft kann der Mensch zwar nicht bewirken, aber sie fordert ihn heraus. Er kann gar nicht anders, als auf Zukunft hin leben. Nur so, im Betroffensein durch Vergangenheit, im Angang von Zukunft wird dem Menschen Gegenwart zuteil. In jeder der drei Dimensionen der Zeit waltet so ein Zureichen.

Was trägt diese Überlegung aus für das Verständnis menschlichen Daseins? Die Natur des Menschen war oben charakterisiert worden

---

[24] *Aristoteles*, Physica, Δ 219b (hrsg. von *W. D. Ross*) (Oxford 1952).

als Sein-beim-anderen. Diese Natur besitzt der Mensch, gerade insofern er Selbstsein ist. Bezeichnet nun Zeit die Weise, wie es Sein gibt, so sind Sein-beim-anderen und Selbstsein zeitlich zu denken. Ein Beispiel mag diesen Sachverhalt erschließen helfen: Rückblickend auf die eigene Vergangenheit, kann es den Menschen befremdlich anfallen: Mein Gott, das warst du einmal? Wer bist du jetzt! Wie hast *du dich geändert!* Was soll aus dir einmal werden!

Ein merkwürdiges Phänomen diese Fragen. Das Selbstsein ist nicht starr identisch. Es *ändert sich.* Das *Andere* taucht im *Selbstsein* selbst auf. In einer Reihe von Ereignissen, im darauf antwortenden Selbstvollzug hat dieser Mensch sich verändert. Und gerade in der Veränderung war es ihm möglich, sich treu zu bleiben, vielleicht sogar allererst sich zu finden oder aber sich zu verlieren. Wie sind diese Phänomene zu verstehen? Von der Vorenthaltenheit der Zeit und ihrem Zureichen her. Der Mensch ist in seinem Selbstsein nicht fertig. Er ist sich selbst vorbehalten durch die Zukunft. Er weiß noch nicht, was aus ihm wird. Es ist über ihn noch nicht entschieden. Wie wächst ihm diese Entscheidung zu? Im Einlassen auf die begegnenden Menschen, im Gebrauch der Dinge, im Erleiden der Hindernisse, im Nutzen von Möglichkeiten läßt er die anderen in ihrer Andersheit und das Andere in seiner Andersheit an sich heran. Er vollzieht sein Selbstsein in eine vom anderen her mitgeprägte unverfügliche und unabsehbare Künftigkeit hinein. In solchem Einlaß auf die anderen und das viele andere aber gewinnt er sich wie seine eigene Vergangenheit auf neue Weise wieder.

Die Verweigerung solcher Freigabe in die Zeit führt unausweichlich zur Selbstverfehlung. Selbstverfehlung deswegen, weil der Mensch hier einfach an sich, den einmal erworbenen Ideen, festhält und damit das, was Durchgang ist, festschreibt. Er negiert sich selbst in seiner zeitlichen Verfassung. So gewinnt der Mensch sich immer nur in der zeitlichen Veränderung, im sachgerechten Sich-Einlassen auf die neuen Situationen, im ernsthaften Sich-in-Anspruch-nehmen-Lassen von Menschen. Dieses Sich-selbst-finden ist Wachstum seiner selbst und zugleich unableitbare Gabe vom anderen her: „ἐπίδοσις εἰς αὐτό".

Ist der Mensch in seinem Sein-beim-anderen wie in seinem Selbstsein grundsätzlich, wie oben aufgewiesen wurde, partizipative Einheit mit Gott, dann geschieht Vertiefung dieser Teilhabe an Gott auf dem Weg des Menschen in der Zeit. Nur in der Treue zur Zeit, im zeitlich geforderten Sich-Verlassen und Empfangen, ist der Mensch zugleich auch wahrhaft bei Gott. Denn überall dort, wo der Mensch sich nicht als zeitlich verfaßtes Dasein übernimmt, da rebelliert er gegen jenen, der ihm Leben und Zeit gewährt: Gott.

Zur zeitlichen Verfaßtheit menschlichen Daseins gehört, daß Menschen in der Zeit das Ende der Zeit erfahren. Die endlos sich dehnende Zeit ist eine Projektion. Reale Zeit ist jeweils begrenzte Zeit. Jedem Seienden eignet eine besondere Weise der Vergänglichkeit und der Künftigkeit. Jedem Seienden eignet ein inneres zeitliches Maß, das bestimmt ist durch seine Veränderungsmöglichkeiten. So besitzt auch der Mensch sein Zeitmaß. Der Tod bezeichnet seine zeitliche Grenze. Weil der Mensch aber Mensch ist, in der Zeit der Zeit inne ist, kann er gar nicht anders, als sich in seiner Zeit zu seiner Zeit und ihrem Ende zu verhalten. Gerade so aber nimmt er Stellung zu den vielen Zeiten, den künftigen, vergangenen, gleichzeitigen, die in seine Lebenszeit hineinreichen. Und ebenso ist es ihm gar nicht anders möglich, als im Verhalten zu seinem Tode sich zugleich zu den Grenzen der Zeiten, zur Endlichkeit der Geschichte zu verhalten.

Der Mensch kann diese Wahrheit zwar niederhalten, aber auch so kommt er nicht einfach los von ihr. Übernimmt er sie hellen Auges, dann sieht sich der Mensch – wenn anders menschliche Existenz partizipative Einheit mit Gott ist – noch einmal auf entscheidende Weise auf jenen zurückgeworfen, von dem her ihm Zeit und Zeiten zukommen. Im Vorrücken der Lebenszeit, im Entschwinden von Zukunft wird schonungslos aufgedeckt, daß der Mensch den Grund seines Selbstseins und seines Seins-beim-anderen weder im anderen noch in sich selbst hat. Vielmehr ist er restlos verwiesen auf den entzogenen Grund aller Zeit. Daraus aber resultiert gerade im Anblick des Todes und im Rückblick auf die Geschichte des Lebens eine unaufhebbare Ambivalenz: Welchen Sinn hat menschliches Leben, wenn es für den Menschen im Tode endet? Eine eindeutige Antwort ist weder aus dem verflossenen Leben noch aus der Geschichte möglich. Sie wäre nur von jenem entzogenen Grund her möglich, der die verrinnende Zeit gewährt. So bricht im Tod nochmals höchste Anfechtung, Möglichkeit der Anheimgabe an den entzogenen Gott und Möglichkeit der Verzweiflung auf.

Läßt sich, ausgehend vom zeitlich verfaßten menschlichen Dasein, nun gleichfalls ein negativer Begriff vollendeten Menschseins entwikkeln? Ergeben sich auch von diesem Ansatz aus Konvergenzlinien, die vom Menschen, verstanden als partizipative Einheit mit Gott, auf das Mysterium Christi zulaufen? Die Antwort soll im folgenden Abschnitt versucht werden.

Der Gedanke wird in zwei Schritten vollzogen. Erstens wird ein negativer Grenzbegriff des vollendeten, das heißt des wahrhaft menschlichen Menschen in der Zeit entwickelt. Zweitens soll im Ausgang von der Perichoresenlehre und mit Hilfe ihrer Kategorien dieser negative Grenzbegriff zur theologischen Fassung des Lebens Jesu Christi, seines Todes und seiner Auferstehung herangezogen werden. Es geht darum, die Geschichte Jesu Christi, seinen Tod und seine Auferstehung als Geschick und Selbstvollzug zu verstehen, durch welche Unio hypostatica geschieht.

III. UNIO HYPOSTATICA IN ZEIT
UND GESCHICHTE

1. Der vollendete menschliche Mensch in der Zeit

Was bedeutet Vollendung partizipativer Einheit mit Gott, wenn der Mensch eine zeitliche Verfassung hat? Wie läßt sich geschichtliches Menschsein denken, das ganz mit Gott vereinigt ist, in seiner Existenz das Wesen Gottes mit vollbringt (Homousie)?

Eine erste, formale Antwort ist schnell gegeben: vollendet menschliches Menschsein in der Zeit kann nur jeweiliger Art sein. Was aber bedeutet für den Menschen, in einer jeweiligen Situation gänzlich durch Gott bestimmt zu sein? Der Weg eines solchen Menschen, sein zeitlicher Selbstvollzug muß jeweils herkommen von seinlassender Gewähr Gottes, er muß herkommen von den anderen Menschen, den Dingen, der Welt, so wie sie aus der schöpferischen Hand Gottes hervorgehen. Diese Herkunft, sein völliges Bestimmt-sein durch Gott, offenbart sich darin, daß er die anderen Menschen ebenso wie sich selbst, die Dinge wie die Welt als Gabe Gottes in Danksagung empfängt. Und dies, so wie es die jeweilige Situation unabsehbar und unverfügbar mit sich bringt. In solchem Eucharistein wird offenbar, wie das Wesen Gottes und die von ihm her stammende zeitliche Schöpfung Substanz und Inhalt seines Lebensweges sind. Gerade weil dieser Weg in der

Zeit aber Weg zum Selbstsein ist, liegt die Substanz seines Wesens außer ihm. Dieser Mensch gewinnt sich, indem er von diesem ihm schlechthin gegenüberstehenden, ihn bestimmenden Äußeren herkommt. Insofern ist hier vom Erscheinen Gottes in der Geschichte dieses Menschen zu reden.

Ist diese Epiphanie Selbstoffenbarung Gottes? Ja, allerdings in der Form der Zeit, in der Weise der Andersheit. Es handelt sich um Selbstoffenbarung, weil dieser Mensch nicht einfach in die geschöpfliche Distanz entlassen ist, wie es der condition humaine entspricht, welche durch Ursprungsferne und -vergessenheit, Abwendung von Gott und Versuche der Selbstbegründung geprägt ist. Ursprünglichkeit im hier gemeinten Sinn liegt jenseits des Menschenmöglichen und ist zugleich das ganz Menschliche. Weil diese Selbstoffenbarung Gottes aber in der Zeit geschieht, deswegen vollzieht der vollendet menschliche Mensch das Wesen Gottes nicht im Selbstbesitz, sondern in der Entäußerung an ihn. Wesenseinheit mit Gott in der Form der Zeit bedeutet so Fundierung des Selbstseins im Glauben und restlosen Vertrauen auf Gott. Empfang der Freiheit aus dem Gehorsam ihm gegenüber, Gründung der Autonomie in die Danksagung.

Solcher Glaube, solcher Gehorsam, solche Danksagung aber machen die zeitlichen Situationen, in denen dies jeweils geschieht, transparent auf ihren göttlichen Ursprung hin.

Ist dies die Bewegung vom Sein-beim-anderen zum Selbstsein in der Zeit, so ist nun die gegenläufige Bewegung, vom Selbstsein zum Sein-beim-anderen in der Zeit zu bedenken. Ist der vollendet menschliche Mensch jener, der in jeder Situation von Gott, von den anderen Menschen, von den Dingen, von der Welt herkommt, so kann die Weise, wie er sein Selbstsein vollbringt, nur als eine Hingabebewegung charakterisiert werden. In der das eigene Selbst überschreitenden und somit selbstlosen Förderung der anderen Menschen auf Gott hin, in einem Gebrauch der Dinge, einem Umgang mit der Welt, der die Dinge und die Welt eindeutig auf ihren Grund, auf Gott hin orientiert, erweist sein Freiheitsvollzug sich als ganz von Gott bestimmt. In der demütigen, das Selbstsein überschreitenden Hingabebewegung aber leuchtet göttliche Dynamik auf, insofern nur von ihr her dieser reine, lautere Dienst am anderen überhaupt realisierbar wird. So erscheint hier göttliche Kraft und Mächtigkeit gerade in der endlichen Hingabebewegung, in der Form geschichtlicher Andersheit. Im Selbstvollzug der

Hingabe werden so die anderen Menschen von der ganzen Wucht, Kraft und Unbedingtheit göttlichen Wesens getroffen.

Ein drittes ergibt sich schließlich aus diesen beiden Bewegungen, und zwar je unterschiedlich im Hinblick auf den vollendet menschlichen Menschen, im Hinblick auf die anderen Menschen, im Hinblick auf Zeit und Geschichte.

Im Hinblick auf den ganz menschlichen Menschen:

Beide Bewegungen, „Danksagung" und „Hingabe", laufen jeweils durch die verschiedenen Situationen seines Lebens. Jede Situation fordert ihn ganz und gar heraus, ist für ihn Versuchung und Anfechtung. In jeder Situation steht er, stehen Herkunft und Zukunft auf dem Spiel. Nur in der Bewährung der Treue zu seinem Ursprung und im freien Sich-Loslassen ins Kommende ereignet sich jeweilige unbedingte Begabung mit sich selbst.

Im Hinblick auf die ihm begegnenden Menschen ergibt sich: Da das Verhältnis des ganz menschlichen Menschen zu den anderen Menschen jeweilig durch seine und durch deren Gottesbeziehung bestimmt ist und nicht vom unmittelbaren Verhalten des konkreten Partners bzw. den geschichtlich gegebenen Realitäten her, so wandelt er jede Situation für die anderen Menschen zum Raum unbedingter Freiheit und Versöhnung miteinander, insofern er die Menschen nicht bei ihrer Schuld und Geschichte behaftet, sondern in einen unbedingten Neuansatz verwickelt. Die Begegnung mit ihm wird zur Befreiungs- und Erlösungsgeschichte.

Im Hinblick auf die Zeit ergibt sich: Im jeweiligen Bestehen der gegebenen Situation durch den vollendet menschlichen Menschen und in der Verwandlung der Begegnung in den Beginn einer Befreiungs- und Erlösungsgeschichte leuchtet unbedingter Sinn von Zeit in Jeweiligkeit auf. Da jede Situation, wie die Lebenszeit des Menschen offen ist für die in sie hineinstehenden Zeiten überhaupt, taucht in der jeweiligen Vollendung dieser unbedingte Sinn der Zeiten als Einzelgeschehen auf. Unbedingter Sinn, der darin besteht, daß die hier sich ereignende und zeigende vollendete Bestimmtheit dieses Menschen und der Situation durch Gott allen Zeiten eine neue Tiefe, eine neue Hoffnung mitteilt.

Es muß nun abschließend noch in kurzen Zügen der Tod, das Wegesende des ganz menschlichen Menschen bedacht werden. Wir haben seinen Lebensweg einerseits charakterisiert als eucharistische Bewegung, als Herkunft von Gott, vom anderen Menschen, von den Dingen, von der Welt und der Bezeugung dieser Herkunft in der Danksagung. Im herannahenden Ende schwindet die zunächst vorbehaltene Zukunft. Und so vermag der wahrhaft menschliche Mensch im Tod restlos von Gott her zu sein. Die Erscheinung dessen: Die göttliche Gabe der anderen Menschen, der Dinge, der Welt, seines eigenen Lebens vermag er jetzt mit nicht nur jeweiliger, sondern alles zusammenfassender Danksagung Gott anheim zu geben. Der Weg wurde weiter charakterisiert als Hingabebewegung, als Förderung der anderen auf sie selbst, auf ihre Einheit, letztlich auf Gott hin. Im Tod erwächst die vorbehaltlose Möglichkeit alles umgreifenden Sich-verschenkens an die anderen, an die Welt. Hier ergibt sich die abgründigste Erscheinung der Dynamik Gottes in ihm. Beides aber, Danksagung und Hingabe sind unlösbar verknüpft mit der radikalsten Herausforderung, mit der nichts aussparenden Versuchung und Anfechtung. Ist es nicht dort zu Ende mit der partizipativen Einheit, wo der in seinem Lebensweg ganz von Gott bestimmte Mensch die Möglichkeit hat, sich Gott und den anderen Menschen völlig zu übereignen? Diese Frage ist eine auch vom vollendeten Menschen her nicht entscheidbare Sache, die er nur mit dem äußersten Mut der Hoffnung antizipierend bejahen kann. Er kann dieser Antwort nicht vorweg sicher sein. Er verfügt nicht über sie. Er vermag nur auf Grund der Schwungkraft seines Lebens auf sie zu setzen.

Trägt die genannte äußerste Hoffnung, dann geschieht im Tod dieses Menschen die definitive, nicht mehr auf Jeweiligkeit beschränkte Konstitution eines Raumes unbedingter Freiheit zur Umkehr und Versöhnung der Menschen miteinander. Definitiv und universal ist dieser Raum, weil er jetzt nicht mehr vom Vorbehalt der Zukunft beschattet ist. Und die andere Seite dieser Realität: Ist der Tod endgültiges Geschehen in der Geschichte, in dem Endlichkeit und Einmaligkeit aller Geschichte mit aufgeht, so bedeutet der Tod des vollendet menschlichen Menschen, daß in diesem endgültigen Geschehen der definitive Sinn der Geschichte zugleich mit aufgeht und von jetzt an in alle Zeiten der Geschichte hineinleuchtet. Dieser Sinn hat sich bereits in den Ereignissen und Begegnungen dieses Menschen gezeigt. Erschien er dort in Einzelgeschehnissen und damit in der Form geschichtlicher Vorläufigkeit, noch nicht bewährt durch die Zukunft dieses Menschen selbst, so ergibt sich hier eine andere Konstellation: Dieser Sinn erweist sich hier als tragend bis ins Ende dieses Menschen.

Er reicht ins Ende jeder Lebenszeit, ins Ende und in die Endlichkeit aller Zeiten hinein. So ist diese universale Beziehung im Tode des wahrhaft menschlichen Menschen mit höchster Intensität vollzogen: Sein Tod ist ja nichts anderes als endgültige Hingabe an alle Sterblichen und alles Endliche. So ereignet sich in seinem Tod, von der göttlichen Antwort auf seine Hingabe her, der in jedes Ende von Zeit hineinreichende definitive Sinn seines Lebens und seiner Geschichte. Anders ausgedrückt: Sein Ende in Gott ist endgültige Antizipation des Endes von Zeit und Geschichte im Ganzen.

2. Die Geschichte Jesu Christi als Geschehen hypostatischer Union

Der hier skizzierte negative Grenzbegriff des vollendet menschlichen Menschen in der Zeit konvergiert mit den Grundzügen der Perichoresenlehre, wie Johannes von Damaskus sie entwickelt. Die Differenz liegt darin, daß die Henosis hier in zeitlicher Zerdehnung gedacht wird. So entspricht die Theosis oder Logosis, die erste Bewegung der Perichorese, die von Gott her ausgeht und nach Johannes am Menschen geschaut wird, jener Bewegung, die wir durch das völlige Bestimmtsein von Gott in der jeweiligen Situation als den Grund dieses Selbstseins gekennzeichnet haben. Solche Herkunft, so sagten wir, erweist sich gerade in der Danksagung, im Gegründetsein dieses Menschen im Glauben und im Gehorsam. In diesen Vollzügen manifestiert sich geschehende Theosis und Logosis. Füllt man diese zunächst abstrakt wirkenden Termini mit geschichtlicher Konkretion, so bedeutet dies: Jesus erweist sich in seinem Lebensweg gerade darin als Gottessohn, daß er der vollendet an Jahwe Glaubende ist, daß der Wille Gottes seine Speise ist. In diesen Vollzügen offenbart sich, daß er in den jeweiligen Situationen von Gott her zu sich selbst kommt, sich selbst versteht und nur so auch für die anderen verständlich wird.

Theosis und Logosis bedeuten dann weiter, daß er herkommend von Gott in den jeweiligen Situationen auch und zugleich herkommt von den anderen Menschen, von den Dingen, von der Welt. Vom anderen Menschen her auf sich selbst zukommen bezeichnet die Bewegung der Liebe, die den anderen nicht eigenen Interessen unterordnet, ihn auch nicht einfach als zu respektierendes Gegenüber sieht, sondern, bei ihm Stand nehmend, ihn aus seiner Ursprünglichkeit heraus mitvollzieht und darauf dann selbst antwortet. Wiederum geschichtlich konkret gesprochen: In Jesu vorbehaltlosem Ausgehen von den Menschen, ihren Nöten und ihrem Elend geschieht und manifestiert sich Theosis bzw. Logosis. Ähnlich, wenngleich verborgener geschehen Theosis und Logosis in der „Weltlichkeit" Jesu, seinem unbefangenen Herkommen von der Welt, von den Dingen. Die Gleichnisse Jesu etwa sind voll solcher spontaner, unbekümmerter Anerkennung der Welt und ihrer Dinge. Diese Anerkennung weiß freilich ebenso genau um deren Relativität und Endlichkeit.

Die zweite Bewegung der Perichorese, welche Johannes von Damaskus durch die Stichworte Kenosis und Sarkosis, Entäußerung und Fleischwerdung beschreibt, entspricht der zeitlich gedehnten Bewegung des vollendet menschlichen Menschen, welche wir durch die Hingabe des Selbstseins an die anderen und an die Welt charakterisiert haben. In solcher Hingabe, die ihre Vorbedingungen und ihr konkretes Maß durch die jeweilige Situation vorgegeben bekommt, leuchtet, so sagten wir, nichts anderes als die Dynamik Gottes selbst auf. Nur von ihr her wird selbstloser Selbstvollzug im nichts für sich behaltenden Überstieg zum anderen, in der reinen Förderung der anderen verständlich und realisierbar. Konkret: In der Lauterkeit des Zuspruches Jesu, in der sich aufopfernden Hinwendung zu Kindern, Sündern, Kranken, aber auch in der Härte der Gerichtsrede, welche Menschen zur Umkehr, zur Besinnung ruft, weil sie sie nicht aufgibt, erweist sich die beflügelnde Kraft göttlicher Energie. In diesem Geschehen ereignet sich und wird von Jesus vollbracht Kenosis des Wortes. Das Wort selbst erscheint, aber eben in der Zeit, im anderen seiner, im Menschen Jesus. Kenosis ist hier kein Ereignis, das vorausliegt, sondern das in diesem Geschehen, in der Selbsthingabe sich begibt.

Beide Bewegungen aber, Theosis und Kenosis, geschehen immer nur in den jeweiligen Situationen, die als solche den Charakter des Peirasmos, der Versuchung und der Gefährdung haben. Wiederum geschichtlich konkret gesprochen: Jesus erfährt seine Lebenssituationen, die Widerfahrnisse jeweils als versucherische Anfechtung. Die Synoptiker thematisieren mit der Versuchungsgeschichte zu Beginn des öffentlichen Lebens eine geschichtliche Grunderfahrung Jesu. In seinen Abschiedsreden spielt er selbst darauf an: „Ihr habt bei mir ausgehalten in meinen Versuchungen" (Lk 22,28).

Hier mag die Frage auftauchen, ob damit nicht eine Christologie entworfen wird, die gerade nicht die Unio hypostatica bedenkt, sondern eine Henosis schetike. Die Antwort lautet: Nein, und zwar deswegen, weil hier gerade nicht ausgegangen wird von einem in sich stehenden fertigen Selbst-sein, welches akzidentaliter an diesem oder jenem Teilhabe gewinnt, sondern vom Konstituierungsprozeß des Selbstseins. Dieser Konstituierungsprozeß läuft zwar durch die Veränderung, aber gerade in der Veränderung gewinnt und erringt das Selbstsein in gesteigerter Weise die Ursprünglichkeit seiner selbst. Darin wäre dann zugleich auch der Unterschied zu uns, den Glaubenden, gegeben, welche zu dieser Ursprünglichkeit nur durch die geschichtlich vermittelte Teilgabe finden: eben als Miterben und Brüder dessen, der im ausgezeichneten Sinne Sohn des Vaters ist.

Ergibt sich so für die einzelnen Situationen und Ereignisse im Leben Jesu die Möglichkeit, gerade darin die Erbildung des Verhältnisses zum Vater zu sehen, so sind nun noch Tod und Auferstehung in ihrer Bedeutung für die Konstitution der hypostatischen Union zu charakterisieren. Der Tod des vollendet menschlichen Menschen eröffnet, so sagten wir, diesem Menschen die vorbehaltlose Möglichkeit, in der letzten Anfechtung Gott als den unbedingten, ganz und gar bestimmenden Ursprung seines Lebens zu bezeugen: in alles umfassender Danksagung und in alles intendierender Hingabe. Wie geschieht hier Theosis? Und in welcher Form ereignet sich hier Sarkosis? Der Tod des wahrhaft menschlichen Menschen wird da zur vollendeten Selbstoffenbarung Gottes – nun nicht mehr zur Selbstoffenbarung in der Gestalt des anderen, in der Form der Zeit –, wo Gott die radikalste Entäußerung an ihn zur definitiven Zugabe ins Selbstsein dieses Menschen macht. Diese Zugabe ins Selbstsein ist als vollendete, teilgebende Einheit Gottes mit diesem Menschen zu qualifizieren. In der vom Ende seiner Zeit her möglichen Hingabe an Gott ist Gott als das restlos alles bestimmende, keinen Vorbehalt von Zeit und Geschichte mehr kennende Wesen dieses Menschen bezeugt. Die Zugabe ins Selbe ist diesem Menschen nichts anderes als die Zuwendung Gottes selbst, sein menschliches Dasein ist in vollendeter Weise als göttliches Selbstsein aufgegangen. Es ist der Aufgang des Logos, der Zuwendung Gottes in seinem Selbstsein. Selbstsein Jesu Christi als des erhöhten Herrn ist jetzt mit Johannes von Damaskus als reine Henosis, Koinonia, Chrisis zu bezeichnen. In diesem Geschehen aber vollzieht sich zugleich jene andere Bewegung, welche Johannes von Damaskus Sarkosis nennt und die nun eine neue Qualität gewinnt: In seinem göttlichen Sohnsein ist die Hingabebewegung des Lebensweges, die vollendete Hingabe im Tod zur Vollendung gelangt. Das heißt, sie ist dankende Wahrung und Weiterschenken des empfangenen göttlichen Wesens, der vollendeten Liebe: Vom Verherrlichten geht das Pneuma aus. Und zwar wird es von ihm gehaucht und zugleich in die Geschichte gesandt, da diese Hingabe ja in eins dem Vater und all jenem, das von ihm her kommt, gilt, seiner gesamten Schöpfung.

So gehört die Hingabe des Erhöhten an seine Kirche als dem Erstling der Schöpfung, ihre Sammlung und ihre Geistbegabung, konstitutiv mit zur Erbildung der hypostatischen Union, und erst in der endgültigen Durchsetzung seines Reiches, wenn der Erhöhte alle an sich gezogen haben wird, ist seine Hingabe als wahrhafter Sohn Gottes, der den Geist sendet, vollendet und vollends bewährt.

IV. REFLEXION AUF DEN THEOLOGISCHEN BEGRIFF „SOHN GOTTES IN DER ZEIT – WAHRHAFT MENSCHLICHER MENSCH"

Die vorliegenden Erörterungen verlangen nach einer Ergänzung. Der zeitgenössische, kritische Leser, der mit der gängigen theologischen Literatur vertraut ist, wird sich fragen: Was hat es mit diesen Erörterungen eigentlich auf sich? Hier wurde weder von der Schrift noch unmittelbar von einem Konzilstext ausgegangen, beides sind aber maßgebliche Quellen der dogmatischen Reflexion. Wären nicht andere Zeugen der theologischen Tradition heranzuziehen gewesen? Moderne Christologien und Jesusbücher?

Ein weiterer Komplex von Fragen wird sich auf die Differenz des chalkedonischen Begriffes von menschlicher Natur in Jesus Christus zu dem Begriff des Sohnes Gottes in der Zeit, wie er hier entwickelt wurde, beziehen. Welches sind präzise die Unterschiede? Gibt es hinter den vielleicht vordergründig zu nennenden Unterschieden tiefere implizite Differenzen, die möglicherweise weitreichende, Philosophie und Theologie betreffende Konsequenzen haben? Manifestiert sich hier möglicherweise ein Wandel in den Fundamenten, der bedacht werden müßte?

Schließlich wird der hier vorgelegte Begriff des Sohnes Gottes in der Zeit eine Reihe von Folgeproblemen und Fragen aufreißen, die im Verlauf der Darlegung nicht angesprochen werden konnten. Möglicherweise handelt es sich um Fragen, an deren Beantwortbarkeit die Tragfähigkeit dieses Begriffes erprobt werden kann.

Der Verfasser kann im Rahmen der hier vorgelegten Publikation diesen berechtigten Sachfragen nicht voll Genüge tun. Er hofft, in einer bald folgenden Veröffentlichung diesen Problemen nachzugehen.

So beschränken sich die abschließenden Reflexionen darauf, Eigenart und Stellenwert einer Begriffsbildung, wie sie hier erarbeitet wurde, darzulegen.

1. Eigenart und Stellenwert des theologischen Begriffs im Ensemble dogmatischer Theologie

Am Anfang seines Artikels ‚Homoousios hemin' stellt Bernhard Welte die Frage nach dem Begriff der Menschennatur, die nach dem Konzil von Chalkedon von Jesus ausgesagt wird, von jenem Jesus, von dem zuvor das Konzil von Nikaia gesagt hat, daß ihm Gottesnatur eigne. Diese Frage mag die unterschiedlichsten Anlässe gehabt haben und immer noch haben: die Meinung etwa, daß man auf Grund heutiger Erfahrung, im Kontext heutigen Denkens gar nicht mehr von einer Menschennatur sprechen könne. Ausgangspunkt dieser Frage könnte aber ebenso die zur Zeit der Väter wie heute wenigstens unterschwellig vorhandene Vermutung sein, der wahrhaft göttliche Gott, könne nicht zugleich Mensch sein. Besteht nicht eine Inkonsistenz, ein logischer Widerspruch in den Aussagen von Chalkekon? Die Frage könnte aber ebenso aufbrechen von heutiger exegetischer Forschung her: Ist nicht die Rede von Jesus Christus, der eines Wesens mit dem Vater und eines Wesens mit uns ist, vom Neuen Testament her als törichte, weil völlig unangemessene Rede zu charakterisieren? Solche und andere höchst triftige Fragen lassen sich im Ernst und wahrhaft angemessen nicht lediglich durch historische Forschung und Argumentation beantworten. Als *eines* wesentlichen Momentes der Antwort bedarf es des Begriffs der Menschennatur. Warum? Woher resultiert diese Notwendigkeit des Begriffs? Was ist und leistet ein Begriff? Der Begriff erhebt und faßt die Sachlogik, die in einer komplexen Realität waltet, er läßt so die Sache in ihrer Einheit, in ihren wesentlichen Merkmalen, in ihrer Stellung zu anderen Sachverhalten einsichtig werden. Wer eine Sache begriffen hat, der versteht sich so auf diese Sache, daß er sich gleichsam frei und schwerelos in dieser Sache bewegen kann: Er versteht das Zueinander der verschiedenen Momente in diesem Sachverhalt, er versteht die verschiedenen Sachbezüge, die sich von ihr her ergeben. Dabei unterscheidet sich der Begriff vom Sachverstand dadurch, daß derjenige, welcher eine Sache begriffen hat, sich nicht nur faktisch, im praktischen Umgang auf eine Sache versteht, sondern über diese Sache auch anderen Rechenschaft zu geben weiß. Der Begriff bleibt so der Sache nachgeordnet. Er dient der Erfassung der Sache, und die Sache kommt durch ihn zum Vorschein. Kriterium des Begriffs ist also seine Sachangemessenheit. Dabei ergibt sich eine grundlegende Unabgeschlossenheit des Begriffs, weil grundsätzlich die Möglichkeit nicht ausgeschlossen werden kann, daß sich neue Aspekte der Sache selbst zeigen, die zu einer Umgestaltung des Begriffs nötigen. Der Begriff behält so ständig einen Entwurfs- und Projektcharakter, er unterliegt einer geschichtlichen Möglichkeit und Notwendigkeit des Umgestaltetwerdens.

Indem der Begriff aber den Begreifenden und die Sache vermittelt, und zwar so, daß die Sache in sich einsichtig wird, ihr Logos sagbar wird, ermöglicht die Begriffsbildung zugleich die Kommunikation, ist Begriffsbildung zugleich Vermittlung mit der allgemeinen öffentlichen Vernunft einer Zeit und Kultur.

Weil der Begriff so wesentlich operationaler Art ist, wird er blind und unbrauchbar, wo er als in sich ständiges Eigenwesen betrachtet wird, in dem man gleichsam die Wirklichkeit hat. Der Begriff entfaltet sein eigenes Wesen und seinen Sinn immer nur in der Dienlichkeit zur Erfassung von etwas, losgelöst aus dieser funktionalen Beziehung ist er leere logische Figur.

Zwar ist es möglich, in der Arbeit der Begriffsbildung, in der Ausgestaltung der inneren Architektonik eines Begriffes sich von der Binnenlogik des Begriffes selbst leiten zu lassen, aber die Bewährung bzw. Falsifizierung der so gewonnenen inneren Begriffsstruktur erfolgt dann wiederum und exklusiv im Blick auf und im Umgang mit der Sache, im Gebrauch. Auf Grund dieser vermittelnden Position des Begriffs trägt der Begriff nicht in der gleichen Weise wie die Sache die Stigmata von Zeit und Geschichte. Es eignet dem Begriff eine ihm eigene Zeitlichkeit und Geschichtlichkeit, die nicht deckungsgleich ist mit der Zeit und der Geschichte der Sache. Insofern der Begriff die Logik der Sache bzw. den Logos erhebt, der sich in und durch die Zeit austrägt, ist der Begriff Ereignissen, Geschehnissen der Geschichte nicht mehr unmittelbar unterworfen, sondern nur noch in distanzierter Weise. Und da erweist er sich als um so angemessener, als er Herkunft und unvermutet eintretende Veränderung der Sache, unabsehbar Künftiges, das sich zuträgt, mit erschließen und verstehen hilft.

Diese allgemeine Charakteristik des Verhältnisses von Begriff, Sache und begreifendem Menschen gilt auch von theologischen Begriffen. Wenn Bernhard Welte sich in der Entfaltung des theologischen Begriffes vollendeter Menschlichkeit von Thomas von Aquin, aber auch – mit gewissen Korrekturen – von Hegel und anderen modernen Denkern inspirieren läßt, dann waltet in diesem Orientierungsprozeß nicht einfach Beliebigkeit. Vielmehr spielen hier drei Gesichtspunkte eine entscheidende Rolle:

1. daß diese Denker selbst, verborgen oder offen im Zuge jener Sachproblematik stehen, die im Dogma von Chalkedon angesprochen ist;

2. daß sie auf Grund der Schärfe ihres Denkens, der Qualität ihrer Begriffsarbeit zur Lösung der hier und jetzt anstehenden Begriffsbildung Entscheidendes sagen können; und

3. daß die Aufnahme ihrer Anregungen in den hier und jetzt zu bildenden Begriff zur inneren Konsistenz des Begriffes führt. Diese Konsistenz muß sich in doppelter Hinsicht bewähren: im Hinblick auf die zu verstehende und zu begreifende Sache und im Hinblick auf die allgemeine zeitgenössische Vernunft, die sich im Laufe der Geschichte und durch sie herausgebildet hat.

Wie legitimiert sich gegenüber dem früheren theologischen Begriff die Bildung eines neuen Begriffes, wie er im Ausgang von Weltes Überlegungen hier vorgenommen worden ist? Die Notwendigkeit einer solchen neuen Begriffsbildung ergibt sich in doppelter Hinsicht aus dem Begriff des chalkedonischen Dogmas selbst: insofern der Begriff des Dogmas von Chalkedon bezogen ist auf das Zeugnis von Jesus Christus, wie es in den neutestamentlichen Schriften vorliegt, verbleibt hier eine Differenz der Unangemessenheit. Jesu volle Menschlichkeit ist zwar in diesem Dogma festgestellt, aber im Ausgang von den Kategorien Chalkedons lassen sich die im Kerygma berichteten Ereignisse des Lebens Jesu theologisch nicht zureichend erfassen. Wie oft nehmen die Väter in der Auslegung biblischer Stellen nicht ihre Zuflucht zu Auskünften wie: dies hat er lediglich um unseretwillen getan; hier hat er sich nur so gestellt, als ob; dieses Verhalten ist lediglich pädagogischer Art[25].

Zugleich aber drängt der Begriff des chalkedonischen Dogmas von sich selbst her über sich hinaus, denn menschliche Natur ist nicht denkbar ohne ihre Vollzüge, Gott und göttliche Natur sind nicht denkbar ohne ihr Wirken. Auch in dieser Hinsicht erweist sich der Begriff als noch unartikuliert, als erweiterungs-, ergänzungs- und transformationsbedürftig.

Geschichtlich wird die hier skizzierte Problematik akut im Monotheletenstreit. Sie erfährt eine erste begriffliche Aufarbeitung durch die Einführung der Perichoresenlehre. Wenn deswegen in der voraufgehenden Erörterung auf die Perichoresenlehre zurückgegriffen wird, dann nicht als auf einen beliebigen Punkt im Verlauf der christologischen Lehrentwicklung, sondern weil hier ein erster begrifflicher

---

[25] Vgl. Johannes von Damaskus, Genaue Darlegung des orthodoxen Glaubens IV, 18 (hrsg. v. *D. Stiefenhofer* [München 1923] BKV, 238 f): „Von dem, was auf menschliche Art von Christus, dem Heiland, ausgesagt wird und geschrieben steht, seien es Worte oder Taten, gibt es sechs Weisen. Einiges davon ist gemäß der Heilsordnung auf natürliche Weise erfolgt und gesagt, wie die Geburt aus der Jungfrau, das Wachstum und die Zunahme an Alter ...

Einiges (ist) verstellungsweise (geschehen und gesagt), wie die Frage: ‚Wo habt ihr den Lazarus hingelegt?‘ ‚sein Hingehen zum Feigenbaum, sein Sichverbergen oder Sichzurückziehen, sein Gebet, das: ‚Er stellte sich, als wollte er weitergehen.‘ Denn dieses und ähnliches hatte er weder als Gott noch als Mensch nötig, sondern er nahm nach menschlicher Art eine Haltung an, wie sie das Bedürfnis und der Nutzen erheischte. So betete er, um zu zeigen, daß er kein Gottesfeind sei, da er ja den Vater als sein Prinzip ehrte. Er fragte nicht aus Unwissenheit, sondern um neben dem Gottsein das wirkliche Menschsein zu zeigen. Er zog sich zurück, um zu lehren, nicht vorschnell zu handeln und sich nicht selbst preiszugeben.

Einiges (ist) aneignungs- und übernahmsweise (gesagt), wie: ‚Mein Gott, mein Gott, warum hast Du mich verlassen?‘, und: ‚Den, der keine Sünde kannte, hat er für uns zur Sünde gemacht‘, und: ‚Der für uns zum Fluche geworden‘, und: ‚Der Sohn selbst wird dem unterworfen werden, der ihm alles unterworfen hat.‘ Denn weder als Gott noch als Mensch ward er je vom Vater verlassen, er ist weder Sünde noch Fluch geworden, noch brauchte er sich dem Vater zu unterwerfen. Sofern er Gott ist, ist er dem Vater gleich und weder entgegengesetzt noch unterworfen. Sofern er aber Mensch ist, war er dem Erzeuger nie ungehorsam, um eine Unterwerfung zu brauchen. Sofern er sich unsere Person aneignete und sich mit uns zusammenstellte, sagte er dieses. Denn wir waren die der Sünde und dem Fluche Verfallenen, wir waren ja widerspenstig und ungehorsam und darum verlassen."

Fortschritt gemacht wird, der vom Begriff des Dogmas von Chalkedon her selbst ausgelöst wird auf Grund der Spannung, die zwischen diesem Begriff und seiner Sache besteht.

Diese Notwendigkeit aber ist zugleich auch Maßstab für die Verbindlichkeit des hier eingeschlagenen Weges. Diese Verbindlichkeit ist nicht jene Verbindlichkeit, die dem Kerygma als Kerygma, dem Dogma als Dogma zukommt. Es handelt sich hier ja um den Begriff, der dem Kerygma bzw. dem Dogma zugrunde liegt. Der Begriff hat nur in einer vermittelten Weise an dieser unmittelbaren Verbindlichkeit des Kerygmas bzw. Dogmas teil. Die Verbindlichkeit des Begriffs und des Weges seiner Bildung ergibt sich vielmehr aus der Sachlogik, welcher der Begriff auf der Spur ist.

Obwohl die Perichoresenlehre eine so herausragende Bedeutung einnimmt, ist es doch unmöglich, in der Begriffsbildung bei ihr stehen zu bleiben. Warum? Weil ihre Leistungsfähigkeit in der genannten doppelten Weise, nämlich im Hinblick auf das Kerygma und im Hinblick auf die begriffliche Problematik selbst zu gering ist. Sie mußte durch eine Besinnung auf die zeitliche Struktur menschlichen Selbstseins und Seins-beim-anderen ergänzt werden.

Wenn Dogmatik über das verbindliche Glaubensgut, das in Schrift und Tradition bezeugt wird, nicht nur berichten, sondern einen intellectus fidei erarbeiten will, kann sie auf solche theologische Begriffsarbeit nicht verzichten. Und ebenso können wesentliche Züge der Glaubwürdigkeit christlichen Glaubens nur durch theologische Begriffsarbeit zutage gefördert werden.

V

Christologie von unten?

Kritik und Neuansatz gegenwärtiger Christologie

Walter Kasper, Tübingen

Wo immer Theologie bei ihrem Leisten bleibt und nicht Allotria treibt, versteht sie sich als Verantwortung des christlichen Glaubens. Sie hat zwei Bezugspunkte: den überlieferten Glauben an Jesus Christus und den Menschen, der in seiner jeweiligen geschichtlichen Situation diesen Glauben als sein Heil und sein Leben verstehen soll. Theologie ist also ein Übersetzungsprozeß, bei dem Tradition und Interpretation eine Einheit bilden[1].

Über die Ergebnisse dieser Übersetzung in der Theologie der Gegenwart gehen die Meinungen freilich auseinander. Wo die einen die Gefahr der Auflösung des Glaubens durch Anpassung an das moderne Denken sehen, befürchten die andern die Gefahr seiner Erstarrung durch einen Rückzug ins kirchliche Getto. Im Hintergrund des ekklesiologischen Streits um eine mehr offene oder eine mehr geschlossene Gestalt der Kirche stehen unterschiedliche Christologien. Berufen sich die einen auf den Menschen Jesus von Nazareth, der ganz für die andern da war und sich bis in den Tod für sie engagierte, so die andern auf den erhöhten und transzendenten Herrn, dem alle Vollmacht gegeben ist und der seine Apostel zur vollmächtigen Verkündigung und Spendung der Sakramente sendet. Die Krise in der Kirche ist also letztlich christologischer Art und kann nur durch eine vertiefte christologische Besinnung gelöst werden[2].

Freilich in der eben charakterisierten simplen Form ist die Alterna-

---

[1] Vgl. *W. Kasper*, Die Methoden der Dogmatik. Einheit und Vielfalt (München 1967); *K. Lehmann*, Die dogmatische Denkform als hermeneutisches Problem. Prolegomena zu einer Kritik der dogmatischen Vernunft: Die Gegenwart des Glaubens (Mainz 1974) 34–53.

[2] Für die exegetische und historische Begründung des folgenden sei auf *W. Kasper*, Jesus der Christus (Mainz 1974), verwiesen. Einen umfassenden Überblick über die gegenwärtige christologische Diskussion gibt *A. Schilson – W. Kasper*, Christologie im Präsens. Kritische Sichtung neuer Entwürfe (Freiburg i. Br. 1974).

tive theologisch naiv und unhaltbar. Die bisherigen Referate haben gezeigt: *Das* christologische Grundthema der Schrift ist die Einheit von irdischem Jesus und erhöhtem Christus, *das* christologische Grundmotiv der Tradition die Einheit von wahrer Gottheit und wahrer Menschheit. Das eine kann nicht gegen das andere ausgespielt werden. Das Grundproblem, vor dem wir theologisch stehen, ist also die Art, *wie* wir die Einheit zwischen dem Jesus der Geschichte und dem Christus des Glaubens, zwischen seiner Menschheit und seiner Gottheit „verständlich" machen können. In dieser Frage trennen sich die traditionelle Christologie „von oben" und die moderne Christologie „von unten".

I. Die Problemstellung in der liberalen Theologie

Die traditionelle Christologie geht aus von dem Grundaxiom der Menschwerdung Gottes, näherhin der Menschwerdung des ewigen, „eingeborenen" Sohnes Gottes. Sie setzt damit nicht nur den Glauben an Gott, sondern auch den Glauben an den dreifaltigen Gott und an die Präexistenz des Sohnes Gottes voraus. In diesem Sinn war und ist sie Christologie „von oben", Abstiegs- und Inkarnationschristologie. Freilich war sie nicht so hybrid, daß sie meinte, sie könne sich auf den Standpunkt Gottes stellen und von da aus spekulieren. Sie war sich vielmehr bewußt, daß wir das „Oben" nur durch die geschichtliche Offenbarung Gottes in Jesus Christus, also durch das „Unten" erkennen können. Man wußte zu unterscheiden zwischen der Seinsordnung (ratio essendi), in der das trinitarische Sein Gottes in sich (immanente Trinität) deren Offenbarung (ökonomische Trinität) vorausgeht, und der Erkenntnisordnung (ratio cognoscendi), in der das theologische Erkennen – wie jedes andere menschliche Erkennen auch – beim Sichtbaren ansetzt um darin das Unsichtbare zu erfahren. „In der sichtbaren Gestalt läßt du uns den unsichtbaren Gott erkennen" (Weihnachtspräfation). Insofern sind Christologie „von oben" und Christologie „von unten" für die klassische kirchliche Christologie kein sich ausschließender Gegensatz, was in der Diskussion fast durchweg übersehen wird.

Das Problem kommt erst in den Blick, wenn man die Frage nicht rein formal nach dem Ausgangspunkt, sondern inhaltlich nach dem Einheitsgrund von Gottheit und Menschheit in Jesus Christus stellt.

Die christologische Tradition nahm das Axiom von der Menschwerdung *Gottes* ernst, sah in Gott bzw. in der zweiten göttlichen Person den tragenden Grund, das subiectum (hypostasis) der Einheit, und antwortete mit der Lehre von der hypostatischen Union, daß die menschliche Natur Jesu vermittelst der zweiten göttlichen Person (Hypostase) in die Einheit mit der göttlichen Natur aufgenommen wird. Die Einheit wurde also trinitarisch „von oben" begründet. Die Trinitätslehre war hier eine Art transzendentaltheologische Voraussetzung für die Christologie; weil Gott in sich trinitarisch ist und Einheit und Vielheit umgreift, hat er die Möglichkeit eine menschliche Natur „unvermischt und ungetrennt" in sich aufzunehmen.

Diese klassische christologische Konzeption stellt schon rein denkerisch eine spekulative Leistung erstes Grades dar, die man nicht mit ein paar schnell hingeworfenen kritischen Bemerkungen abtun kann. Sie hat jedoch auch einen existentiellen, oder besser: einen soteriologischen Sinn und nicht ein rein intellektuell-spekulatives Interesse. Hinter dieser Konzeption steht nämlich ein Verständnis der Wirklichkeit, in dem nicht Gott, sondern der Mensch das Problem ist. Der Mensch als Sünder, der dem Tod verfallen ist, kann sein Heil nur finden, wenn er in Gott Grund und Halt findet, wenn er letztlich eins mit Gott wird. Innerhalb dieser altkirchlichen Erlösungsvorstellung kann die Einheit von Gott und Mensch in dem einen Mittler Jesus Christus nicht anders als „von oben", d. h. von Gott her begründet werden. Die altkirchliche Christologie „von oben" steht und fällt also mit der altkirchlichen Lehre von der Erlösung. Sie gibt ihr ihre existentielle Begründung, sie macht uns diese aber heute auch zum Problem.

Seit dem Beginn der Neuzeit vollzog sich ein tiefgreifender Wandel im Wirklichkeits- und Selbstverständnis des Menschen. Nun ist der Mensch kein Problem, Gott aber in jeder Hinsicht problematisch. Der Mensch wird nun zur Grundlage aller Gewißheit und zum Ausgangspunkt und Bezugspunkt des gesamten Wirklichkeitsverständnisses. Diese anthropologische Wende mußte in der Konsequenz auch zu einer christologischen Wende führen.

Im einzelnen kann man mit R. Slenczka[3] drei Motive nennen, die zur modernen Christologie „von unten" geführt haben:

---

[3] Vgl. *R. Slenczka,* Geschichtlichkeit und Personsein Jesu Christi. Studien zur christologischen Problematik der historischen Jesusfrage (Göttingen 1967) 128 ff.

1. Die historische Motivation: Aus dem Befremden und der Distanz gegenüber der bisherigen Tradition wurde eine historisch-kritische Beschäftigung mit ihr möglich. So wurde seit Reimarus und Lessing das Verhältnis zwischen dem Jesus der Geschichte und dem Christus des Glaubens zum Problem, das durch D. F. Strauß erneut zur Diskussion gestellt wurde. In der liberalen Theologie kam es dann vor allem durch A. von Harnack zu der Debatte um die Hellenisierung des ursprünglichen Christusglaubens und seine Überfremdung durch die hellenistische Metaphysik[4]. Davon geblieben ist bis heute die These, in der christologischen Tradition sei an die Stelle des lebendigen Gottes der Geschichte der „apathische" Gott Platons getreten. Ein Neuentwurf der Christologie unter Rückgriff auf das Ursprungszeugnis der Schrift war deshalb angezeigt.

2. Die christologische Motivation: In der liberalen Christologie „von unten" besonders in der Schule von A. Ritschl ging es keineswegs darum, den historischen Jesus gegen den Christus des Glaubens auszuspielen. Im Gegenteil, die Anwendung der historisch-kritischen Methode war letztlich dogmatisch motiviert. Man wollte gegen die Auflösung des Christusglaubens in eine allgemeine Idee (D. F. Strauß; B. Bauer) oder in eine Mythe (A. Drews) das vere homo zur Geltung bringen. Es geht also nicht um eine Substitution des christologischen Dogmas, sondern um dessen historische Interpretation. Dahinter stand:

3. Die hermeneutisch-apologetische Motivation: Es geht der liberalen Theologie um eine Begründung des Glaubens gegenüber dem Unglauben, um den Nachweis, daß der Glaube kein leeres Phantasiegebilde ist und sich auf verifizierbare Tatsachen und Sachverhalte stützt. Man will den Glauben also dem modernen Menschen mit modernen Mitteln nahebringen, das Unverständliche begreiflich und das

---

[4] Die von Harnack aufgestellten Thesen werden in manchen Entwürfen der Christologie „von unten" bis heute ziemlich unkritisch übernommen, obwohl sie von der ernsthaften Forschung längst aufgegeben sind. Denn 1. ging es in der altkirchlichen Dogmengeschichte nicht um ein spekulatives, sondern um ein soteriologisches Anliegen, das sich nur sekundär in schöpferischer Umprägung hellenistischer Kategorien bediente, und 2. war diese kritische Anknüpfung eine hermeneutische Notwendigkeit in der damaligen Situation. Sie war gleichsam das aggiornamento von damals. Vgl. A. Grillmeier, Hellenisierung – Judaisierung des Christentums als Deuteprinzipien der Geschichte des kirchlichen Dogmas: Scholastik 33 (1958) 321–355; 528–558; ders., Die altkirchliche Christologie und die moderne Hermeneutik: Theologische Berichte, Bd. 1 (Zürich 1972) 109–161.

Erstarrte lebendig machen. Dies konnte entsprechend der neuzeitlichen Wende zur Subjektivität nicht mehr auf dem Weg der bisherigen Christusontologie, sondern nur noch auf dem Weg einer Art Christuspsychologie geschehen. Im irdischen Menschen Jesus, besonders in seinem inneren Leben sollte sein Gottsein erfahrbar und in einem ästhetischen Akt gleichsam anschaubar werden.

Von solchen Motiven bewegt, will A. Ritschl „die Gottheit Christi als ein an seinem Wirken offenbares Attribut verstehen". „Erst müssen wir Christi offenbare Gottheit nachweisen können, ehe wir auf seine ewige Gottheit reflektieren."[5] Die Aussagen über den Erhöhten wie den Präexistenten müssen „ihren Maßstab in der geschichtlichen Gestalt seines Lebens finden. Also muß die Gottheit oder die Weltherrschaft Christi in bestimmten Zügen seiner zeitlichen Existenz begriffen werden."[6] Ähnlich heißt es bei dem Links-Ritschlianer W. Herrmann: „Wir, die wir die Erlösung bei Jesus suchen, dürfen uns auch nicht etwa unterfangen dieselben hohen Dinge von Jesus zu glauben, wie sie (scl. die Jünger) als Erlöste von ihm geglaubt haben. Das hieße, von oben anfangen und das zum Grund der Erlösung machen, was eine Frucht der Erlösung ist. Wir sollen nicht selber emporklettern wollen. Sondern wir sollen uns wie damals die Jünger treffen und emporheben lassen durch das, was uns in unserer Lage als etwas zweifellos Wirkliches berührt..."[7]

Fassen wir zusammen, worum es in der modernen Christologie „von unten" ursprünglich geht:

1. Das Programm der Christologie „von unten" versteht sich als der Versuch, den Glauben an Jesus Christus unter den Voraussetzungen des neuzeitlichen Denkens neu zugänglich und verständlich zu machen. Es handelt sich also um einen epochalen Neuansatz, der nur sekundär an älteren theologischen Entwürfen (neutestamentliche Erhöhungschristologie, verschiedene Formen des Adoptianismus, die Homo-assumptus-Christologie, die Austauschchristologie Luthers u.a.) anknüpft.

2. Entsprechend dem mit der neuzeitlichen anthropologischen Wende gegebenen wissenschaftlichen Methodenbewußtsein versucht

---

[5] A. Ritschl, Die christliche Lehre von der Rechtfertigung und Versöhnung, Bd. 3 (Bonn ⁴1895) 337.
[6] Ebd. 383.
[7] W. Herrmann, Der Verkehr des Christen mit Gott (Tübingen ⁷1920) 64.

die Christologie „von unten" die Frage nach dem Ausgangspunkt, dem Grunddatum und dem Maßstab des Christusglaubens reflexer zu stellen als die christologische Tradition. Ihr Ansatz ist das „Leben Jesu", und insofern ist sie „Leben-Jesu-Theologie". Die Verdrängung von Kreuz und Auferstehung aus ihrer im Neuen Testament zentralen und fundamentalen Bedeutung hat sie dabei mit der klassischen Inkarnationschristologie gemeinsam.

3. In der Leben-Jesu-Theologie geht es (wenigstens bei ihren klassischen Vertretern) keineswegs um eine entwicklungsgeschichtliche, psychologisierende Biographie Jesu; es geht vielmehr um *das* christologische Grundproblem: die Frage nach der Einheit von Gott und Mensch in Jesus Christus in einer Person. Die Grundfrage an die Christologie „von unten" lautet deshalb: Handelt es sich um die *menschliche* Person Jesu, die uns Gott als Person offenbart, oder handelt es sich um die zweite *göttliche* Person, die sich in Jesu Menschheit offenbart? Wie kann also das Dogma des Konzils von Chalcedon neu verständlich gemacht werden?

II. Die Diskussion in der protestantischen Theologie

Scharfen Widerspruch gegen die liberale Christologie „von unten" meldete zunächst M. Kähler an. In seinem berühmten Vortrag „Der sogenannte historische Jesus und der geschichtliche, biblische Christus" bezeichnete er bereits 1892 die ganze „Leben-Jesu-Bewegung" als einen Holzweg[8]. Geschichtlich wirksam wurde dieser Widerspruch freilich erst durch die Dialektische Theologie nach dem Ersten Weltkrieg und der durch ihn ausgelösten Krisenstimmung und Erschütterung der neuzeitlichen „Selbstgewißheit". In seinem Vortrag „Die dogmatische Prinzipienlehre bei Wilhelm Herrmann" (1925) schreibt Barth: „Die orthodoxe Christologie ist ein aus der Höhe von 3000 m steil abfließendes Gletscherwasser; damit kann man etwas schaffen. Die Herrmannsche Christologie, so wie sie dasteht, ist der hoffnungslose Versuch, eine stehende Lagune mittels einer Handpumpe auf dieselbe Höhe zu treiben. Das geht eben nicht."[9]

---

[8] Vgl. *M. Kähler*, Der sogenannte historische Jesus und der geschichtliche, biblische Christus (1892), neu herausgegeben von E. Wolf (München ³1961) 18.
[9] *K. Barth*, Die dogmatische Prinzipienlehre bei Wilhelm Herrmann: Zwischen den Zeiten (1925) 274.

Warum geht das nicht? K. Barth begründet seine Kritik zunächst durch einen Rekurs auf das christologische Dogma. Die Person Jesu, in der wir Gott erfassen, ist die Person des Logos, so daß „es abgesehen vom Logos eine ‚Person' Jesu überhaupt nicht gibt"[10]. In der „Kirchlichen Dogmatik" ergänzt Barth dieses dogmatische Argument durch ein für seine Theologie charakteristisches theologisches Sachargument. Das ebionitische „Emporidealisieren" der Persönlichkeit Jesu ist deshalb unmöglich, weil Gott nur durch Gott offenbar werden kann. Der Erkenntnisgrund für die Gottheit Jesu ist darum nicht eine Art ästhetische Schau seiner Menschheit, sondern allein das Wort Gottes[11]. Daß es sich bei dieser sogenannten Neoorthodoxie um alles andere als um einen naiven Rückfall in ein vorneuzeitliches Denken handelt, macht die wohl ausführlichste Auseinandersetzung mit der Christologie „von unten" bei dem Barth-Schüler O. Weber deutlich[12]. Die liberale Theologie wird hier im Anschluß an E. Troeltsch als in sich unhaltbare Vermittlungstheologie bezeichnet. Sie muß ja voraussetzen, daß das „Unten" für das „Oben" transparent ist; das aber ist ein Postulat der idealistischen Geschichtsphilosophie. Wird dagegen die Endlichkeit des Menschen ernst genommen, dann muß auch gelten: finitum non capax infiniti; dann kann Gott für uns nur Kraft seiner Selbstoffenbarung bekannt sein, und diese Selbstoffenbarung Gottes ist dann nicht nur die vollendende Bestätigung des Menschen, sondern auch das Gericht über alle Versuche des Menschen, sich „von unten" Gottes zu bemächtigen.

Diese Kritik von K. Barth, E. Brunner, J. Iwand, O. Weber, O. Vogel u. a. machte sich auf seine Weise auch R. Bultmann in seinen frühen Auseinandersetzungen mit der liberalen Theologie und den Jesusbüchern von M. Dibelius, E. Hirsch, J. Weiß u. a. zu eigen. Die Konzeption von der Persönlichkeit Jesu als Offenbarungsträger, die „durch eine Art ästhetischer Anschauung farbig gemacht wird"[13], läuft auch nach ihm auf einen idealistischen Geschichtspantheismus hinaus[14] und auf eine „Bruderschaft von Rationalismus und Pietismus"[15].

---

[10] Ebd.
[11] Vgl. *K. Barth*, Kirchliche Dogmatik I/1 (Zollikon – Zürich 1952) 422ff.
[12] Vgl. *O. Weber*, Grundlagen der Dogmatik, 2. Bd. (Neukirchen 1962) 20ff.
[13] *R. Bultmann*, Zur Frage der Christologie (1927): Glaube und Verstehen, Bd. 1 (Tübingen ⁴1961) 98.
[14] Vgl. *ders.*, Die liberale Theologie und die jüngste theologische Bewegung: ebd. 5, 7.
[15] *Ders.*, Zur Frage der Christologie: ebd. 98.

Von Gott kann nur aus dem Glauben an das Kerygma die Rede sein. Deshalb kann Bultmann schließlich sagen: „Wie es in Jesu Herzen ausgesehen hat, weiß ich nicht und will ich nicht wissen."[16] Freilich, Bultmanns Kritik richtet sich auch gegen die nach seiner Meinung objektivierende Redeweise des Chalcedonense[17]. Bultmann vermag von seinen Voraussetzungen her nur noch von einer paradoxen Identität von Gott und Mensch in Jesus Christus zu sprechen. Die Gottheit Christi erweist sich in dem Geschehen, „in das wir dadurch gestellt sind, daß die Predigt erklingt, die ihn als die uns erschienene Gnade Gottes verkündigt"[18]. Es geht hier nicht um sein metaphysisches Wesen an sich, sondern um seine Bedeutsamkeit für den Menschen, für den Glauben[19]. So verstandenes Kerygma und so verstandener Glaube lassen sich selbstverständlich nicht historisch verifizieren und legitimieren[20]. Mit einer Christologie „von unten" schien es damit endgültig vorbei zu sein.

Doch E. Käsemanns berühmter Vortrag über „Das Problem des historischen Jesus" (1953) veränderte die theologische Landschaft schnell und gründlich. Es folgten E. Fuchs, G. Bornkamm, H. Conzelmann u. a. Dieser neuen, nachbarthschen und nachbultmannschen Ära protestantischer Theologie ging es keineswegs in erster Linie um neue exegetisch-historische Einsichten. Was die Frage authentischer Jesuslogien angeht ging Käsemann nicht wesentlich über Bultmanns „Geschichte der synoptischen Tradition" hinaus. Wenn Käsemann „die genuin liberale Frage nach dem historischen Jesus"[21] wieder aufgriff, dann mit dem theologischen Argument, nur so könne gewahrt werden, daß das eschatologische Ereignis „keine neue Idee und kein Kulminationspunkt in einem Entwicklungsprozeß" ist[22], und nur so könne einem neuen Doketismus und Mythos gewehrt werden[23]. Auf diese Gefahr wurde auch von Systematikern aufmerksam gemacht.

[16] Ebd. 101.
[17] Vgl. ders., Das christologische Bekenntnis des Ökumenischen Rates (1951/52): Glaube und Verstehen, Bd. 2 (Tübingen ³1961) 257.
[18] Ebd. 256.
[19] Vgl. ebd. 252.
[20] Vgl. ders., Das Verhältnis der urchristlichen Christusbotschaft zum historischen Jesus (Heidelberg 1960) 12ff.
[21] E. Käsemann, Das Problem des historischen Jesus, in: Exegetische Versuche und Besinnungen, Bd. 1 (Göttingen 1960) 189.
[22] Ebd. 200.
[23] Vgl. ebd. 203.

Von ganz anderen Voraussetzungen her hatte ja H. U. von Balthasar bereits 1951 bei K. Barth eine idealistische Denkform aufgewiesen[24]. Ähnliches zeigte W. Pannenberg 1961 hinsichtlich des für K. Barth zentralen Begriffs der Selbstoffenbarung Gottes[25]. Die „theologische Relevanz des Historischen"[26] und das Thema „Offenbarung als Geschichte" (W. Pannenberg) wurden damit zu einem dringenden Problem.

In der so veränderten theologischen Situation machte sich vor allem W. Pannenberg erneut zum Befürworter einer Christologie „von unten"[27]. Er konnte sich dabei auf einen breiten Konsens innerhalb der protestantischen Theologie berufen, der von W. Elert, P. Althaus, E. Brunner (in seiner Dogmatik), C. H. Ratschow bis zu F. Gogarten und G. Ebeling reicht. Hinter diesen Namen stehen sehr unterschiedliche theologische Entwürfe. Wir beschränken uns hier auf W. Pannenberg, der den wohl bedeutendsten und geschlossensten Entwurf einer dogmatischen Christologie, die ganz bewußt „von unten" ausgeht, vorgelegt hat. Pannenberg will sowenig wie Käsemann ins Fahrwasser der liberalen Theologie zurück. Er weiß um die Untrennbarkeit von Tradition und Interpretation und will deshalb nicht den historischen Jesus gegen das Kerygma ausspielen. Ausdrücklich begründet er seine Christologie „von unten" darum auch nicht allein im irdischen Leben Jesu, sondern in dessen Gesamtgeschick, also unter Einbeziehung der Auferstehung. Auf diesem Weg gelingt es ihm faktisch, die gesamte kirchliche Christologie (mit Ausnahme einiger sekundärer Züge wie etwa die Jungfrauengeburt) „von unten" zu rekonstruieren. Die Versöhnung von Glaube und historischer Vernunft scheint nun endlich gelungen zu sein[28].

Gewissermaßen einen Gegenentwurf hat J. Moltmann in „Der ge-

---

[24] Vgl. *H. U. v. Balthasar*, Karl Barth. Darstellung und Deutung seiner Theologie (Köln ²1962) 210ff.

[25] Vgl. *W. Pannenberg* u. a., Offenbarung als Geschichte (Göttingen 1961) 7ff.

[26] *E. Käsemann*, Sackgassen im Streit um den historischen Jesus: Exegetische Versuche und Besinnungen, Bd. 2 (Göttingen 1964) 31.

[27] Vgl. *W. Pannenberg*, Grundzüge der Christologie (Gütersloh 1964) 26ff.

[28] Auf die problemreiche Verhältnisbestimmung von Glaube und Geschichte bei *W. Pannenberg* kann in diesem Zusammenhang nicht eingegangen werden. Vgl. Theologie als Geschichte, hrsg. v. *J. M. Robinson* und *J. B. Cobb* (Neuland in der Theologie Bd. 3 [Zürich – Stuttgart 1967]); *J. Berten*, Geschichte – Offenbarung – Glaube. Eine Einführung in die Theologie Wolfhart Pannenbergs (München 1970).

kreuzigte Gott. Das Kreuz Christi als Grund und Kritik christlicher Theologie" vorgelegt[29]. Der Untertitel macht die Grenze von Pannenbergs Ansatz deutlich. Das Kreuz und die Auferstehung werden in der Christologie „von unten" zwar nicht geleugnet, sie verlieren aber ihre für die Christologie systembildende Funktion. Um seiner Konzeption treu bleiben zu können ist Pannenberg gezwungen, die Auferstehung zu einem (unter bestimmten hermeneutischen Voraussetzungen) historisch aufweisbaren Ereignis zu machen. Auch wenn sie dabei für ihn (anders als etwa für W. Marxsen) nicht nur ein Interpretament, sondern eine Realität darstellt, so kommt ihr doch gegenüber dem irdischen Vollmachtsanspruch Jesu eine nur bestätigende Funktion zu. Sie hat nur eine formale, noetische Bedeutung, sie ist aber nicht eine „selbständige, neue Tat Gottes", die als solche gegenüber dem Anspruch des irdischen Jesus ein Novum darstellt und diesen in überbietender Weise erfüllt[30]. Die kritische Frage an jede Christologie „von unten" ist darum nicht allein, ob sie an der Realität der Auferweckung festhält, sondern noch viel mehr, welchen Stellenwert sie ihr gibt und wie sie das Verhältnis von Kreuz und Auferweckung, bzw. von irdischem Jesus und auferwecktem Christus im einzelnen bestimmt.

Versteht man die Auferweckung Jesu als eine einmalige und unableitbare Tat Gottes, durch die der Anspruch Jesu in überbietender Weise in Erfüllung gegangen ist, dann reicht der Ansatz der Christologie „von unten", die wir bisher kennengelernt haben, nicht aus. Denn eine solche Tat Gottes kann weder aus dem Anspruch des irdischen Jesus (so R. Pesch) noch aus dem an sich vieldeutigen Faktum des leeren Grabes erschlossen werden (so W. Pannenberg). Die Sieghaftigkeit des Anspruchs Jesu in der Auferweckung kann dann nur durch die Selbstoffenbarung des Auferstandenen an seine Jünger in der Geschichte zur Geltung kommen. Das bedeutet aber, daß die apostolische Verkündigung ein konstitutives Element am Christusgeschehen selber ist. In diesem (allerdings nur in diesem) Sinn kann man, mit K. Rahner Bultmann aufgreifend, sagen, Jesus sei ins Glaubenszeugnis seiner Jünger hinein auferstanden[31]. Oder mit H. Schlier: „Nur in sei-

---

[29] (München 1972) bes. 86 ff.
[30] Vgl. *K. Barth*, Kirchliche Dogmatik IV/I, 330 ff; dazu: *B. Klappert*, Die Auferweckung des Gekreuzigten, (Neukirchen 1971).
[31] Vgl. *K. Rahner – W. Thüsing*, Christologie – systematisch und exegetisch (Quaestiones disputatae 55 Freiburg i. Br. 1972) 38.

ner Proklamation ist die neue Wirklichkeit präsent."[32] Da es sich um eine neue Wirklichkeit handelt, um die Wirklichkeit der neuen Schöpfung, ist ihre Verkündigung nicht nur die bestätigende Wiederholung der Botschaft des irdischen Jesus, sondern deren schöpferische Vergegenwärtigung im Geist; sie ist nicht toter Buchstabe, sondern lebendiger Geist, nicht Gesetz, sondern Evangelium. Demgegenüber scheint mir auch noch die neue Christologie „von unten" in der *Gefahr* eines geist-losen Rückfalls in jüdisch-gesetzliches Denken und in einen Rabbinismus von ipsissima verba et facta Jesu zu stehen. E. Käsemann hat in seinen „Sackgassen im Streit um den historischen Jesus" mit der ihm eigenen Nachdrücklichkeit vor dieser Gefahr einer aufklärerischen Modifikation des solus Christus gewarnt[33].

So ergeht an die Christologie „von unten" nicht nur die dogmatische Frage nach der Einheit und Unterschiedenheit von Gottheit und Menschheit in einer Person, sondern auch die bibeltheologische Frage nach der Einheit und Unterschiedenheit vom irdischem Jesus und im Geist gegenwärtigem auferwecktem Christus. Die Christologie „von unten" steht in der *Gefahr*, die bleibende Gegenwart Jesu Christi im Geist zwar nicht unbedingt zu leugnen, aber doch in ihrem systematischen Stellenwert unterzubewerten. Gewarnt hat Käsemann freilich auch vor der gegenteiligen Gefahr des Enthusiasmus, bei dem Jesus ins Kerygma hinein aufersteht, wo also das Kerygma der Kirche an die Stelle Jesu tritt[34] und „das Prae des Christus vor den Seinigen"[35] nicht mehr gewahrt ist. Gegen dieses katholisierende „credo in ecclesiam" war sein Vorstoß ebenfalls gerichtet[36]. Die Frage geht jetzt also an die katholische Theologie. Inwiefern ist ihr eine kritische Rückfrage nach dem historischen Jesus möglich? Wie löst sie das Problem der Übersetzung des ursprünglichen Christusglaubens in die Fragestellungen der Gegenwart hinein?

---

[32] *H. Schlier*, Kerygma und Sophia. Zur neutestamentlichen Grundlegung des Dogmas: Die Zeit der Kirche. Exegetische Aufsätze und Vorträge (Freiburg i. Br. ²1958) 230.
[33] Vgl. *E. Käsemann*, Sackgassen 40.
[34] Vgl. ebd. 59.
[35] Ebd. 67.
[36] Vgl. ebd. 62.

III. Neuansätze in der katholischen Theologie

Die Voraussetzungen der katholischen Theologie unterscheiden sich von denen der protestantischen nicht nur theologie- und geistesgeschichtlich, sondern – zumindest in ihrer herkömmlichen Gestalt – auch prinzipiell durch die konstitutive Bindung an die kirchliche Tradition, vor der sich jeder Neuansatz, will er nicht in den Verdacht der Neuerung kommen, verantworten muß. An solchen Neuansätzen ist gegenwärtig kein Mangel. Sie kommen alle darin überein, daß das Dogma von Chalcedon für sie nicht mehr einfach der selbstverständliche Ausgangspunkt und Rahmen der Christologie darstellt, sondern – bei grundsätzlicher Anerkennung seiner Legitimität – innerhalb eines neuen Entwurfs neu zur Sprache gebracht und damit auch neu interpretiert wird. Das ist grundsätzlich legitim, ja notwendig, da die Tradition im theologischen Sinn des Wortes kein Arsenal steriler Sätze darstellt, sondern eine in der Kirche gelebte und lebendig geglaubte Wirklichkeit ist, die über sich selbst hinaus- und in das Geheimnis Gottes hineinweist. Wie K. Rahner in seinem grundlegenden Artikel „Chalcedon – Ende oder Anfang?" gezeigt hat, muß man von dieser Tradition sagen: „Sie bewahrt ihre Bedeutung, sie bleibt gerade lebendig, indem sie erklärt wird."[37]

Erste Ansätze zu einer Christologie „von unten" finden sich bereits bei P. Déodat de Basly und der von ihm ausgelösten, in den 50er Jahren sehr lebhaften Diskussion um Bewußtsein, Selbstbewußtsein und existentiellem Selbstand des Menschen Jesus[38] bis hin zu P. Schoonenberg, der das Schema von Chalcedon umkehrt und von einer menschlichen Person Jesu spricht, in der Gott gegenwärtig ist[39]. Als große Anregung auch für die Christologie erwies sich dann die Konzeption von P. Teilhard de Chardin, der die Christologie in einen universalen aufsteigenden Evolutionsprozeß einordnete, der von der Kosmoge-

---

[37] In: Das Konzil von Chalcedon. Geschichte und Gegenwart, hrsg. v. *A. Grillmeier* und *H. Bacht*, Bd. 3 (Würzburg ²1962) 4.

[38] Vgl. den Überblick bei *J. Ternus*, Das Seelen- und Bewußtseinsleben Jesu. Problemgeschichtlich-systematische Untersuchung: Das Konzil von Chalcedon, Bd. 3, 81–237, bes. 136ff, 208ff.

[39] Vgl. *P. Schoonenberg*, Ein Gott der Menschen (Einsiedeln 1969) 70ff; *ders.*, Trinität – der vollendete Bund. Thesen zur Lehre vom dreipersönlichen Gott: Orientierung 37 (1973) 115–117.

nese, zur Bio- und Anthropogenese bis zur Christogenese führt[40]. Die Christologie „von unten" erscheint hier als großangelegte Alternative zur klassischen Christologie „von oben", deren Zwei-Naturen-Lehre jetzt als statisch und ungeschichtlich kritisiert wird. Im folgenden lassen wir diese beiden, heute im Grunde bereits einer früheren theologischen Epoche angehörenden Neuansätze beiseite und beschränken uns bewußt auf zwei jüngere repräsentative Entwürfe innerhalb der deutschsprachigen Theologie: auf das Programm einer Christologie „von unten", wie es K. Rahner und H. Küng vorgelegt haben.

Beide setzen – bei aller Anerkennung der grundsätzlichen Legitimität der chalcedonischen Christologie „von oben" – ein mit einer Kritik an deren Einseitigkeiten und Gefahren. Während H. Küng dabei auf die protestantische Kritik seit F. Schleiermacher und A. Ritschl zurückgreift[41], befürchtet K. Rahner beim „durchschnittlichen" kirchlichen Glaubensbewußtsein eine monophysitische und monosubjektivistische Verkürzung der Menschheit Jesu, durch die diese zu einer bloßen Livrée der Gottheit wird, was letztlich zu einem mythologischen Mißverständnis führen muß[42]. Im Vordergrund stehen jedoch bei K. Rahner und bei H. Küng die pastorale Sorge und das Bemühen, den in seiner traditionellen Gestalt dem heutigen Menschen unverständlich gewordenen Christusglauben neu zugänglich zu machen. Die Alternative zur traditionellen Christologie heißt für beide: Christologie „von unten". Beide verstehen darunter jedoch etwas recht Verschiedenes. Während für K. Rahner die Christologie „von unten" eine Christologie „von oben" notwendig impliziert, scheint bei H. Küng die Christologie „von oben" nur noch eine (grundsätzlich legitime aber von ihm nicht in seinen Entwurf eingebrachte) Möglichkeit neben seiner Christologie „von unten" zu sein.

Bei K. Rahner findet sich das Programm einer Christologie „von unten" erst in seinen jüngsten Schriften. In einem Interview aus Anlaß seines 70. Geburtstags sagte er: „Ich glaube, man könnte meiner Chri-

---

[40] Vgl. *A. Schilson – W. Kasper*, Christologie im Präsens, 72ff, 157f.

[41] Vgl. *H. Küng*, Christ sein (München 1974) 121ff; 612 Anm. 23, vgl. auch die Vorarbeiten in *H. Küng*, Menschwerdung Gottes. Eine Einführung in Hegels theologisches Denken als Prolegomena zu einer künftigen Christologie (Freiburg i. Br. 1970) 522ff.

[42] Dieser Vorwurf kehrt oft wieder, vgl. u. a. Schriften zur Theologie, Bd. 1, 176 Anm. 3, 177 Anm. 1; Bd. 3, 40f; Bd. 4, 152; Bd. 5, 204; Bd. 9, 219.

stologie tatsächlich eher die Frage stellen, die ich aber nicht selber beantworten kann, weil ich es nicht so genau weiß, ob ich nicht von einer, wie ich es nenne, Deszendenzchristologie in den letzten Jahren mehr und mehr zu einer bescheideneren, nüchterneren, weniger spekulativen Aszendenzchristologie übergegangen bin.“[43] Diese Frage ist in der Tat nicht ganz einfach zu beantworten, weil Rahner seinen „neuen" christologischen Ansatz unterschiedlich beschreibt und benennt.

Er spricht zunächst von einer Aszendenzchristologie, „wie sie an vielen Stellen des Neuen Testaments noch greifbar ist" und die ausgeht „von der Einheit des (historisch greifbaren) Anspruchs Jesu und der Erfahrung seiner Auferstehung"[44]. Er spricht aber auch von einer „Bewußtseinschristologie", die ausgeht von der im Gehorsam vollzogenen radikal vollendeten Herkünftigkeit von Gott und Übereignetheit an Gott und die sich nach ihm in die klassische Christologie rückübersetzen läßt. Er grenzt diese Bewußtseinschristologie jedoch ab von der „Neuauflage der nestorianischen ‚Bewährungs'-Christologie" in der protestantischen Theologie zu Beginn unseres Jahrhunderts, die faktisch häretisch war, weil sie rationalistisch die christologischen Inhalte aus einer nur menschlichen Wirklichkeit ableitete[45]. Außerdem spricht Rahner von einer „heilsgeschichtlichen Christologie", die ausgeht von der schlichten „Erfahrung des Menschen Jesus mit dem Ende seines Schicksals in der Auferstehung. Diesem begegnet der Mensch in seiner Existenznot, in seiner Heilsfrage, und erfährt an Jesus, daß das von ihm nicht manipulierbare Geheimnis des Menschen … in der Liebe Gottes geborgen ist[46]. Sein Ansatz bedeutet deshalb „die faktische, aber als solche geglückt erfahrene Einheit einer transzendentalen Erfahrung (transzendentale Christologie, transzendentale Auferstehungshoffnung) und einer ihr korrespondierenden geschichtlichen Erfahrung"[47]. So überrascht es nicht, daß Rahner schließlich dort, wo er ausdrücklich von einer „Christologie ‚von unten'" spricht, diese

---

[43] Gnade als Mitte menschlicher Existenz. Ein Gespräch mit und über Karl Rahner aus Anlaß seines 70. Geburtstages: Herder-Korrespondenz 28 (1974) 87.

[44] *K. Rahner – W. Thüsing*, Christologie, 47.

[45] Ebd. 63 f.

[46] *K. Rahner*, Die zwei Grundtypen der Christologie: Schriften zur Theologie, Bd. 10, 229.

[47] *K. Rahner – W. Thüsing*, Christologie, 47.

mit seiner von Anfang an entworfenen transzendentalen Christologie gleichsetzt[48], also mit jener „suchenden" und „anonymen Christologie", die „der Mensch in seinem Dasein, wenn er es entschlossen annimmt, eigentlich schon immer... treibt"[49].

Um diese verstreuten Ansätze von K. Rahners Christologie „von unten" tiefer zu verstehen, muß man also auf seine transzendentale Christologie zurückgreifen. Die transzendentale Christologie K. Rahners bestimmt den Menschen als „die arme Verwiesenheit auf ein Geheimnis der Fülle". Wenn nun Gott diese menschliche Natur als die seine annimmt, dann ist diese „schlechthin dort angekommen, wohin sie kraft ihres Wesens immer unterwegs ist". Die Menschwerdung Gottes ist daher „der einmalig höchste Fall des Wesensvollzugs der menschlichen Wirklichkeit"[50]. Die „Idee Christi" bzw. eines absoluten Heilbringers ist „das gegenständliche Korrelat der transzendentalen Struktur des Menschen"[51]. Christologie erweist sich deshalb „als sich selbst transzendierende Anthropologie und diese als defiziente Christologie"[52]. Vergleicht man diese älteren Aussagen Rahners mit seinen jüngeren Aussagen über die Aszendenzchristologie, so ergibt sich, daß sich die Grundstruktur seiner Christologie völlig durchgehalten hat. Das Neue an Rahners Christologie „von unten" ist lediglich, daß sie nicht mehr so abstrakt und formal argumentiert, sondern die menschlichen wie die christologischen Phänomene konkreter benennt und darum weniger argumentativ-spekulativ als appellativ vorgeht und fragt: „Herr, zu wem sollten wir gehen? Du hast Worte ewigen Lebens."[53]

Es ist völlig unbestreitbar, daß K. Rahners Christologie wie seine Theologie überhaupt unzähligen Menschen den Glauben an Jesus Christus neu erschlossen hat und daß die gesamte katholische Theologie Rahner viele Anstöße verdankt, hinter die sie nicht mehr zurückgehen darf. Dennoch wäre einem philosophischen und theologischen Denker vom Rang K. Rahners nichts weniger gemäß als eine Art Rahner-Scholastik. Einen Denker ehrt man, indem man denkt. Eine

---

[48] Ebd. 65.
[49] Ebd. 60.
[50] *K. Rahner*, Zur Theologie der Menschwerdung: Schriften zur Theologie, Bd. 4, 140f.
[51] *K. Rahner*, Probleme der Christologie heute: Schriften zur Theologie, Bd. 1, 207.
[52] Ebd. 184 Anm. 1.
[53] Vgl. *K. Rahner – W. Thüsing*, Christologie, 60ff.

gründliche Auseinandersetzung mit Rahners Christologie „von unten" käme jedoch einer Auseinandersetzung mit dem gesamten philosophisch-theologischen Denkansatz Rahners gleich. Das kann und braucht in diesem Zusammenhang nicht geleistet werden; darüber hat die inzwischen sehr umfangreiche Rahnerliteratur hinreichend Klarheit geschaffen[54]. Wir beschränken uns auf zwei kritische Fragen:

1. Zum transzendentalen Ansatz. Man darf die Kritik am transzendentalen Ansatz Rahners nicht falsch ansetzen. Man sollte ihn nicht, wie es öfters geschieht, gegen einen personal-dialogischen oder einen mehr soziologisch-politischen Ansatz ausspielen. Bekanntlich kann Rahner diese Ansätze relativ mühelos in sein Denken einbringen, weil ja auch nochmals nach der transzendentalen Möglichkeitsbedingung intersubjektiver Bezüge gefragt werden kann und muß. Umgekehrt reflektiert Rahner – zumindest in seinen späteren Schriften – auf die geschichtliche und damit intersubjektive Vermitteltheit der transzendentalen Fragestellung[55]. Es ist ihm deshalb auch niemals eingefallen, seine Christologie rein apriori, unter auch nur methodischer Abstraktion von der konkreten Begegnung mit Jesus Christus zu deduzieren[56]. Das Problem besteht jedoch in der Art und Weise wie Transzendentalität und Geschichte bei K. Rahner ins Verhältnis gesetzt werden. K. Rahner bestimmt ihr Verhältnis als das einer gegenseitigen Korrespondenz. Bei dieser Verhältnisbestimmung ist die Frage: Kann hier die Geschichte über das bloße Faktum hinaus, daß sich die transzendentale Idee eben in Jesus Christus verwirklicht hat, eigentlich noch etwas Neues bringen? Doch ist damit die Geschichte noch ernst genommen? Folgt daraus nicht eine Metaphysizierung des Christusgeschehens, wie Rahner sie in seiner Theorie von den anonymen Christen vorzunehmen scheint?

Im Grunde liegt hier bei Rahner ein idealistisches Denkmodell vor, in dem Sein und Bewußtsein identisch sind[57]. Deshalb kann aus

---

[54] Vgl. vor allem *H. U. v. Balthasar, E. Simons, A. Gerken, K. Fischer, B. van der Heijden, C. Fabro* und die bei *W. Kasper,* a. a. O. 59 Anm. 42 genannte Literatur.

[55] Vgl. Gnade als Mitte menschlicher Existenz, 83 f.

[56] Vgl. *K. Rahner,* Probleme der Christologie heute, 207; Gnade als Mitte menschlicher Existenz, 87.

[57] Selbstverständlich gilt das Axiom „ens et verum convertuntur" für jedes philosophische Denken in der metaphysischen Tradition. Die Frage ist aber, *wie* es im einzelnen verstanden wird. Nach Thomas von Aquin handelt es sich um eine convenientia, assimilatio, correspondentia, conformitas (Quaestiones disputatae de Veritate q. 1 a. 1 c. a.), die

der Frage des Menschen nach dem Absoluten auch die Antwort abgeleitet werden. Doch wenn man die Endlichkeit des menschlichen Geistes ernst nimmt, dann ist er zwar konstitutiv auf das Unendliche verwiesen; aber dieses Unendliche entzieht sich ihm doch auch zugleich, der Mensch kann es nie völlig eindeutig machen. Die Wesenslinien des Menschen lassen sich nicht ausziehen, auch nicht auf Jesus Christus hin. Der Mensch bleibt zuletzt eine Frage, ein Fragment, ein Torso, ein Geheimnis. Die Geschichte dagegen ist die nie voll in die Reflexion einholbare Konkretisierung und Determinierung, ja oft genug die Durchkreuzug der Fragen wie der Anworten des Menschen. Geschichte und Geschick Jesu müssen in dieser Perspektive als die unableitbare Konkretisierung und Determinierung des Menschen verstanden werden[58]. Die historische Frage, die geschichtliche Erinnerung, das Narrative (J. B. Metz) gewinnen erst so ihren theologischen Rang.

2. Zum christologischen Ansatz „von unten". Kommt schon der transzendentale Ansatz „von unten" von sich aus nicht ans gewünschte Ziel, dann ebensowenig, wie W. Thüsing gezeigt hat, die ntl. Aszendenzchristologie so wie Rahner sie versteht. Der Anspruch des irdischen Jesus ist nämlich Ausdruck seiner Sendung „vom Vater", sein Gehen zum Vater ist zugleich Gabe des Vaters. So enthält die ntl. Aufstiegschristologie ein unaufgebbares Element der Abstiegschristologie. W. Thüsing spricht von einer „Theozentrik in der aufsteigenden Linie"[59]. Diese Theozentrik stellt nach ihm die Grundstruktur jeder biblischen Christologie dar[60]. Doch dabei geht es der Schrift nicht primär um das innerchristologische Problem des Verhältnisses von Gottheit und Menschheit, sondern um das theozentrische Motiv des Verhältnisses Jesu zu „seinem Vater". Dieses personal-dialogische Moment der Relation auf den Vater fällt bei K. Rahner aus[61]. Deshalb entwirft Rahner nach Thüsing ähnlich wie Hegel eine rein präsentische Christologie. Doch allein von dieser personalen Relation her könnte

---

sich bei Gott, beim Menschen und in den Dingen je analog verwirklicht (ebd. a. 2 c. a.). Diese Analogie scheint bei Rahner nicht genügend beachtet zu sein.

[58] Die hier gegebene Verhältnisbestimmung von natürlicher und heilsgeschichtlicher Offenbarung geht zurück auf *J. E. Kuhn*, Einleitung in die katholische Dogmatik (Tübingen ²1859) 228ff. Vgl. *W. Kasper*, Jesus der Christus, 22f, 60f, 227f, 320ff.

[59] *K. Rahner – W. Thüsing*, Christologie, 117ff, 166.

[60] Vgl. ebd. 144ff, 163, 275f u.ö.

[61] Vgl. ebd. 105f, 133ff, 297f u.ö.

eine Trinitätslehre entwickelt werden [62]. An dieser Stelle setzt neben der bibeltheologischen Kritik die systematisch-theologische Kritik von W. Pannenberg und D. Wiederkehr ein, die neuerdings vor allem durch B. van der Heijden aufgegriffen wurde [63]. Heijden zeigt, wie der Ausfall der personal-relational-dialogischen Kategorien in der Christologie zu deren Ausschaltung in der Trinitätslehre Rahners führt [64], wo Rahner bekanntlich nicht mehr von drei Personen, sondern von drei distinkten Subsistenzweisen sprechen will [65]. Mit einer solchen Abstraktion wird aus dem Heilsgeheimnis der Trinitätslehre ein bloßes Denkgeheimnis; die Trinität verliert ihre Bedeutung für die praktische Frömmigkeit. Kann man denn zu einem solchen Begriffsgötzen noch beten?

Für unseren Zusammenhang entscheidend ist, daß der Ansatz Rahners dazu führt, daß er seine Christologie nicht in der Relation von Vater und Sohn, sondern als einmaligen Höhepunkt des Schöpfer-Geschöpf-Verhältnisses entwickelt [66]. Die Frage an diesen für Rahner entscheidenden Ansatz ist ähnlich wie die an seinen transzendentalen Ansatz. Beidesmal geht es darum, ob damit das Einmalige und Neue der Geschichte Jesu hinreichend zur Geltung gebracht werden kann. Kann denn mit diesem Ansatz die qualitative Einmaligkeit der hypostatischen Selbstmitteilung Gottes in seinem Sohn gegenüber der gnadenhaften Selbstmitteilung Gottes im Geist gewahrt werden? Kon-

---

[62] Vgl. ebd. 226.

[63] Vgl. W. *Pannenberg*, Grundzüge der Christologie, 336 ff; D. *Wiederkehr*, Entwurf einer systematischen Christologie: Mysterium salutis, Bd. 3/1 (Einsiedeln 1970) 554 ff; B. *van der Heijden*, Karl Rahner, Darstellung und Kritik seiner Grundpositionen (Einsiedeln 1973) 406 ff.

[64] Vgl. a.a.O. 424 ff.

[65] Vgl. K. *Rahner*, Der dreifaltige Gott als transzendenter Urgrund der Heilsgeschichte: Mysterium salutis, Bd. 2 (Einsiedeln 1967) 342 ff, 350 ff, 364 ff, 385 ff, bes. 389 ff. Rahners terminologischer Vorschlag statt von drei Personen von drei distinkten Subsistenzweisen zu sprechen, ist vor allem durch die Sorge bestimmt, der Personbegriff führe zu einem unausgesprochenen, aber „subkutan" sehr massiven Tritheismus. Diese Sorge ist berechtigt. Nur fragt sich, ob nicht jede orthodoxe Trinitätslehre, die überhaupt eine reale Distinktion in Gott annimmt, diesem Mißverständnis ausgesetzt ist. Das gilt auch von Rahners Entwurf, sofern die Begriffe „distinkt" und „Subsistenz" mehr sein sollen als eine distinctio rationis. Wenn aber irgendeine Realdistinktion *in* Gott angenommen werden muß, dann können bei der Identität von Sein und Bewußtsein in Gott (vgl. o. Anm. 57) drei distinkte Bewußtseinsweisen *in* Gott nicht ausgeschlossen werden, wie Rahner dies zu tun scheint. Daß dabei der Personbegriff in der Trinitätslehre nur analoge Anwendung finden kann, ist selbstverständlich (vgl. dazu u. im 4. Abschnitt).

[66] Vgl. K. *Rahner*, Probleme der Christologie heute, 182 ff.

kret mit H. U. v. Balthasar gefragt: Wieso sollte es auf diese Art „der auf vollkommene, makellose Weise transzendierende Mensch Maria nicht ebenso bis zu einem Gottmenschen bringen?"[67] Oder abstrakt mit van der Heijden gefragt: Wenn das Verhalten Jesu zu Gott kreatürlich ist, kann man dann noch sagen, daß Jesus der Logos ist, oder muß man dann nicht sagen, daß der Logos auf unüberbietbar einmalige und endgültige Weise mit ihm geeint ist?[68] Kommt also K. Rahner bis zu dem Gedanken der hypostatischen Union oder nur bis zu dem eines eschatologischen Propheten?[69]

Diese Fragen klingen etwas spitzfindig und scheinen wenig pastorale Bedeutung zu haben. Um ein pastorales Anliegen geht es den Vertretern der Christologie „von unten" jedoch. Doch B. van der Heijden fragt wohl nicht zu Unrecht, ob es bei der „müden Indifferenz vieler Menschen heute, die meinen, daß das explizite Christentum und das lebendige … Verhältnis zu Jesus letztlich doch nicht besonders wichtig seien"[70], nicht auch pastoral dringlich ist, das Spezifische des Christentums deutlicher zu machen, als es offenbar der Theologie Rahners, die dauernd in der *Gefahr* ist in Anthropologie umzuschlagen, gelingt. Damit das explizite Christentum nicht in Mythologie abgleitet ist also genauer nach dem unterscheidend Christlichen zu fragen. Die alte dogmatische Frage nach der einen Person Jesu Christi wird damit erneut aktuell als Frage nach dem spezifisch Christlichen.

Haargenau an dieser Stelle und mit dieser Frage nach dem spezifisch und unterscheidend Christlichen setzt der zweite repräsentative Entwurf einer Christologie „von unten" ein, wie ihn H. Küng in seinem neuesten Werk „Christ sein" nach den Vorarbeiten in seinem Hegel-

---

[67] *H. U. v. Balthasar,* Herrlichkeit, Eine theologische Ästehtik, Bd. III/2/2, 147.
[68] Vgl. *B. van der Heijden,* a.a.O. 436f.
[69] Die Charakterisierung Jesu als eschatologischen Propheten findet sich bei Rahner öfters. So etwa: „Wo aber in einem konkreten Menschen in der Geschichte das nicht mehr rückgängig zu machende Wort der Selbstzusage Gottes als der absoluten Zukunft der Geschichte gegeben ist und geglaubt wird, da ist jene Einheit von Gott und Mensch gegeben und geglaubt, die der christliche Glaube in der ‚hypostatischen Union' bekennt" (Schriften zur Theologie, Bd. 10,214). Sie kann in dieser Form m.E. auch nicht durch die Ausführungen von F. Mußner in diesem Band gerechtfertigt werden, da Jesus nach dem Neuen Testament die Kategorien des Prophetischen zugleich gesprengt und überboten hat. Vgl. *W. Kasper,* Jesus der Christus, 117ff; ähnlich allerdings an anderen Stellen auch Rahner, a.a.O. 229; Art. Inkarnation, in: Sacramentum Mundi II, 833f. Zur Sache vgl. *B. van der Heijden,* a.a.O. 408ff.
[70] *B. van der Heijden,* a.a.O. 453.

buch vorgelegt hat. Das unterscheidend Christliche ist ihm Jesus Christus, also eine „ganz bestimmte, unverwechselbare und unauswechselbare Person mit einem ganz bestimmten Namen". „Anonymes Christentum ist für den, der bei beiden Worten etwas denkt, eine contradictio in adiecto: ein hölzernes Eisen."[71] Das Programm einer Christologie „von unten" ergibt sich bei diesem Ansatz eigentlich von selbst. Es bedeutet für Küng eine Christologie „vom konkreten geschichtlichen Jesus her", das heißt „vom wirklichen Menschen Jesus, seiner geschichtlichen Botschaft und Erscheinung, seinem Leben und Geschick, seiner geschichtlichen Wirklichkeit und geschichtlichen Wirkung auszugehen, um nach dieses Menschen Jesus Verhältnis zu Gott, seiner Einheit mit dem Vater zu fragen"[72].

Wenn Küng diese Christologie „von unten" der klassischen Christologie „von oben" gegenüberstellt, dann bedeutet dies für ihn keine grundsätzliche Bestreitung von deren Legitimität. Das Dogma von Chalcedon bietet für ihn darum Leitlinien für jede künftige Neuinterpretation[73]; deshalb will Küng am christologischen Dogma keine Abstriche machen[74]. Letzter Maßstab ist ihm freilich nicht das Dogma, sondern der wirkliche Jesus, zu dessen Erkenntnis uns die historisch-kritische Methode das Instrument in die Hand gegeben hat[75]. Doch Küngs Interesse richtet sich nicht auf den „Jesus, wie er wirklich war", sondern auf Jesus, „wie er uns hier und heute begegnet", von Interesse ist, „was er uns im gegenwärtigen Horizont von Mensch und Gesellschaft maßgebend zu sagen hat. Insofern lassen sich der ,geschichtliche Jesus' und der ,Christus des Glaubens' nicht als zwei verschiedene Größen auseinanderdividieren"[76]. Noch weniger will Küng historisch beweisen, daß Gott durch Jesus gesprochen hat; ein solcher Glaube gründet letztlich nicht auf wissenschaftlichen Beweisen, er stützt sich allein auf Gott selbst[77]. Diese These unterscheidet Küngs Christologie „von unten" klar und eindeutig von entsprechenden liberalen Entwürfen.

---

[71] *H. Küng*, Christ sein, 118.
[72] Ebd. 125.
[73] Vgl. ebd. 123f.
[74] Vgl. ebd. 440.
[75] Vgl. ebd. 148.
[76] Ebd. 152.
[77] Vgl. ebd. 155; vgl. 434, 440, 458 u.ö.

Um was geht es also nach allen diesen negativen Abgrenzungen in positiver Hinsicht? „Nach dem Neuen Testament ist das eine nicht ohne das andere: Kein Jesus von Nazareth, der nicht als der Christus Gottes verkündet wird. Kein Christus, der nicht mit dem Menschen Jesus von Nazareth identisch ist. Also weder eine untheologische Jesulogie noch eine ungeschichtliche Christologie", keine Interpretation, bei der Jesus „nur Gott" ist, noch eine, bei der er „nur Mensch" ist. Will man nach diesen negativen Abgrenzungen „in aller Fehlbarkeit eine zeitgemäße positive Umschreibung der alten Formel ‚wahrer Gott und wahrer Mensch' versuchen", so kann man sagen: „Die ganze Bedeutsamkeit des Geschehens in und mit Jesus von Nazareth hängt daran, daß in Jesus – der den Menschen als Gottes Sachwalter und Platzhalter, Repräsentant und Stellvertreter erschien und als der Gekreuzigte zum Leben erweckt von Gott bestätigt wurde – für die Glaubenden der menschenfreundliche Gott selber nahe war, am Werk war, gesprochen hat, gehandelt hat, endgültig sich geoffenbart hat."[78] Solche und ähnliche Formulierungen kehren immer wieder und haben deshalb als für Küng wesentliche Aussagen zu gelten[79].

Es wird wohl allgemein anerkannt, daß H. Küngs „Christ sein" Wesentliches dazu beitragen kann, daß das Christentum dem heutigen Menschen wieder als eine „gute Sache" verstehbar und lebbar erscheint. Im folgenden geht es jedoch nicht um eine Gesamtwürdigung dieses Buches. Auch nicht die Aussagen über Jesus Christus und die Christologie insgesamt stehen zur Debatte. Es geht vielmehr in der vom Thema her gegebenen begrenzten Perspektive lediglich um den christologischen Ansatz „von unten". Zu diesem Ansatz sollen im folgenden im Interesse der Sache zwei Fragen gestellt werden. Sie sind jedoch nur verständlich, wenn man sieht, daß sie auf dem Hintergrund eines breiten methodischen wie sachlichen Konsenses stehen. Zu diesem Konsens gehört auch, wie eingangs bereits angedeutet wurde, daß die Christologie nicht deduktiv „von oben" aus der Trinitätslehre abgeleitet werden kann, sondern daß man von der geschichtlichen Offenbarung Gottes in Jesus Christus ausgehen muß, um sich durch Jesus Christus im Geist zum Vater führen zu lassen; erst aus dieser heilsgeschichtlichen Trinitätslehre kann sich in historisch-methodi-

---

[78] Ebd. 339f.
[79] Vgl. ebd. 427, 434f u.ö.

scher Hinsicht die immanente Trinitätslehre ergeben. Doch auch diesen Konsens vorausgesetzt, ergeben sich noch zwei Fragen:

1. Zum Ansatz der Christologie „von unten". Kann denn H. Küng seinen Ansatz „von unten" sowohl faktisch wie prinzipiell überhaupt konsequent durchhalten? Kann er ihn faktisch durchhalten, wenn er sagt, der Glaube werde nicht historisch bewiesen, sondern allein von „Gott selbst, wie er für die Glaubenden durch Jesus Christus gesprochen hat" verbürgt?[80] Die Frage ist dann sofort: Wie kommt es zu diesem Glauben? Kommt hier nicht auf eine nicht ganz geklärte, vielleicht auch auf eine nicht ganz klärbare Weise faktisch ein Element einer Theologie „von oben" dazwischen? Und ist dieses faktische Element einer Theologie „von oben" nicht prinzipiell notwendig, sobald man der Auferstehung Jesu den ihr nach dem Neuen Testament gebührenden Platz für die Begründung der Christologie gibt? Jede Theologie der Auferweckung als einer Tat Gottes, an der Küng ja mit Nachdruck festhält, ist nur als pure Christologie „von oben" zu denken. Sie ist die schöpferische Tat Gottes, der das ruft, was nicht ist, damit es sei (vgl. Röm 4, 17). Wenn es also um die Frage der Begründung des Glaubens an den irdischen Jesus und erst recht an die Botschaft von der Auferweckung Jesu geht, reicht der Zugang „von unten" nicht aus. Die für den heutigen Menschen schwierige Frage ist vielmehr, wie im „unten" ein „oben" erscheinen kann. Für die Frage der Glaubensbegründung erweist sich die Alternative „von unten" oder „von oben" demnach erneut als unangemessen.

Doch vermutlich handelt es sich in dieser Frage nur um eine mehr oder weniger verbale Differenz. Das eigentliche Problem kommt, wie bereits die Auseinandersetzung mit W. Pannenberg ergab, erst zutage, wenn man ernst damit macht, daß wir für den Glauben an die Auferweckung Jesu auf das Zeugnis der apostolischen Kirche angewiesen sind. Damit ist mehr gemeint als die methodologische Anweisung, bei der historischen Rekonstruktion vom apostolischen Zeugnis im Neuen Testament auszugehen, was angesichts der Quellenlage im Grunde selbstverständlich ist. Gemeint ist vielmehr, daß der Christusglaube konstitutiv und bleibend fides ex auditu ist (Röm 10, 17). Vollmächtiges Kerygma und – in anderer Weise – verbindliches Dogma der Kirche, kurzum alles, was man im theologischen

---

[80] Ebd. 155.

Sinn des Wortes als Tradition bezeichnet, erhalten so eine konstitutive Bedeutung für den christologischen Ansatz als solchen und für das theologische Denken überhaupt. An dieser Stelle setzt die Auseinandersetzung mit dem theologischen Denken von H. Küng an; hier geht es um den sachlichen Kern der Unfehlbarkeitsdebatte[81]. Es geht hier in einem sehr fundamentalen und umfassenden Sinn um die Kirchlichkeit der Theologie. Kirchlichkeit soll dabei nicht im Sinn der persönlichen existentiellen Einstellung zur Kirche, sondern in dem methodologisch-hermeneutischen Sinn als Frage nach dem Stellenwert und der Verbindlichkeit des kirchlichen Glaubenszeugnisses für die Christologie verstanden werden.

2. Zum Inhalt der Christologie „von unten". Wenn Jesus Christus, wie H. Küng mit Nachdruck herausstellt, wahrer Gott und wahrer Mensch ist, dann stellt sich unweigerlich die Frage nach der Einheit von Gottheit und Menschheit. Sie mag, wie H. Küng betont, in logische Aporien hineinführen, umgehen läßt sie sich, wenn man wie Küng am vere Deus und am vere homo festhält, nicht. Dies ist beileibe nicht nur eine neugierige spekulative Frage; es geht vielmehr ganz konkret darum, zu wissen: Wer war er denn nun eigentlich? Ein Mensch, in dem und durch den Gott gnädig und menschenfreundlich handelnd gegenwärtig war und ist?, oder Gottes „eingeborener Sohn", der „unvermischt und ungetrennt" in und durch die Menschheit Jesu wirkt? Es geht also um die klassische dogmatische Frage nach der Person Jesu. Sie hat mit hellenistischem Denken nur sehr sekundär etwas zu tun[82]. Sie ist nämlich, wie vor allem A. Grillmeier gezeigt hat, gar nicht so bibelfern, wie es zunächst scheint[83]. Denn nicht erst dem späten Johannesprolog, sondern bereits dem vorpaulinischen Christuslied im Philipperbrief (2,6–11) geht es der Sache nach um die Identität des einen Subjekts, das von Ewigkeit her „bei Gott" bzw. „in der Dimension Gottes" ist und das in der Zeit „Fleisch wird" und Knechtsgestalt annimmt. Die über alles entscheidende Frage: Wer ist Jesus Christus

---

[81] Vgl. die Aufsätze von *Y. Congar, C. Colombo, G. H. Tavard, A. Dulles, O. Semmelroth* u. a.: Diskussion um Hans Küng „Die Kirche", hrsg. u. eingeleitet v. *H. Häring* u. *J. Nolte*, (Freiburg i. Br. 1971). Dort (175ff, 307ff) auch die Antwort von H. Küng.
[82] Vgl. o. Anm. 4.
[83] Vgl. *A. Grillmeier*, Die theologische und sprachliche Vorbereitung der christologischen Formel von Chalkedon: Das Konzil von Chalkedon, Bd. 1, 5–202, bes. 9ff, 30ff; vgl. auch *W. Kasper*, Jesus der Christus, 270ff.

eigentlich?, führt also schon nach sehr frühen biblischen Texten zur Frage nach der Präexistenz.

H. Küng gibt sich redlich Mühe, die nicht einfachen biblischen Präexistenzaussagen verständlich zu machen. Sie sind nach ihm „primär funktional und nicht physisch oder metaphysisch" zu verstehen. Sie wollen u. a. sagen, daß es von Ewigkeit keinen anderen Gott gibt als den, der sich in Jesus manifestiert hat, und daß deshalb Jesus seine universale Bedeutung und seinen Ursprung nicht aus der Geschichte allein, sondern von Gott her hat[84]. Die Einheit von Vater, Sohn und Geist ist deshalb im Sinn einer ökonomischen Trinitätslehre als „Offenbarungsgeschehen und Offenbarungseinheit" zu verstehen. H. Küng sagt durchaus, daß er damit keine abschließende Trinitätslehre aufstellen will, aber so, wie die Sätze dastehen, gewinnt man den Eindruck, daß nach ihm zwar der Gott Jesu Christi, nicht aber der Sohn Gottes präexistent ist. Die Gegenprobe auf diese Interpretation sind Küngs Aussagen zur Mariologie, besonders über das Bekenntnis des Konzils von Ephesus zu Maria als Gottesgebärerin. Nach Küng handelt es sich hier um eine „historisch wie sachlich sehr problematische Entwicklung"[85], „als ob Gott geboren werden könnte und nicht vielmehr ein Mensch, in welchem als Gottessohn Gott selbst für den Glauben offenbar ist"[86]. Das ist für jeden, der die überlieferten Formeln des kirchlichen Bekenntnisses kennt, eine höchst befremdende Formulierung.

Ich kann angesichts solcher Aussagen vorläufig nur Fragen stellen: Worum handelt es sich bei dieser Christologie „von unten"? Handelt es sich um eine bloße Offenbarungschristologie für den Glauben ähnlich der Christologie Bultmanns? Oder handelt es sich um eine Christologie der Gegenwart Gottes in der menschlichen Person Jesu, ähnlich wie bei P. Schoonenberg? In beiden Fällen würde ich die weitere Frage stellen: Wie kann dann der für die Schrift wie für die Tradition zentrale Gedanke der Inkarnation noch festgehalten werden? Bei dieser Frage geht es nicht mehr um spekulative Feinschmeckereien, sondern um das tägliche Brot des christlichen Glaubens. Denn mit dem Gedanken der Inkarnation steht und fällt die konkrete Leibhaftigkeit

---

[84] Vgl. *H. Küng*, Christ sein, 437f.
[85] Ebd. 449.
[86] Ebd. 450.

des Heils. Deshalb wäre ich für eine genaue Exegese von Joh 1, 14 (lógos sàrx egéneto) dankbar. H. Küng hat wie wenige sonst gegen den größeren Teil der Tradition völlig zu Recht die Leidensfähigkeit Gottes nachdrücklich herausgestellt. Warum soll Gott dann aber nicht auch geboren werden können? Hat bei Küng am Ende nicht doch wieder der apathische Gott Platons den Sieg über den biblischen Gott der Geschichte davongetragen? Es scheint so, denn anders könnte er die Behandlung des Inkarnationsmotivs nicht unter der Überschrift „Deutungen des Ursprungs" abhandeln, womit offensichtlich eine theologisch mögliche, aber nicht eine dogmatisch verbindliche Deutung gemeint ist, eine Deutung, die H. Küng nicht in seinen eigenen Entwurf einbringen kann. Hat Küngs Christologie damit nicht ein grundlegendes Motiv des Neuen Testaments ausgeschaltet? Das sind Fragen und keine Antworten oder gar Thesen, die einen Kollegen verketzern sollen. Im Gegenteil, die Fragen werden *hier* gestellt, weil sie innerhalb der Theologie und zwischen Kollegen diskutiert und einer Klärung entgegengeführt werden sollten.

IV. Thesen zur Grundlegung der Christologie

Auch wenn die bisherige Analyse der gegenwärtigen Christologie nur teilweise richtig sein sollte, hat sie eine Aporie herausgestellt. Das Programm einer Christologie „von unten" als Programm einer situationsgerechten Übersetzung des zentralen Inhalts des christlichen Glaubens hat sich in den bisher vorliegenden Entwürfen weder was seinen Ansatz noch was seinen Inhalt, nämlich die Frage nach der Person Jesu, angeht als tragfähig erwiesen, um das unterscheidend Christliche zur Geltung zu bringen. Das kann freilich nicht heißen, daß wir nun wieder ungestört im alten Trott weitermachen. Die Probleme, die zur Christologie „von unten" geführt haben, und die Fragen, die sie an die alte Christologie „von oben" stellt, sind damit ja noch nicht aus der Welt geschafft. Es bleibt vor allem die Grundfrage, wie wir in einer heute verständlichen und vollziehbaren Weise von Jesus Christus so sprechen können, daß die Identität des christlichen Glaubens gewahrt und doch seine Relevanz deutlich wird.

Nachdem ich nun lange genug mit Steinen auf andere geworfen habe, wird es deshalb Zeit und entspricht es der Fairneß, daß ich mich selbst ins Glashaus setze und meinen eigenen christologischen Versuch zur Diskussion stelle. Dies kann nur thesenhaft und darum unvermeidlich abstrakt, verkürzt und mißverständlich geschehen[87]. Es handelt sich um drei Thesen, von denen die erste und zweite den Rahmen einer solchen Christologie angeben sollen. Die dritte These, die hier allein etwas breiter entfaltet werden kann, soll das Thema behandeln, um das es in den bisherigen Ausführungen ging.

1. Der *Ausgangspunkt* und Rahmen der Christologie ist das Bekenntnis der kirchlichen Gemeinschaft: „Jesus ist der Christus." Christologie ist nichts anderes als die gewissenhafte Auslegung dieses Bekenntnisses. Sie setzt an bei einer Phänomenologie des in der Kirche gelebten und bezeugten Glaubens.

2. Der *Inhalt* der Christologie ist nicht einfach mit diesem Ausgangspunkt identisch. Das kirchliche Bekenntnis ruht nicht in sich selbst, sondern hat seinen vorgegebenen Inhalt und seine Norm in Jesus dem Christus. Der Inhalt der Christologie ist also der irdische Jesus wie der erhöhte Christus des Glaubens. Damit ist sowohl ein einseitiger Jesuanismus wie eine einseitige Kerygma- und Dogma-Christologie ausgeschlossen; nicht das chalcedonische Modell der Einheit von wahrer Gottheit und wahrer Menschheit, sondern die Einheit von irdischem Jesus und erhöhtem Christus bildet den Rahmen der Christologie, innerhalb dessen das Dogma von Chalcedon erst sachgemäß entfaltet werden kann als eine gültige Interpretation der Geschichte und des Geschicks Jesu Christi.

3. Das zentrale christologische *Problem* ist darum nach wie vor die Einheit von Gott und Mensch in Jesus Christus, konkret die Frage: Wer ist Jesus Christus? An dieser Frage versagen die meisten Christologien „von oben", weil sie mit der Lehre von der An- und Enhypostasie (so wie sie diese konkret verstehen) die Menschheit Jesu verkürzen; an ihr versagen aber auch die meisten Christologien „von unten", weil sie nur noch sagen können, daß in Jesus Christus Gott erscheint, nicht aber daß er der Sohn Gottes *ist*. Ihr gemeinsamer Fehler besteht darin, daß sie die Frage abstrakt stellen, indem sie nach der Einheit von Gottheit und Menschheit fragen, was notorisch in unlösbare Aporien führt. Die Schrift dagegen stellt diese Frage konkret; sie spricht nicht von der Einheit von Gottheit und Menschheit, sondern von der personalen

---

[87] Zur Begründung und Entfaltung im einzelnen vgl. W. *Kasper*, Jesus der Christus.

Einheit Jesu mit „seinem Vater". Darin wird – wie W. Pannenberg und D. Wiederkehr gezeigt haben[88] – indirekt Jesu Einheit mit dem Logos offenbar, weil die Selbstmitteilung des Vaters an Jesus, d. i. der Logos, die Möglichkeitsbedingung der Einheit Jesu mit dem Vater ist. Die personalen und relationalen Kategorien sind also als Wesensaussagen und die Wesensgemeinschaft als personaler und relationaler Vollzug auszulegen. Ontologische und funktionale Christologie können unmöglich gegeneinander ausgespielt werden. Das bedeutet:

a) Es ist auszugehen von dem einmaligen personalen Verhältnis zwischen Jeus und „seinem Vater", in dem Jesus radikale Herkünftigkeit aus dem Vater und radikale Übereignetheit an den Vater *ist*. Die spätere Christologie ist im Grunde die ontologische Auslegung dieses ontischen Verhältnisses.

b) In diesem Verhältnis Jesu zum Vater und des Vaters zu Jesus wird eschatologisch endgültig offenbar wer Gott ist. Deshalb gehört dieses Verhältnis ins ewige Wesen Gottes hinein. Die Präexistenz des Sohnes ergibt sich notwendig aus dem eschatologischen Charakter des Christusgeschehens. Gott ist also von Ewigkeit her relational. Selbstverständlich kann eine solche Aussage nur gemacht werden, wenn man sich der Analogie jedes Sprechens über das Geheimnis Gottes im klaren ist. Der Begriff der Relation und der Person kann deshalb nie univok auf Gott übertragen werden, sondern nur in einer Weise, in der die Unähnlichkeit je größer ist als die Ähnlichkeit mit kreatürlichen Sachverhalten.

c) Die Selbstmitteilung des Vaters an Jesus erschöpft sich nicht in dieser Relation, sondern weitet sich in der Freiheit des Geistes aus um diejenigen, die sich zu Jesus Christus bekennen, daran teilhaben zu lassen. Im Geist kommt das Christusgeschehen erst zu seiner eschatologischen Vollendung in der Geschichte. Deshalb gehört auch der Geist als die eschatologische Selbstoffenbarung Gottes in das ewige Wesen Gottes hinein. Analog zur heilsgeschichtlichen Offenbarung erweist sich der Geist innergöttlich sozusagen als Überschuß und Überschwang in der Relation zwischen Vater und Sohn, auf Grund dessen sich die Relation zwischen Vater und Sohn nicht in sich erschöpft, sondern die Möglichkeit hat, sich nach außen nicht nur zu

---

[88] Vgl. *W. Pannenberg*, a. a. O. 345 ff; *D. Wiederkehr*, a. a. O. 506 ff, 550 ff; *W. Kasper*, a. a. O. 270 ff.

offenbaren, sondern auch sich nach außen zu erweitern, d. h. etwas Neues, Nicht-Göttliches und damit Geschöpfliches hervorzubringen und dieses doch unter Wahrung seines geschöpflichen Eigenstandes „unvermischt und ungetrennt" in die Relation zwischen Vater und Sohn aufzunehmen. Die Trinitätslehre ist also die Zusammenfassung wie die Voraussetzung der Christologie, die mit dieser steht und fällt[89].

d) Im heilsgeschichtlichen Verhältnis von Vater, Sohn und Geist wird also „von unten" das immanente Wesen Gottes offenbar. Umgekehrt erweist sich das immanente Verhältnis von Vater, Sohn und Geist als transzendentaltheologische Voraussetzung der heilsgeschichtlichen Offenbarung. Weil sich Gott durch Jesus Christus im Geist eschatologisch-endgültig offenbart, als der er ist, ist die ökonomische Trinität identisch mit der immanenten Trinität[90]. Doch diese Identität ist keine starre Gleichheit. In der ökonomischen Trinität tritt Gott ein in den Bereich des Geschöpflichen und damit des Nichtgöttlichen. Die Menschwerdung Gottes ist deshalb nicht nur die Offenbarung, sondern auch eine neue, d. h. kreatürliche Weise der Verwirklichung des innergöttlichen Verhältnisses von Vater und Sohn. Die Freiheit zu dieser unvermischten und ungetrennten Annahme des Menschen hat Gott im Geist. Gerade innerhalb eines trinitarischen Ansatzes der Christologie kann also gewahrt werden, daß die Person des Logos nicht der Ersatz der menschlichen Personalität Jesu ist, sondern deren einmalige Bestimmung und überbietende Erfüllung[91].

---

[89] Die Trinitätslehre, die sich aus diesem Ansatz ergibt, entspricht mehr dem östlichen als dem westlichen Modell. Sie geht nicht wie Augustinus und in dessen Gefolgschaft Petrus Lombardus und Thomas von Aquin „metaphysisch" von dem einen Wesen Gottes aus, um innerhalb dieses einen Wesens die Dreifaltigkeit zu entwickeln, sie geht vielmehr „heilsgeschichtlich" von der Offenbarung des Vaters durch Christus im Geist aus, um dann deren wesensmäßige Einheit zu denken. Die Konzeption von K. Rahner könnte in dieser Perspektive als Radikalisierung der westlichen metaphysischen Trinitätslehre verstanden werden, die in der Gefahr steht zu einer bloßen Spekulation zu werden, die heilsgeschichtlich folgenlos bleibt. Zur Frage vgl. W. Kasper, a. a. O. 307 ff.

[90] Vgl. K. Rahner, Der dreifaltige Gott als transzendenter Urgrund der Heilsgeschichte, a. a. O. 327 ff. Das ungeklärte Problem der These Rahners „Die ‚ökonomische Trinität' ist die immanente Trinität" liegt freilich in der Frage, wie man dieses „ist" zu verstehen hat. Wenn die mit diesem „ist" ausgesagte Identität nicht zugleich eine Differenz einschließt, dann wird entweder die Geschichtlichkeit der Inkarnation und die Eigenständigkeit der menschlichen Natur Jesu oder aber die Transzendenz und Freiheit Gottes geleugnet. Es wird also entweder monophysitisch die Geschichte von Gott „aufgesogen" oder aber modalistisch Gott der Geschichte ausgeliefert.

[91] Vgl. dazu W. Kasper, a. a. O. 290 ff und das o. in Anm. 58 Gesagte.

Die *zusammenfassende* These lautet also: Die Christologie ist nicht abstrakt innerhalb der Relation von Gottheit und Menschheit oder von Schöpfer-Geschöpf, sondern konkret innerhalb der Relation zwischen Vater und Sohn zu entwickeln. Sie hat „im Geist" die Freiheit sich in die Schöpfung hinein auszuweiten und Jesus Christus in seiner Kreatürlichkeit „unvermischt und ungetrennt" in sich aufzunehmen. Die Alternative zur traditionellen Christologie wie zu den behandelten modernen Neuansätzen ist darum eine trinitarisch und letztlich pneumatologisch begründete Christologie. Die Entfaltung einer Pneumatologie gehört zu den wichtigsten Aufgaben gegenwärtiger systematischer Theologie. Sie kann auch das legitime Anliegen der Christologie „von unten" aufgreifen, weil wir ja „im Geist" durch Jesus Christus zum Vater geführt werden und weil dieser Geist überall in der Natur und in der Geschichte am Werk ist, wo diese seufzend und hoffend sich ausstreckt und dem Reich der Freiheit entgegenharrt, das in der Freiheit Jesu im Verhältnis zu seinem Vater endgültig angebrochen ist[92]. Eine pneumatologisch bestimmte Christologie kann deshalb die Alternative zwischen der Christologie „von oben" und der Christologie „von unten" überholen und dabei beiden ihr relatives Recht lassen.

Eine solche trinitarisch und pneumatologisch bestimmte Christologie ist keine müßige, für die Praxis folgenlose Spekulation. Wenn die Relation zwischen Vater und Sohn *die* eschatologische Wirklichkeit ist, die durch den Geist zur universalen Auswirkung kommt, dann bedeutet dies eine grundlegende Neubestimmung des Wirklichkeitsverständnisses. Feiheit in der Liebe erweist sich als der Sinn von Sein. Aristotelisches Substanzdenken, das die relatio als ens minimum bestimmt, ist damit ebenso korrigiert wie neuzeitliches Emanzipationsdenken im Schema von Herrschaft und Knechtschaft. Beiden stellt das Christentum die (analog zu verstehende) personale Relation zwischen Vater und Sohn als *das* Grundmodell für das Verständnis der Wirklichkeit gegenüber[93]. Was ein solcher Entwurf eines christlichen Weltverständnisses und einer Weltpraxis in der Relation zwischen der freisetzenden Liebe des Vaters und der ihr antwortenden sohnhaften Freiheit in Gehorsam und stellvertretendem Dienst konkret bedeutet, wäre in

---

[92] Vgl. dazu *W. Kasper*, a.a.O. 303ff, 320ff.
[93] Vgl. die Andeutungen bei *W. Kasper*, a.a.O. 97f, 102f, 219f, 227ff, 252ff, 263ff.

der Soteriologie zu entfalten. Hier sollte nur noch deutlich gemacht werden, daß eine Christologie, die sich um ihre Identität müht, um ihre Relevanz nicht besorgt zu sein braucht. Ohne christliche Identität freilich gibt es auch keine Relevanz. Aufzuzeigen daß und wie beides in Jesus Christus zur Einheit gebracht ist, ist die gewiß nicht leichte, aber schöne Aufgabe der Christologie, durch deren Lösung ein Ausweg aus der gegenwärtigen Aporie gefunden werden kann.

Anmerkungen zu Walter Kasper, „Christologie von unten?"

Hans Küng, Tübingen

Walter Kasper führt die Auseinandersetzung mit meinem Buch „Christ sein" sachlich und fair, ohne jegliche Verketzerung. Ich danke ihm dafür, daß er sich so bald nach Erscheinen des Buches mit ihm eingehend befaßt hat. Auf diese Weise ist ein echter Dialog möglich, zu dem die folgenden Anmerkungen beitragen sollen. Der Rückgriff auf die beiden Bücher W. *Kasper*, Jesus der Christus (Mainz 1974) (= WK) und *H. Küng*, Christ sein (München 1974) (= HK) ist zum Verständnis der Diskussion freilich unerläßlich. (Zitationen ohne Seitenzahlen beziehen sich auf den vorausgehenden Artikel von W. Kasper.)

1. Die unbestreitbaren Differenzen dürfen den *grundlegenden Konsens* nicht übersehen lassen:

a) Ein grundsätzlicher *methodischer Konsens:* Kaspers Programm einer geschichtlich bestimmten, universal verantworteten und soteriologisch ausgerichteten Christologie findet meine volle Zustimmung. Die historische wie die gegenwärtige christologische Problemstellung wird von mir ähnlich gesehen.

b) Ein weitgehender *sachlicher Konsens:* Auch ich lehne eine kosmologische, anthropologische oder universalgeschichtlich-evolutive Reduktion der Christologie ab. Die Übereinstimmung im Entscheidenden des Christusglaubens gegen eine falsche „Liberalisierung" wird auch in Kaspers Referat deutlich und könnte, wenn man im Vergleich breiter ansetzte als Kasper, leicht noch sehr viel deutlicher gemacht werden.

Weite Partien in Kaspers „Jesus der Christus" bezüglich Jesu Auftreten und Botschaft, Wunder und Anspruch, Tod und Auferweckung, aber auch bezüglich Jesus Christus als Gottes- und Menschensohn könnten auch in meinem Buch „Christ sein" stehen und umgekehrt. Der weitgehende sachliche Konsens – über die gemeinsame pastorale Intention einer neuen Verständlichmachung der ursprünglichen Christusbotschaft hinaus – gründet darin, daß Kasper und ich – wie neuerdings auch E. Schillebeeckx („Jesus. Het verhaal van een levende" [Bloemendaal 1974]) – mehr als andere katholische Dogmatiker die Ergebnisse der historisch-kritischen Exegese ernst zu nehmen und zugleich den irdischen Jesus wie den auferweckten Christus zur Sprache zu bringen versuchen.

2. Eine *Scheindifferenz* zwischen Kasper und mir (Kasper nennt es „verbale Differenz") liegt in der Tat in Kaspers Titelfrage „*Christologie von unten?*", die ja auch Kasper faktisch vertritt, vor.

a) Gewiß ist jede Christologie auf die neutestamentlichen Zeugnisse, das Zeugnis der apostolischen Kirche, angewiesen, was aber mit „von unten" nicht gemeint ist. Gewiß ist auch bei jeder Christologie, sofern es schon in Verkündigung, Verhalten, Anspruch des irdischen Jesus und nicht erst in seiner Auferweckung um *Gott*, Gottes Reich, Willen, Handeln geht, „ein Element einer Theologie ‚von oben'" im Spiel, wie das Kasper nennt. Aber auch wenn man auf diese bildhafte Terminologie kein Gewicht legt, so ist es doch ein *entscheidender methodischer Unterschied:* ob man in der Interpretation der neutestamentlichen Zeugnisse wie in der traditionellen Christologie von der Patristik bis Barth deduktiv unter Voraussetzung einer Trinitäts- und Inkarnationslehre von Gott her (= „von oben") auf den Menschen Jesus von Nazareth hin denkt; oder ob ich (wie auch Kasper und viele andere) unter Aufnahme der modernen exegetischen Fragestellung systematisch, gleichsam immer wieder neu aus der Perspektive der ersten Jünger Jesu, induktiv-interpretativ vom Menschen Jesus (= „von unten") her auf Gott hin denke. Bei exakter *Definition der Begriffe* kann man methodisch konsequent nicht zugleich „von oben" und „von unten" denken: methodisch gesehen geht es um eine echte Alternative!

b) Eine Christologie „*von oben*", im Neuen Testament grundgelegt, wird von mir in der Tat nicht für illegitim erklärt. Im Gegenteil: Von „Rechtfertigung" (1957; bes. Exkurs „Der Erlöser in Gottes Ewigkeit") bis „Menschwerdung Gottes" (1970) habe ich mich mit dieser Christologie historisch wie systematisch intensiv beschäftigt und sie, wie Kasper anerkennt, in einer Kritik der hellenistisch verstandenen Unveränderlichkeit und Leidensunfähigkeit Gottes in Auseinandersetzung mit Hegel zu vertiefen versucht. Zugleich aber habe ich, was vielfach übersehen wurde, in jenen „Prolegomena zu einer künftigen Christologie" ausgeführt, warum es zu einem Umschlag von Hegels großartiger Christologie „von oben" in D. F. Straußens (gewiß höchst fragwürdige) Christologie „von unten" kommen mußte und warum heute die Anwendung der historisch-kritischen Methode, wie wiederum auch Kasper zugibt, für das Verständnis des Neuen Testaments unumgänglich ist: kein Zurück hinter Hegel, aber auch nicht hinter Strauß! In „Christ sein" wurde dann der ständige enge Zusammenhang von Exegese und Dogmatik in einer Christologie „von unten" in strenger Konsequenz zu realisieren versucht und, meine ich, faktisch wie prinzipiell (auch bezüglich des Auferweckungsglaubens, wo es gerade nicht um eine „pure Christologie von oben" geht) durchgehalten.

c) Eine Christologie „*von unten*" versetzt sich also methodisch – bei selbstverständlicher Beachtung der historischen Differenz – in die Situation der ersten Jünger Jesu: Diese hatten nun einmal die Person eines sehr irdischen Menschen, Jesus von Nazareth, und nicht einfach die Person eines sich offen bekennenden Gottessohnes und erst recht nicht unmittelbar Gott selbst vor sich. Sowohl vor wie nach Ostern hatten sie ernsthaft zu fragen: Wer ist dieser? Wer in seinem Verhältnis zu Gott? Diese Frage an den Glauben stellt sich uns immer wieder neu. Die historisch-kritische Verifikationsmethode empfiehlt sich heute, wie auch Kasper zugeben wird, aus zwei Gründen:

(1) ist nur so die systematische Christologie von der neutestamentlichen Wissenschaft gedeckt,

(2) ist nur so der Christus Jesus für jene heutigen Menschen verständlich zu machen, die in einem völlig verschiedenen Verstehenshorizont leben.

d) Hierbei ist der *Glaube der Kirche*, wenn auch *persönlich-existentielle* Voraussetzung für mein persönliches theologisches Arbeiten, so doch nicht die *wissenschaftlich-methodische* Voraussetzung für heutige Christologie, wie indirekt auch Kasper bezeugt: Trotz einleitender programmatischer Versicherungen in „Jesus der Christus" über den Christusglauben der Kirche als „Ausgangspunkt" ist für ihn faktisch doch nicht die „Phänomenologie des Christusglaubens, wie er konkret in den christlichen Kirchen geglaubt, gelebt, verkündet und praktiziert wird" (WK 30) – was gehört da alles hinzu?! – methodischer Ausgangspunkt seiner Christologie, sondern das in historischer Kritik analysierte Auftreten, Verkündigen, Verhalten und Sterben des irdischen Jesus.

e) *Also:* Insofern ich bei allem konsequent durchgehaltenen Ausgehen „von unten" auf ein „Element von oben" (nämlich Gottes Wirken in Jesus) hin frage (nicht von ihm her!) und Kasper trotz aller Einschränkungen faktisch doch eine Christologie „von unten" (vom Jesus der Geschichte her) treibt, handelt es sich bezüglich der Titelfrage um eine Scheindifferenz.

3. Auch bezüglich des *primären und sekundären Kriteriums der Christologie* stimmen wir grundsätzlich überein:

a) Auch für mich hat die nachbiblische kirchliche Tradition – ganz unabhängig von der Lösung der Unfehlbarkeitsfrage – die Funktion eines sekundären Kriteriums: mehr als manche andere Theologen, die mir Vernachlässigung der Tradition vorhalten, habe ich mich seit zwanzig Jahren – diese Anmerkung pro domo sei gestattet – immer wieder neu um das positive Verständnis der großen und auch der weniger bekannten konziliaren Tradition bemüht.

Das gilt von den christologischen Konzilien von Nikaia und Chalkedon bis zu den spätbyzantinischen (vgl. „Menschwerdung Gottes"), von den mittelalterlichen Papstsynoden, den Konzilien von Konstanz und Basel (vgl. „Strukturen der Kirche") sowie Trient (vgl. „Rechtfertigung", „Wozu Priester? Eine Hilfe") bis zum Vatikanum I und II (vgl. „Strukturen der Kirche", „Die Kirche", „Unfehlbar? Eine Anfrage", „Fehlbar? Eine Bilanz"). Bezüglich der Aufarbeitung der christologischen Tradition bildet „Menschwerdung Gottes" für „Christ sein" die „Prolegomena". Kaspers dogmengeschichtliche Entfaltungen im dritten Hauptteil, wo komplizierte Entwicklungen durchsichtig dargelegt werden, kann ich als wertvolles Repetitorium der Dogmengeschichte und als „Complementum" meiner eigenen Ausführungen mit anregenden Ausblicken auf die neuzeitliche und gegenwärtige Problematik nur willkommen heißen. Kasper und ich wissen uns beide nicht nur der exegetischen, sondern auch der dogmengeschichtlichen Forschung verpflichtet.

Es schien mir aber von Anfang und dann immer deutlicher notwendig, kirchliche und auch konziliare Tradition an der in der Schrift ursprünglich bezeugten christlichen Botschaft, ja an Jesus Christus selber, als dem primären Kriterium jeglicher Theologie, zu messen.

b) Aber auch für Kasper ist *primäres* Kriterium jeglicher Christologie der im Neuen Testament ursprünglich bezeugte Jesus Christus; der Glaube der Kirche hingegen ist nur *sekundäres* Kriterium. Auch Kasper kritisiert von daher entschieden nicht nur das weithin mythologische und doketische durchschnittliche kirchliche Bewußtsein von Jesus als einem als Mensch verkleideten Gott, sondern auch die so wenig geschichtliche, personale und soteriologische Christologie der Scholastik und Neuscholastik und, in etwa, sogar die christologischen Definitionen der alten Konzilien, insofern er sie – statt von Unfehlbarkeit klug von „Verbindlichkeit" redend – historisch einordnet und dabei auf ihre Schwächen, Grenzen, Gefahren und Mißverständlichkeiten hinweist. Wo also liegt der Unterschied?

4. Der eigentliche *Unterschied* liegt in der *mehr oder weniger konsequenten Anwendung des primären Kriteriums* der Christologie: Sehr viel leichter als ich meint Kasper den Jesus Christus des Neuen Testaments und den Jesus Christus der dogmatischen Tradition zur Deckung bringen zu können, so daß die *dogmatische* Christologie der alten und mittelalterlichen Kirche immer wieder als organische Weiterentwicklung einer (durchaus kritisch verstandenen) *biblischen* Christologie erscheint. Ein dogmatisches Vorverständnis macht sich bei der Interpretation der Schrift bemerkbar. Das primäre Kriterium der Christologie (= der biblische Jesus Christus) wird öfters, scheint mir, vom sekundären Kriterium (= der Lehre der Kirche) mit Hilfe eines kirchlich-idealistischen Entwicklungsdenkens überspielt.

Auf Belege muß ich in diesem Rahmen verzichten. Ich meine nur: Würde Kasper die von ihm bejahte historisch-kritische Methode auch in den lehramtlich belasteten („unfehlbaren") Lehrpunkten wie Naherwartung und Jungfrauengeburt ohne hermeneutischen Kompromiß konsequent durchhal-

¹ten, so käme er auch dort zu ähnlichen Schlüssen wie ich. Eine vom primären Kriterium her kritischere, wenn auch keineswegs negative Wertung der nachbiblischen kirchlichen Tradition (auch der Zwei-Naturen-Lehre, der späteren Trinitätslehre oder der anselmischen Satisfaktionstheorie) würde sich dann freilich aufdrängen: Es könnten gewichtige Verschiebungen der biblischen Perspektiven nicht so leicht hingenommen, deutliche Brüche in der nachbiblischen Entwicklung nicht so leicht übersprungen werden. Die Kontinuität in der Vermittlung der christlichen Botschaft müßte auf dem Hintergrund einer immer wieder neu durchbrechenden Diskontinuität gesehen werden: alles im Dienste einer *echten* systematischen Synthese ohne Harmonisierung der Widersprüche. Wird von Kasper nicht immer wieder allzu einfach biblisches Kerygma und „verbindliches Dogma der Kirche": „kurzum alles, was man im theologischen Sinn des Wortes als Tradition bezeichnet", identifiziert?

5. Zu den allzu global gestellten inhaltlichen *Einzelfragen* sind in diesem Rahmen nur einige klärende Bemerkungen möglich. Für die Frage nach Präexistenz, Inkarnation und Mariologie ist die Frage nach der Gottessohnschaft grundlegend, die ich hier – auch als einen Beleg für meine eigene Kritik an Kaspers Hermeneutik von Schrift und Dogma – herausgreife.

a) Die Frage, *wer Jesus eigentlich ist*, meine ich mit meiner direkt am Neuen Testament orientierten Interpretation der chalkedonischen Formel „vere Deus" (und „vere homo") beantwortet zu haben. Die Alternative, die Kasper aufstellt zwischen Jesus als einem Menschen, in welchem Gott handelnd gegenwärtig ist, und Jesus als dem eingeborenen Gottessohn, ist für mich vom Neuen Testament her keine Alternative. Ebensowenig möchte ich mich entweder auf Bultmann („„bloße" Offenbarungschristologie?) oder auf Schoonenberg (Christologie einfach der „Gegenwart" Gottes?) – anscheinend beide Häretiker – festlegen lassen. Natürlich kann auch ich sagen und habe es auch gesagt: „Jesus *ist* der *Sohn Gottes*", obwohl mir die „klassische" Fixierung gerade auf diesen einen (im hellenistischen Raum für viele Gottessöhne gebrauchten, heute aber auch nach Kasper nur schwer zugänglichen) Titel weder vom Neuen Testament noch vom heutigen Verständnis her gerechtfertigt erscheint. Auch nach Kasper reicht kein einzelner Titel aus, um zu sagen, wer Jesus ist; wiewohl er dann wieder auf derselben Seite behauptet, gerade mit dem Bekenntnis zu Jesus als dem „Sohn Gottes" stehe und falle der christliche Glaube (WK 191). Die entscheidende Frage ist indessen, wie „Gottessohn" und „ist" verstanden werden. Und da muß nun auch Kasper in seinem Kapitel über den Gottessohn und Mittler manches berichten, was sich mit der späteren dogmatischen Entwicklung nur gewaltsam in Einklang bringen läßt.

Nicht nur bei mir, sondern auch in Kaspers Buch kann man lesen: Konsequent gebraucht das Neue Testament ὁ θεός = Gott im strengen Sinn nur vom Vater und nie von Jesus. Dieser wird nur – und dies nur in späteren hellenistisch beeinflußten Schriften der Paulus-Schule und des johanneischen

Korpus – artikellos schlicht als θεός bezeichnet: er ist nach dem Kontext eben nur „Wort", „Bild", „Offenbarung", „Erscheinung" Gottes in hierarchisch-funktionaler Zu- und Unterordnung unter Gott, den Vater. Entsprechend richtet sich die neutestamentliche und urchristliche Doxologie nicht an den Vater und den Sohn und den Heiligen Geist, sondern an den Vater durch den Sohn im Heiligen Geist.

Weiter liest man auch bei Kasper: Zum Verständnis des Gottessohn-Titels, den Jesus selber nie für sich gebraucht hat und der eindeutig nachösterliches Bekenntnis der Gemeinde ist, darf man nicht von den späteren dogmatischen Aussagen von einer metaphysischen Gottessohnschaft Jesu ausgehen. Nach Kasper wäre es eine „illegitime Rückprojektion", wollte man das Dogma von Chalkedon, „das ganz unter den geistigen und politischen Voraussetzungen der damaligen Situation und in einer mehr fachlich-philosophischen Begrifflichkeit formuliert ist", „unmittelbar aus der Schrift erheben" (WK 270). Im Neuen Testament ist „Gottes Sohn" primär vom Alten Testament her zu verstehen, welches, streng monotheistisch, den Titel entmythologisiert hat: nicht als physische Abstammung, sondern als freie, gnadenhafte Erwählung durch Gott, also nicht naturhaft-substantiell, sondern funktional-personal. In den ältesten Schichten des Neuen Testaments findet sich kein Interesse an Wesensaussagen und ist nicht davon die Rede, daß Jesus von Anfang an Sohn Gottes ist, sondern daß er „seit der Auferweckung von den Toten als Sohn Gottes in Macht eingesetzt" wurde (Röm 1,4); schrittweise wurde das Prädikat zurückverlegt auf Jesu Taufe und schließlich seine wunderbare Zeugung. Auch im Johannesevangelium wird die Einheit von Vater und Sohn nicht physisch oder metaphysisch verstanden, sondern als Einheit des Willens und der Erkenntnis, die eine Unterscheidung und Unterordnung des Sohnes gegenüber dem Vater im Gehorsam einschließt.

Diesen biblischen Befund und manches mehr in diese Richtung liest man also auch bei Kasper. Nur daß Kasper diese biblischen Aussagen immer gleich auf die späteren dogmatischen Aussagen von einer ontologischen, metaphysischen Gottessohnschaft hin interpretiert. Aber kann man so leicht übergehen von Jesu Glaube und Gehorsam auf ihn als „Hohl- und Leerform" für das „Dasein", „Sein", „Selbstereignis" Gottes selbst; von Jesu Funktion auf sein Wesen; von der Persongemeinschaft mit dem Vater auf eine Wesensgemeinschaft; von den heilsgeschichtlich-soteriologischen Aussagen der Schrift zu den ontologischen Seinsaussagen der späteren Theologie und ihre Konzentration auf die formale Konstitution eines Gottmenschen? Sind also Kaspers Übergänge von einer funktionalen Christologie zu einer essentialen, metaphysischen, ontologischen, von einer Sendungs- zu einer Seinschristologie, von der ursprünglichen Zwei-Stufen-Christologie zu einer – nach Kasper der „geniale Griff Tertullians" (WK 275) – Zwei-Substanzen-Christologie oder schließlich Zwei-Naturen-Christologie nicht zu rasch?

b) Das zentrale christologische Problem des Neuen Testaments ist auch nach Kasper gerade nicht die „klassische" Frage nach der Einheit von Gottheit und Menschheit in Christus, sondern ist die nach der Einheit des Menschen Jesus von Nazareth mit Gott, seinem Vater, und in anderer Hinsicht die der Einheit des irdischen Jesus und des erhöhten Christus. Bringt also die „klassisch" genannte nachbiblische Frage nach zwei Naturen in Jesus Christus wirklich nur, wie Kasper (nach Grillmeier) meint, eine legitime („ontologische") Entfaltung dieser Frage und nicht vielmehr eine höchst bedenkliche Verschiebung der biblischen Perspektiven, wie auch Kasper am Rande eingestehen muß? Kann man also funktionales und ontologisches Verständnis einfach harmonisieren?

Kasper fordert immer wieder ein „ontologisches" Verständnis von Gottessohnschaft, Präexistenz, Inkarnation: Wenn mit „ontologisch" der Gegensatz zu „psychologisch" gemeint ist und ein Auseinanderklaffen von Person und Werk, Sein und Deutung, Glaubensinhalt und Glaubensvollzug abgelehnt werden soll, kann ich in der Sache zustimmen, auch wenn ich das Wort in diesem Zusammenhang nicht schätze. Wenn aber mit „ontologisch" faktisch doch eine hellenistische (und dann vielleicht modern angepaßte) Ontologie gefordert werden soll, wie sie der traditionellen Zwei-Naturen-Lehre, der Seins- und Wesenschristologie zugrunde liegt, kann ich mit vielen anderen nicht zustimmen (vgl. dazu auch die Bedenken von A. Halder in diesem Band). Auch Kasper, der eine Verpflichtung auf eine bestimmte, etwa aristotelisch-thomanische Metaphysik ausdrücklich ablehnt, müßte hier eigentlich zustimmen. Von den christologischen Dogmen, die die Zwei-Naturen-Lehre voraussetzen, sind die vom Neuen Testament gedeckten großen Intentionen zu bewahren und sogar erneut zur Geltung zu bringen, wie ich dies versucht habe. Aber die begrifflich-vorstellungsmäßige Gestalt braucht nicht als verbindlich übernommen zu werden. Also nach dem bekannten Wort Johannes' XXIII.: die „Substanz" ist zu bewahren, das „Kleid" der Formulierung kann wechseln. Dies gilt auch – worüber in „Menschwerdung Gottes" und „Christ sein" Genügendes gesagt wird – von den dogmatischen Aussagen über Präexistenz und Inkarnation. Das gilt schließlich auch von den Mariendogmen, auch von dem der „Gottesgebärerin" des Konzils von Ephesos 431, dessen historische, rechtliche und theologische Anfechtbarkeit indirekt auch von Kasper zugegeben wird.

c) Eine „Einheit" zwischen Jesus und dem Vater ist also selbstverständlich zu bejahen. Aber diese Einheit muß, wie auch Kasper sagt, personal, relational, funktional verstanden werden und eben – anders als Kasper gerne folgern möchte – nicht unbedingt ontologisch im Sinne einer (womöglich umgedeuteten) Zwei-Naturen-Lehre: gerade nicht als eine von vornherein gegebene ontologische Seinseinheit, die sich auch vom Johannesprolog oder vom Philipperhymnus her – beides Hymnen, nicht Dogmen! – nicht begründen läßt, sondern als eine geschichtlich zu verstehende *Offenbarungseinheit* oder – so

F. Mußner in diesem Band – als *Aktionseinheit*. Gott manifestiert sich ja wahrhaft und wirklich in einzigartiger Weise in Jesus Christus und qualifiziert ihn so wahrhaft und wirklich als den Sohn Gottes.

d) Von einer wieder ursprünglich verstandenen Gottessohnschaft her läßt sich auch der schwierige Begriff der *Inkarnation* (und entsprechend der Präexistenz) dem heutigen Menschen wieder besser verständlich machen. Für das Neue Testament sind freilich Tod und Auferweckung Jesu und ist nicht das Inkarnationsmotiv (das im ältesten Evangelium und in den paulinischen Schriften praktisch kaum eine Rolle spielt) „zentral". Auch ist im ganzen Neuen Testament nirgendwo von einer Menschwerdung (oder einem Geborenwerden) Gottes selbst, sondern nur von einer Menschwerdung des Wortes oder Sohnes Gottes die Rede. Dieses vor allem johanneische Motiv ist in der heutigen Christologie nicht nur nicht „auszuschalten", sondern auch positiv „einzubringen", wie das in meinem Buch – freilich unter Vermeidung „spekulativer Feinschmeckereien" – doch unübersehbar geschehen ist. Gerade wenn die Gottessohnschaft nicht hellenistisch als seinshafte Zeugung und Abkunft, sondern vom Alten Testament her primär als Erwählung, Annahme an Sohnes Statt und Einsetzung in eine göttliche Macht- und Würdestellung verstanden wird, so wird deutlich, daß es bei Jesus Christus um mehr als um eine äußerlich-juridische Adoption geht: In Jesus hat Gottes Wort wahrhaft und wirklich Fleisch, menschliche Gestalt angenommen.

So kann auch in einer konsequenten Christologie „von unten" das „oben" ansetzende Inkarnationsmotiv von Joh 1,14 in seiner positiven Intention zur Geltung gebracht werden: nicht zur Begründung einer hohen spekulativen Christologie, sondern zur Betonung der konkreten Leibhaftigkeit des Heils gegen jene Geister, die nicht Gott, wohl aber den echt menschlichen „Jesus zunichte machen" (1 Joh 4,3; vgl. die klare Unterscheidung zwischen Vater und Sohn oder Christus auch in 2 Joh 9). So ist Inkarnation zu verstehen und damit möge, wer Fragen hat, sich auseinandersetzen: „In Jesu *ganzem* Leben, in seinem *ganzen* Verkündigen, Verhalten und Geschick hat, wie durch alle die vorhergehenden Kapitel deutlich geworden, Gottes Wort und Wille Fleisch, eine menschliche Gestalt angenommen: Jesus hat in seinem ganzen Reden, Tun und Leiden, hat in seiner ganzen Person Gottes Wort und Willen *verkündet, manifestiert, geoffenbart*. Ja, man kann sagen: Er, in dem sich Wort und Tat, Lehren und Leben, Sein und Handeln völlig decken, *ist* leibhaftig, *ist in menschlicher Gestalt Gottes Wort und Wille*... Der *wahre Mensch* Jesus von Nazaret ist für den Glauben des einen *wahren Gottes* wirkliche *Offenbarung*" (HK 434).

Oder im Hinblick auf das Johannesevangelium: „Da der Vater den Sohn kennt und der Sohn den Vater, da der Vater im Sohn und der Sohn im Vater ist, da also der Vater und der Sohn eines sind, gilt: Wer den Sohn sieht, sieht auch den Vater! Hier liegt weder Mythologie noch Mystik noch Metaphysik vor, sondern die nüchterne, aber grundlegende Aussage: im Wirken und in der Person Jesu begegnet Gott, manifestiert sich Gott – freilich nicht wahrnehmbar für den neutralen Beobachter, wohl aber für den sich vertrauensvoll auf Jesus einlassenden und glaubenden Menschen" (ebd.).

e) Inwiefern also *ist* Jesus der Sohn Gottes? Wenn man entschieden am „vere Deus – vere homo" festhält, braucht man sich deshalb heute noch keineswegs erneut auf die nachbiblisch-hellenistische Fragestellung von der Einheit von Gottheit und Menschheit in Christus festzulegen, sondern kann durchaus die auch nach Kasper ursprünglich-biblische Fragestellung von der Einheit des Menschen Jesus mit Gott, seinem Vater, aufgreifen. Auf diese Gottessohn-Frage habe ich in meinem Buch ausführlich geantwortet und meine Antwort in der von Kasper zitierten Interpretationsformel des chalkedonischen „vere Deus" zusammengefaßt: Jesus ist Sohn Gottes, insofern „*in Jesus* – der den Menschen als Gottes Sachwalter und Platzhalter, Repräsentant und Stellvertreter erschien und als der Gekreuzigte zum Leben erweckt von Gott bestätigt wurde – für die Glaubenden der menschenfreundliche *Gott selber* nahe war, am Werk war, gesprochen hat, gehandelt hat, endgültig sich geoffenbart hat. Alle oft in mythologische oder halbmythologische Formen der Zeit gekleidete Aussagen über Gottessohnschaft, Vorausexistenz, Schöpfungsmittlerschaft und Menschwerdung wollen letztlich nicht mehr und nicht weniger als das eine: die *Einzigartigkeit, Unableitbarkeit und Unüberbietbarkeit* des in und mit Jesus lautgewordenen *Anrufs, Angebots, Anspruchs* begründen, der letztlich nicht menschlichen, sondern göttlichen Ursprungs ist und deshalb, absolut verläßlich, die Menschen unbedingt angeht" (HK 439f). – Eine bessere, d. h. eine vom Neuen Testament her begründetere und für den heutigen Menschen verständlichere Antwort konnte ich in Kaspers Buch auch nicht finden.

Durch das in meinem Buch über Gottessohnschaft, Vorausexistenz und Menschwerdung, Gesagte sollte für weiteres Nachdenken nicht eine Grenze aufgerichtet, sondern vielmehr, und dies freilich sehr entschieden, eine Richtung gewiesen werden. Nicht umsonst steht schon programmatisch im Vor-Wort: „Wer die traditionellen Glaubenssätze dem heutigen Menschen noch besser verständlich machen kann als der Verfasser, der ist hochwillkommen. Nichts, was sich verständlich machen läßt, soll hier abgelehnt werden. Insofern bleiben alle Türen für die größere Wahrheit offen."

Auf naheliegende *Gegenfragen* an Kaspers christologischen Entwurf – etwa bezüglich des historischen Jesus, der ethischen Konsequenzen, des Hellenisierungsprozesses – muß hier verzichtet werden, wiewohl es insbesondere reizen würde, zu untersuchen, ob Kaspers eigener Lösungsversuch der – meines Erachtens ausweglosen – „klassischen" (aber nicht biblischen) Problematik: „die Person des Logos ist die menschliche Person" (WK 294), dem chalkedonischen Dogma: „*eine* Person in zwei *Naturen*", entspricht (vgl. auch Denz 217!). Auch *neuere* Ontologien können „den Sieg über den biblischen Gott der Geschichte davontragen". Aber ob es in all diesen „klassischen" Fragen wirklich um „das tägliche Brot des Glaubens" (und seiner Prediger!) geht? Anderes schiene mir heute mehr der theologischen Reflexion wert: „Nach dem Neuen Testament entscheidet sich das *Christsein* nicht letztlich mit der Zustimmung zu diesem oder jenem noch so hohen Dogma über Christus, *nicht* mit einer *Christologie* oder *Christus-Theorie*, sondern mit dem *Christusglauben* und der *Christusnachfolge!*" (HK 440). Vielleicht könnte damit auch Walter Kasper einverstanden sein.

Für eine Christologie in geschichtlicher Perspektive
Replik auf die Anmerkungen von Hans Küng

Walter Kasper, Tübingen

Die Antwort von Hans Küng hat sowohl den Konsens wie die zwischen uns bestehenden methodischen und sachlichen Differenzen deutlich gemacht. Es ist nicht die Aufgabe einer kurzen Replik, auf alle im Referat und in der Antwort angesprochenen Fragen nochmals ausführlich einzugehen. Die Abwägung zwischen den in „Christ sein" (München 1974) und in „Jesus der Christus" (Mainz 1974) vertretenen Positionen soll zunächst der inzwischen bereits in Gang gekommenen wissenschaftlichen Diskussion überlassen bleiben. Hier sollen lediglich die für diese Diskussion entscheidenden Sachfragen nochmals präzisiert werden.

1. Die Grundfrage betrifft den methodischen Ansatz der Theologie bzw. den Ort, von dem aus Theologie zu treiben ist. Geht die Theologie aus von einer „Phänomenologie des kirchlichen Glaubensbewußtseins" oder kann sie sich heute nochmals „in die Situation der ersten Jünger Jesu" stellen?

Nimmt man die hermeneutische Diskussion der letzten Jahrzehnte und die durch sie herausgestellte hermeneutische Bedeutung des Vorverständnisses, ja des Vorurteils, der erkenntnisleitenden Interessen und der soziologischen Plausibilitätsstrukturen *jedes* menschlichen Erkennens ernst, dann kann man als Theologe, zumal als dogmatischer Theologe, ein dogmatisches Vorverständnis unbefangen zugeben, ohne darin auch nur den leisesten Grund zu einem Vorwurf zu sehen. Als problematisch erscheint dann eher das Programm, sich heute, nach fast 2000 Jahren Kirchengeschichte, nochmals in die Situation der ersten Jünger Jesu stellen zu wollen. Selbst wenn dies möglich wäre, stellte sich noch immer die Frage, ob denn der eschatologisch-apokalyptische Verstehenshorizont der ersten Jünger für den heutigen Menschen verständlicher ist als der einer bereits wesentlich reflektierteren und „aufgeklärteren" hellenistischen oder auch scholastischen Epoche. Ist nicht in beiden Fällen eine ähnliche Übersetzungsarbeit zu leisten? Warum aber sollte eine entmythologisierende Interpretation des NT als kritisch, eine entsprechende hermeneutische Aufbereitung der späteren Tradition aber als harmonisierend gelten? Ist denn das hermeneutische Problem je nach dem erkenntnisleitenden Interesse halbierbar? Kurzum: Die von H. Küng immer wieder so emphatisch betonte Orientierung am „Ursprünglichen" bedürfte erst noch der hermeneutischen Reflexion.

Wichtiger als solche hermeneutische Überlegungen sind die theologischen Erwägungen. Der Glaube an Jesus Christus bezieht sich nämlich nicht nur auf den irdischen Jesus, sondern – worin ich mit H. Küng einer Meinung bin – auf den irdischen Jesus, der als der auferweckte Christus im Geist bleibend in der Kirche präsent ist. Dem auferweckten und erhöhten Jesus Christus begegnen wir aber nur durch das Zeugnis der kirchlichen Glaubensgemeinschaft. So läßt sich nicht nur hermeneutisch, sondern auch theologisch begründen, daß die kirchliche Glaubensgemeinschaft nicht nur persönlich-existentiell, sondern auch methodisch-wissenschaftlich der Ort ist, von dem aus Theologie allein möglich sein kann. Im Unterschied zur Religionswissenschaft ist für die Theologie die Kirche und ihre Glaubenstradition also nicht nur Gegenstand wissenschaftlicher Untersuchung, sondern zugleich deren transzendentale Möglichkeitsbedingung. Als reaktionär kann ein solches Verständnis der Theologie nur bezeichnen, wer einem spätbürgerlichen Individualismus anhängt und die soziologischen Voraussetzungen jedes, auch des wissenschaftlichen Erkennens nicht zur Kenntnis nimmt.

Der Glaube der Kirche ruht freilich nicht in sich, sondern ist bleibend auf das apostolische Ursprungszeugnis von Jesus Christus bezogen und muß von ihm her immer wieder neu interpretiert werden. Das unterschiedliche Gewicht der apostolischen und der nachapostolischen Tradition, die möglichen Verschiebungen der Perspektiven und Akzente wie die epochalen Umbrüche im Verstehenshorizont zwischen beiden wurden in „Dogma unter dem Wort Gottes" (Mainz 1965) und in „Die Methoden der Dogmatik" (München 1967) ausführlich behandelt und brauchen nicht wiederholt zu werden. Bei solcher Kontinuität in der Diskontinuität ist das Christusdogma der alten und der mittelalterlichen Kirche selbstverständlich nicht die organische Weiterentwicklung der biblischen Christologie, sondern deren geschichtliche Vergegenwärtigung, die ihrerseits modellhaft sein kann für die der Kirche heute gestellte Aufgabe der Übersetzung der christlichen Botschaft. Ein solches geschichtliches Verständnis der Kirchlichkeit der Theologie ist beste Tübinger Tradition, die sich sowohl bei J. A. Möhler wie bei J. E. Kuhn deutlich vom idealistischen Entwicklungsdenken von F. Chr. Baur und D. F. Strauß distanziert hat. Wenn darum H. Küng und ich zwar in der Unterscheidung von primärem und sekundärem christologischem Kriterium, aber nicht in der Anwendung dieser Unterscheidung einig sind, dann hat dies nichts mit mehr oder weniger Mut zur Konsequenz oder mit einer mehr oder weniger großen Bereitschaft zu Kompromissen, sondern allein mit dem unterschiedlichen theologischen Grundansatz zu tun.

2. Der unterschiedliche methodische Ansatz führt auch zu unterschiedlichen inhaltlichen Aussagen. Dies gilt vor allem für die Lehre von der Inkarnation, der Präexistenz und der Trinität. Die Frage ist: Sind die ontologischen Aussagen der traditionellen Christologie nur eine geschichtlich bedingte, aber nicht unbedingt verbindliche „begrifflich-vorstellungsmäßige Gestalt" des Christusglaubens, oder gehören sie zur verbindlichen „Substanz"? Ist also „eine alle Detailfragen berührende grundlegende Neuorientierung" in der Theologie in dem Sinn möglich, daß die geschichtliche Entwicklung zu ontologischen Aussagen faktisch zurückgenommen wird zugunsten einer unvermittelten – wirklich oder vermeintlich – biblischen Redeweise in der Christologie?

Für die Unerläßlichkeit einer ontologischen Interpretation der Person und Funktion Jesu Christi scheinen mir sowohl bibeltheologische wie systematisch-theologische Gesichtspunkte zu sprechen. Zwar ist der Titel „Sohn Gottes" im NT vom AT her zunächst funktional zu interpretieren. Aber läßt sich das ntl. Verständnis auf das atl. reduzieren, oder zeigt sich nicht gerade in der Christologie das Neue des Neuen Testaments? Nach E. Käsemann wird das Verständnis der „Gottessohnschaft im metaphysischen Sinne vom ganzen NT selbstverständlich vorausgesetzt" (An die Römer, Tübingen 1973, 3; vgl. 8, 207). Etwas differenzierter und wohl auch präziser urteilt R. Schnackenburg, wenn er sagt, in Joh 1,14 sei „die Zwei-Naturen-Lehre – noch unentfaltet – eingeschlossen"; sie „kann im metaphysischen Denken der griechischen Väter aus Joh 1,14 legitim entwickelt werden" (Das Johannesevangelium, 1. Teil, Freiburg – Basel – Wien 1965, 242f; vgl. 2. Teil, 386f). Neuerdings hat M. Hengel gezeigt, daß die Einführung einer nicht nur ideellen, sondern realen Präexistenzvorstellung schon innerhalb des NT relativ früh und von biblischen Voraussetzungen aus von der Sache her notwendig war um einer drohenden Mythisierung Jesu Christi zu wehren (vgl. Der Sohn Gottes, Tübingen 1975, 104ff). Der Übergang von den funktionalen Aussagen zu deren ontologischem Verständnis liegt also nicht erst zwischen der biblischen und der nachbiblischen Tradition, sondern schon innerhalb des NT selbst.

Eine solche ontologische Interpretation der funktionalen Christologie kann in der gegenwärtigen Situation auch aus systematisch-theologischen Gründen nicht zugunsten eines unvermittelten Rückgriffs auf die frühesten Traditionsschichten des NT faktisch zurückgenommen oder suspendiert werden. Wenn sich neue Probleme einmal gestellt haben, ist eine archaisierende Rückkehr in die ursprüngliche „Naivität" ohne schwerwiegende Mißverständnisse nicht mehr möglich. Gerade angesichts der heutigen Problemstellung liegt alles daran, deutlich zu machen, daß eine soteriologische Funktion Jesu Christi, die nicht im Sein Jesu Christi begründet wäre, buchstäblich „in der Luft" hinge und – was H. Küng sicher nicht will – als bloße Projektion menschlicher Erlösungssehnsüchte mißverstanden werden müßte. Die ontologische Fundierung der funktionalen und relationalen Christologie dient also auch heute noch der Abgrenzung gegenüber einem doketischen und gnostischen Christusverständnis und betrifft damit die Substanz des Christusglaubens selbst. Daß wir damit nicht auf eine ganz bestimmte Ontologie festgelegt sind, wurde schon gesagt.

Hat man diesen unlösbaren Zusammenhang von Sein und Bedeutung Jesu Christi einmal zugegeben (was H. Küng grundsätzlich tut), dann kann man, will man sich nicht einer Problemverweigerung schuldig machen, weiteren, sich in logischer Konsequenz stellenden Fragen nicht ausweichen. Wenn man etwa mit H. Küng am Bekenntnis zur wahren Gottheit Jesu festhält und gleichzeitig von einer hierarchisch-funktionalen Unterordnung Jesu unter den Vater spricht, dann stellt sich unausweichlich die Frage, wie Einheit und Unterschiedenheit miteinander vereinbar sind, ohne daß Widersprüchliches zugleich behauptet wird. Begriffe wie „Offenbarungs-" und „Aktionseinheit" lösen da gar nichts, weil sie selbst höchst vieldeutig sind und sowohl sabellianisch wie nestorianisch mißverstanden werden können. Gegen beide Mißverständnisse grenzte sich die altkirchliche Tradition ab, indem sie nicht nur vom wahren Gottsein und vom wahren Menschsein, sondern auch von der Einheit beider in der einen Person des ewigen Wortes Gottes sprach. Ähnliche Fragen stellen sich heute in der idealistischen, liberalen, nachtheistischen Christologie wieder. Bei diesen schwierigen Fragen geht es letztlich nicht allein um theoretische Spekulationen, sondern um die sehr konkrete Frage nach der Person Jesu. Da H. Küng auf diese, nach ihm über alles entscheidende Frage auch in seiner Erwiderung archaisierende und deshalb höchst zweideutige Antworten gibt, erlaube ich mir, meine an ihn gestellte Frage zu wiederholen: Wer ist Jesus Christus? Ist er eine menschliche Person, in der sich Gott sprechend und handelnd offenbart, oder ist er der ewige Sohn Gottes, der in der Geschichte Mensch wird?

H. Küng hat geantwortet, andere Fragen schienen ihm heute mehr der theologischen Reflexion wert. Darüber soll nicht gestritten werden; entscheidend ist lediglich, daß auch diese Frage in hohem Maße der theologischen Reflexion wert ist, weil ohne eine eindeutige Antwort auf die Frage nach der Person Jesu ein eindeutiges Christsein, das mit dem Glauben an Jesus Christus steht und fällt, nicht möglich ist. Denn wie soll es einen Christusglauben und eine Christusnachfolge ohne ein Christusverständnis und somit eine Christologie geben? Hat nicht schon oft ein falsches oder zweideutiges Christusverständnis zu einer falschen und zweideutigen Christusnachfolge geführt? Unser Christsein ist in der Taufe auf den Namen des dreifaltigen Gottes begründet; dies ist keine abstrakte Theorie, sondern ein liturgisches Bekenntnis, das bis heute zu den stärksten Klammern zwischen allen großen Kirchen gehört. Ein eindeutiges Christsein setzt also ein eindeutiges Bekenntnis zum dreifaltigen Gott voraus. Falsche Alternativen helfen hier ebensowenig weiter wie zweideutige Formulierungen und verschleierte Widersprüche. Mit dieser Forderung nach unmißverständlicher Eindeutigkeit müßte gerade Hans Küng einverstanden sein.

DATE DUE
